한중 수교 25주년『한중연사』

한중의 인연, 역사로 만나다

책임편집
한중문화우호협회
취환

부 민 문 화 사

발간사

2017년, 한국과 중국은 수교 25주년을 맞았습니다. 올해 두 나라 최고 지도자는 독일 베를린, 베트남 다낭, 그리고 중국 북경에서 세 차례 만남을 가졌습니다. 한국과 중국은 수천 년 동안 '같은 하늘 아래에 터전을 잡고서 인화를 통해 서로 존중하고 믿으며' 살아왔습니다. 세 차례의 잦은 만남이나 수교 25주년 만에 정치·경제·사회·문화 등 모든 분야에서 교류가 활발히 진행된 것은 이웃으로 살아 온 두 나라에게 놀라운 일이 아닙니다.

올해는 사단법인 한중문화우호협회 설립 15주년이기도 합니다. 한중문화우호협회는 한국과 중국이 이웃으로 살아 온 '인연'을 꾸준히 잇고자 설립하였습니다. 그동안 '한중연(韓中緣)' 사업을 통해 다양한 문화 행사와 미래 꿈나무 교류 행사를 쉼 없이 진행하였습니다.

저는 '중국 엄마의 딸'이면서 '한국 딸의 엄마'입니다. 한중 두 나라의 두 가족을 이어 한 가족을 이루면서, '같은 점은 함께 하고 다른 점은 공감하였던' 수천 년의 인연이 저를 통해 오늘에도 이어지고 있습니다. 저에게는 수천 년 한중 두 나라의 인연을 앞으로도 계속 이어지게 해야 하는 중요한 책무가 있습니다.

한중 두 나라는 '지리적으로 가깝고, 사람은 친밀하며, 문화는 통합니다(地緣相近 人緣相親 文緣相通).' 두 나라의 새로운 발전을 위해서는 옛 것을 통해서 새로운 미래를 일구려는 '온고지신'의 마음이 필요합니다. 한중문화우호협회 설립 15주년을 기념하면서, 또한 앞으로 한중 교류에 더욱 힘을 보태려는 뜻을 가다듬기 위해서는, 한중 두 나라의 인연을 소중히 이었던 문화 우호의 산 증인인 두 나라 여러 인물의 교류를 살펴볼 필요가 있습니다. 이 책은 그 작은 바람의 첫 번째 결과물입니다.

『한중연사(韓中緣史)』 발간은 2년 전부터 시작되었습니다. 먼저 한중 교류를 전공한 학자들을 모셔 편집위원회를 구성하였고, 편집위원회에서 신라부터 대한제국까지, 당나라부터 청나라까지 한중 두 나라 문화 교류에 힘썼던 50명 인물의 면모를 정리하였습니다. 그런 다음 해당 인물에 관한 여러 자료를 확인하면서 김교각(金喬覺)부터 장지엔(張謇)까지 21명 인물을 선정하였고, 해당 인물을 오랫동안 연구해 온 김성환, 박용진, 박현규, 여성구, 유병례, 장일규, 최용철, 최준호, 최희준 등 9분의 한국 학자와 리우시타오, 쉬이, 쉬나이웨이, 야오다용, 자오하이롱, 정쉬엔위에 등 중국 학자 6분을 필자로 모셔, 그들의 진솔한 이야기를 온전히 담았습니다.

『한중연사(韓中緣史)』에는 여러 인물의 행적을 자세히 담으면서, 특별히 당시 기록을 가감 없이 제시하였습니다. 자연히 글의 일부에는 자국 역사문화를 지나치게 강조하는 부분도 없지 않습니다. 이것은 대체로 사신 등 외교 관계에 참여한 이들이 작성한 외교 문서 등에서 보이는데, 정치·외교 관계상 자국 역사문화에 대한 긍지나 애착을 강조하려는 경향은 당연한 것입니다. 다만, 문화 교류는 그보다는 상호 이해를 바탕으로 진행되었음을 유념할 필요가 있습니다. 수천 년 동안 만 리의 바다와 수천 리의 흙길을 밤낮으로 왕래하면서, 때론 자연을 벗 삼아 우의를 노래하고, 때론 힘을 모아 시련을 물리치는 데 기여하였던 한중 두 나라의 인물은 한정된 지면에 모두 담을 수 없을 정도로 많습니다.

한중 두 나라 인물이 강조한 자국 우선 인식에 대한 극복, 그리고 두 나라 문화 교류에 힘쓴 수많은 인물의 소개 등은 앞으로 한국과 중국이 우호적인 문화·인문 교류를 통해서 해결해야 할 숙제이며, 동시에 한중문화우호협회가 더욱 꾸준히 한중 문화·인문 교류에 힘써야 할 과제입니다. 나아가 한중 두 나라의 새로운 관계 발전에 모범이 될 수 있는 또 다른 인물의 이야기를 발굴·소개하는 일도 한중문화우호협회가 앞으로도 꾸준히 추진해야 할 사명입니다. 부족한 부분이 없지 않지만, 한중문화우호협회는 이 책을 계기로, 앞으로 문화 교류에 기여한 여러 인물의 소중한 인연을 찾아 정리하고 소개하는 작업을 꾸준히 추진하여, '인물로 본 한중연사' 시리즈 출판물을 계속 간행할 것입니다.

올해 연말은 한중 수교 25주년과 한중문화우호협회 설립 15주년을 정리하면서, 한중 관계의 '교칠지교(膠漆之交)'를 더욱 기대하는 때입니다. 15주년을 맞아 그 동안 성원과 후의를 베풀어주신 분이 너무나 많습니다만, 그 감사함은 이 책의 마지막에 소중히 담아 보았습니다.

새 봄을 기다리는 설레는 마음으로 『한중연사(韓中緣史)』를 보여드리면서, 이 책을 통하여 한중 두 나라 '인연의 발걸음'이 더욱 힘차게 나아갈 수 있기를 바랍니다.

2017년 12월

사단법인 한중문화우호협회 회장 취환(曲歡) 올림

차례

일러두기

중국의 인물명, 지명, 고유명사 등 표기 방법

- 근대 이전은 한자 독음으로 표기하고, 근대 이후는 중국어 발음으로 표기하였습니다.
- 근대 이전 중국 인물의 경우 각 장의 첫머리에는 한자 독음과 중국어 발음을 병기하였습니다.

중국 지장보살도량의 개산조 신라승

김교각(金喬覺)

여성구(국민대학교)

불교는 자리이타를 강조한다. 자리이타를 현대식으로 해석해 본다면 윈윈(win-win)이라고 할 수 있다. 어느 한쪽만을 고집함으로써 조화가 깨지고 대립되는 것을 우려해 모든 것을 수용해 융합하려는 대승의 가르침이다. 국적과 신분, 출가와 재가라는 분별을 떠나 모두 평등하게 대하며, 대승의 가르침을 실천한 스님이 지장(696~794)이다.

중국에는 산서성 오대산 문수도량, 사천성 아미산 보현도량, 절강성 보타산 관음도량, 안휘성 구화산 지장도량 등 불교 4대성지가 있는데, 지장은 구화산 지장도량의 개산조(開山祖)였으며, 지장보살의 화신으로서 지금까지도 육신보살(肉身菩薩, 등신불)로서 존숭되어 오고 있다.

지장에 대한 관심은 국내보다 중국에서 높았으며, 자료 역시 중국측의 문헌이 압도적으로 많으며, 국내 자료는 전무한 상황이다. 지장의 행적과 자취를 담은 많은 전설들이 남아있으며, 수십 종의『구화산지』가 편찬되어 지장의 업적을 칭송하고 있다.

지장의 입적 후 구화산에는 화성사(化城寺) 외 기원사(祇園寺), 감로사(甘露寺), 백세궁(百歲宮) 등 많은 사찰들이 세워져 하나의 총림(叢林)을 이루고 있으며, 현재 80여 곳의 사찰이 있다고 한다. 중국 황제들도 지장에게 관심을 보여 당나라 숙종(肅宗), 명나라 신종(神宗)은 지장의 중생제도를 칭송하는 교지, 도장(銅印), 경전 등을 하사하기도 하였다. 지장과 친분이 두텁던 오용지(吳用之)의 후손들은 지금도 지장을 높게 숭앙한다고 한다. 2013년 99m의 지장보살상을 세워 지장스님의 공덕을 기리고 있다.

구화산은 등신불이 많기로 유명한데, 지장으로부터 비롯되었다. 화성사 호국육신보전(護國肉身寶殿)에는 지장의 등신불을 모시고 있는데, 등신불은 3층 목탑에 봉안한 후 다시 이 목탑을 7층 석탑 안에 봉안하였다. 백세궁에는 무하(無瑕)의 등신불이 모셔져 있는데, 지장 스님의 응신이라고 응신보살(應身菩薩)이라고 부르고 있다. 이 밖에 최근에는 명정(明淨), 자명(慈明) 스님의 등신불이 전한다.

구화산은 중국의 4대 불교성지의 하나로서 중국인뿐만 아니라 한국 불자와 관광객들의 방문이 줄을 잇고 있다. 1997년 중국 안휘성 정부가 지장의 고향인 경주 불국사에 지장보살 동상을 증여하였다. 최근 중국의 영향을 받아 국내에서도 지장에 대한 현양 사업을 진행하고 있으며, 국내 전남 보성 대원사, 남양주 백천사, 금선사 등 여러 사찰에서 지장전을 짓고, 그의 모습을 형상화한 지장상을 봉안하고 있다.

항주 영은사 지장(김교각)상(© 장일규)

출가와 입당구법

지장은 신라 효소왕대에 태어나 원성왕대에 입적했던 신라 유학승이었다. 그의 본명은 중국학자들은 김교각(金喬覺)이라고 한 반면, 국내학자들은 김수충(金守忠)이라고 하며, 그의 출신에 대해서도 왕족설과 왕자설로 대별된다. 신라의 정치적 상황을 염두해 두고, 구체적인 인명을 추적하기도 하나, 자료의 부재로 인해 정설로 받아들이기에는 문제가 있다. 지금까지의 연구 성과를 본다면 왕실과 관련된 진골 출신이며, 지장은 법명이고, 교각은 존호(尊號) 혹은 시호라고 할 수 있다.

그는 정수리에 이상한 뼈가 솟아났고 키는 7척이며, 100명을 감당할 수 있는 체력을 갖고 있었다. 당시 이 정도면 상당한 거구였다. 그는 개원연간(713~741)에 입당하였다. 출가와 입당 구법에 대해서는, 비관경의 「구화산화성사기」를 보면, "일찍이 말하기를, '6적(六籍)은 궁궐에 있고 3청(三淸)은 마을에 있나니 오직 제1의(第一義)만이 마음과 부합된다'라고 하였다. 머리를 깎고 바다를 건너왔다. 구름 속에 솟은 구화산을 보고 기뻐서 산속으로 1천리를 걸어 들어왔다"고 하였다.

지장이 구화산에 들어온 것은 대략 개원 말~천보(742~755) 초로서 8세기 중반이었다. 그가 입산할 당시에는 구화산이 아닌 구자산(九子山)으로 불렸는데, 이백(李白)이 754년경 청양현감 위중감(韋仲堪)과 함께 장강을 유람하면서 산의 9개 봉우리가 연꽃과 같다 하여 구화산으로 바꾸었다고 한다.

당 숙종 지덕 1년(756) 마을 주민들의 도움으로 사찰을 세울 수 있었으며, 당 덕종 건중 1년(780) 지방관의 지원으로 덕종으로부터 화성사라는 이름을 받게 되었다. 화성사가 창건된 이후 50여 년 이곳에 머물며, 불법을 전하고, 사회교화와 중생제도를 위해 헌신하다가 당 덕종 정원 10년(794)에 입적하였다. 1,200여 년이 지난 지금도 그를 기리는 마음은 국내뿐만 아니라 중국에서도 이어지고 있다.

시대상황과 지장의 과제

당시 당나라는 태종의 '정관(貞觀)의 치'와 비견되는 현종의 '개원(開元)의 치(治)'로 정치적으로 안정된 상황이었다. 그러나 현종 말년인 748년 양귀비 일족을 등용하면서 외척들의 발호가 심해지고, 정치가 혼란스러웠다. 지방에서도 절도사들이 독자적인 세력을 형성하고 군사, 민정, 경제 등을 장악하고 있었다. 대외적으로는 위구르와 토번, 거란 등 변방 민족들의 침략도 잦았다.

귀족들의 권력쟁탈전은 안사(安史)의 난(755~763)으로 표면화되었다. 당 현종 천보 14년(755) 평로, 범양, 하동 등 3번진의 절도사를 겸임한 안록산은 재상 양국충을 제거한다는 목적으로 15만의 병력을 일으켜 이듬해 낙양과 장안을 점령하였다. 이렇게 시작된 난은 당 대종 광덕 1년(763) 사사명의 아들 사조의가 관군에게 패함으로써 9년 여의 혼란에 종지부를 찍게 되었다. 그러나 그 영향은 아주 대단하여 이전의 국가체제를 저변부터 흔들어 놓을 정도였다.

안사의 난으로 당나라의 호구 수는 ⅓이 감소하였다. 반란군들이 지나간 곳에서는 약탈과 방화, 살인 등의 갖은 만행이 저질러졌으며, 반란군 진압을 위해 원병을 보낸 위구르 또한 반란군 진압보다는 재물의 약탈에 더 관심이 많았다.

안사의 난 이후 10개의 절도사가 45개로 늘어났다. 당 덕종 건중 2년(781)부터 하북, 하남의 번진(藩鎮)들이 반란을 꾀하면서 또다시 전국적으로 혼란스러운 상황이 지속되었다. 이들 번진 세력들은 중앙의 통제에서 벗어나 분권적인 혹은 반독립적인 성향을 갖게 되었으며, 중앙정부에 호구를 신고하지 않았고, 조세도 상납하지 않았다. 이때 가장 큰 고통을 받았던 것은 일반 백성들이었다. 호구 감소로 균전제가 무너지면서 귀족과 지주 등 기득권 세력들이 불법으로 땅을 늘려 대토지를 소유하게 되었다. 그리고 부병제 또한 붕괴되면서 모병제가 실시되었는데, 병사들에게 지급될 급료로 인해 국가 재정은 더욱 궁핍해졌다. 이에 당나라 정부는 소금세(지덕연간), 주세(酒稅, 764년), 간가세(間架稅 : 가옥세, 783년), 차세(茶稅, 793년) 외에도 대나무, 나무, 칠에 대한 각종 명목의 세금을 부과하였다. 780년에는 덕종이 이전까지의 조용조(租庸調)의 수취체제를 버리고 양세법(兩稅法)을 실시하여 농민의 세 부담을 덜어주려 하였으나 이것은 결과적으로 대토지 소유를 인정하게 되어 농민들의 부담을 더 가중시켰다.

한편 당시 당나라의 불교계를 살펴보면, 7~8세기에는 태종시대에 현장의 유식학과 지엄의 화엄학 등 교종이 크게 성행하였다. 8세기 말엽에는 선종에서도 소위 신수계열의 북종선보다는 혜능계열의 남종선이 맹위를 떨치고 있었다. 특히 강호(江湖)로 대표되는 강서종의 마조도일과 호남종의 석두희천을 비롯해 사천성 지역에서는 무상의 정중종(淨衆宗)과 무주의 보당종(保唐宗)도 번성하였다. 아울러 화엄종에서 선종의 영향을 받은 징관(澄觀)을 중심으로 교선일치(教禪一致)의 경향도 나타났다.

이렇듯 지장이 활동했던 시기에는 사회적으로 중앙의 권력이 지방으로 분산되면서 세력을 확대한 지방의 번진들은 서로 다투며 혼란한 상황이었다. 그런 와중에 백성들의 삶은 피폐해져 가고 있었다. 사상적으로도 교종 세력이 몰락하고 선종이 그 세력을 확장해가고 있었다. 그는 이러한 시대적 상황 속에서 혼자만의 수행에 만족할 수 없었으며, 백성들의 고통을 그냥 보고만 있을 수 없었다. 그는 삶의 고통에 지친 백성들을 구제하고, 다툼의 혼란을 안정시킬 방도를 모색할 과제를 안고 있었으며, 교종과 선종의 조화와 융합을 수행해야 하는 책임을 짊어지게 되었다.

유교, 도교, 불교 3교를 공부

지장은 6적, 3청, 제1의를 언급하며, 제1의가 자신의 마음과 일치하였기 때문에 출가를 결심했다고 말하고 있다. 여기서 6적은 유교의 경전(『시경』·『서경』·『예경』·『악경』·『역경』·『춘추』)을 말하며, 3청은 도교의 세 신 즉, 옥청(玉清, 元始天尊), 상청(上清, 靈寶道君), 태청(太清, 太上老君)을 말한다. 이를 볼 때, 지장은 출가 이전에 유학이나 도교를 이해하고 있었음이 분명하다. 그는 유교와 도교로 만족되지 못하는 무언가가 있었고, 그것의 해결방법을 불교에서 찾았음을 알 수 있다.

그의 유교에 대한 이해수준은 현전하는 시 「동자를 보내며(送童子下山)」를 통해서 짐작되고 있다.

불문이 적막하여 너는 집 생각이 나서, 구름 노니는 절 방을 하직하고 구화산을 내려가는구나.

대나무 울타리와 죽마 타던 시절을 그리워하여 황금의 땅에서 금모래 모으기를 게을리 했네.

항아리에 물을 떠 담느라 개울물 바닥에 잠긴 달을 흔드는 일 그치고, 차 달이는 그릇 속에 꽃을 玩賞하던 일도 그만두게 되었구나.

잘 가거라. 부디 눈물 흘리지 말고, 노승에겐 서로 짝할 안개와 노을이 있단다(『전당시』 권808).

「동자를 보내며」는 수행에 싫증을 느껴 속세로 되돌아가는 동자(童子)와 나누는 애절한 이별의 시이다. 이 시는 사제지간의 아쉬운 석별의 정이 흘러넘치고, 7언율시로서 음율이 조화롭고 대구가 잘 짜여졌으며, 감정이 진실하고 형상이 뚜렷하다는 평가를 받고 있다.

그의 도교에 대한 이해수준은 그가 주석한 구화산이 본래 도교의 성지였던 사실에서 유추해 볼 수 있다. 두백옥, 갈홍(葛洪) 등의 도사들이 개원관, 백운관, 선단궁 등 도관을 세웠으며, 이백(李白) 또한 구화산을 '신선들이 다니는(靈仙往復)' 곳이라 하고 있다. 송나라 때 편찬된 『구화시집』을 보면, 구화산에 초단(두자명 창건)과 연화관(도사 趙知微 창건) 등 도교와 관련된 유적이 있다. 또한 후대에 구화산 총림의 하나인 기원사, 감로사, 육신전(肉身殿)에 호법신 위태(韋馱)를 대신해서 도교의 영관(靈官)으로 하여금 수호케 하였다는 것은 도교와의 융합을 보여주고 있다. 불교가 들어오기 전부터 도교신앙과 민속신앙이 성행했던 구화산에서 그가 개산(開山)할 수 있었던 것은 도교와의 대립을 잘 풀어나갔기 때문이었다. 결국 그의 불교사상은 유교와 도교의 깊은 이해에서 출발했다고 할 수 있다.

그는 4부경을 전법과 교화의 방편으로 삼았다. 일찍부터 4부경을 필사하려고 남릉(南陵)으로 갔는데, 이때 재가제자인 유탕(兪蕩) 등이 불경을 필사하여 바쳤다. 4부경을 가지고 산으로 돌아온 후부터는 마을에서 그의 자취를 볼 수 없었다고 한다. 화성사가 창건된 이후에도 방생지 주위에 남대(南臺)를 세우고, 향을 피우며 종일 4부경의 깊은 뜻을 음미하였다.

4부경에 대해서는 단편적이기는 하나 그가 고배경대(古拜經臺)에서 『화엄경』을 공부했다는 전설과 '화성사'라는 이름이 『법화경』의 화성고사(化城故事)의 내용에 근거한 것으로 보이기 때문에 이 4부경 중에는 『화엄경』, 『법화경』 등이 포함되었을 것으로 추정된다. 이 밖에 『열반경』과 『보적경』을 추가하기도 한다. 하여튼 그는 특정한 소의경전과 종파를 강조하지 않았음을 알 수 있다.

화성사의 창건과 중생제도

지장은 입당 이후 '배움에는 스승이 따로 없다'는 생각으로 중국의 불교성지를 참례하면서 두타행을 실천하였다. 화성사가 세워지기 전에는 구화산 석실에 거처를 마련하고 독사에게 물려도 동요하지 않고, 조용히 앉아 선정에 들곤 하였다. 이 석실은 지금은 '지장고동(地藏古洞)'이라 부르고 있으며, 길이가 수 자, 너비가 10여 자, 높이가 7자라 한다. 식사는 관음토(觀音土)라고 하는 하얀 흙에 약간의 쌀을 섞어 먹었고, 멀리 떨어진 곳에서 물을 길어다 마셨다. 이를 본 산신이 그에게 샘물을 만들어 주었는데, 그 샘물은 지금도 화성사에 '용녀천'이라는 이름으로 전하고 있다. 그에게 샘을 바친 여인이 『화엄경』에 나오는 '무량제천대용왕(無量諸天大龍王)'의 딸이라고도 한다.

지장의 석실에서의 수행이 자리행(自利行)이라면, 중생 제도를 위한 전법은 이타행(利他行)으로서, 화성사의 창건으로 본격화 되었다.

당 숙종 지덕 1년(756) 지장의 고행에 감동받은 촌로(村老) 제갈절(諸葛節)과 토호(土豪), 장리(長吏) 등 마을 사람들은 잘못을 뉘우치고 그를 위해 절을 세워주고자 하였다. 그리하여 돈을 내어 승단(僧檀)의 옛 땅을 사서 주었다. 이 소식을 들은 주변지역 사람들이 자진해서 벌목과 건축 작업에 참여하였다. 그의 제자 승유(勝諭)는 불전을 지었다. 아울러 도랑을 파고 물을 끌어들여 논을 개간하였고 두렁을 만들고 저수지를 팠다. 불전에는 석가모니상을 모셨고 종을 걸어 둔 주대(朱臺)와 문루도 세웠다. 이후 당 덕종 건중 1년

(780) 태수 장엄(張嚴)이 덕종 황제에게 사찰 이름을 내려줄 것을 요청하여 화성사라는 이름을 받았다.

한편 화성사의 창건과 함께 땅을 개간하여 1만여 평의 논을 조성하고, 신라에서 가지고 왔다고 하는 황립도(黃粒稻)를 심었다. 구화산 일대에는 식량이 상당히 귀했으며, 제자들과 지역민들의 식량 문제를 해결하기 위해 고심했음을 보여주는 일화이다. 또한 화성사라는 이름을 통해서도 당시 식량과 관련해 당시의 사회문제를 엿볼 수 있다.

석가모니 부처님께서 제자와 함께 산을 내려가 포교를 하시는데 제자가 배고픔과 갈증을 참지 못해 더 이상 앞으로 나아가려 하지 않자 손으로 한 지점을 가리키니 그곳이 곧장 성(城)으로 변하였다. 이때 부처님께서 말씀하시길, "앞에 성이 있으니 어서 걸식하러 가자구나"하였다(『법화경』).

위의 기록은 석가모니가 방편을 써서 성(城)을 만들어 제자들의 정진을 독려하였다는 내용이다. 지장이 화성사 창건과 함께 개간사업 및 황립도를 심었다는 내용을 장엄이 보기에는 『법화경』의 내용과 유사하여 화성사라는 사명을 상주했던 것이 아닐까 한다. 한편 구화산 인근의 선주(宣州) 선성군(宣城郡) 당도현(當塗縣)에 같은 이름의 화성사가 있었다. 천보연간(742~756)에 주지승 청승(淸昇)과 지방관 이유칙(李有則)의 발원으로 이곳에서 종이 주조되고 있고, 그 명문인 「화성사대종명병서(化城寺大鐘銘幷序)」를 이백(李白)이 짓고 있다. 그런데 태수 장엄이 옛 절의 이름을 옮기었다는 내용이 이 당도현 소재의 화성사를 말함인지는 분명하지 않다. 이들 사찰의 연관성은 향후 밝혀져야 할 문제이다.

우선 그는 개간작업과 관개시설을 마련해 농경지 확보에 주력하였다. 이는 당시 지장이 식량부족 문제를 해결하려고 얼마나 고심하였으며, 그의 지역경제에 대한 관심도를 짐작해 볼 수 있다. 또한 그는 서역에서 가지고 왔다고 하는 금지차(金地茶)를 사찰 주변의 밭에 심었다. 금지차는 현재 구화산 공경차(空梗茶)라고 불리며, 이 지역의 대표적인 명차로 전한다. 이는 당시 차문화의 성행과 함께 이후 793년에 실시된 차세(茶稅)에 대한 지역경제에 상당한 도움이 되었을 것으로 보인다. 이러한 작업은 안사의 난 이후 어지럽혀진 지역사회의 안정과 경제의 활성화에 도움이 되었고, 이후 많은 단월들의 입문도 가능하였다.

화성사라 사액된 이후 청양현(靑陽縣)뿐만 아니라 주위의 여러 지방에서 그를 보기 위해 찾아왔다. 지주(池州)의 지방관과 학자, 강서(江西) 지역의 상인, 이웃 마을의 토호, 부상(富商), 대족(大族) 등에게 확대되어 많은 존숭과 시주를 받게 되었다.

화성사의 단월로서 화성사 땅을 시주한 민양화(閔讓和), 화성사 창건에 앞장 선 제갈절(諸葛節), 지장에게 쌀을 보시했다는 오용지(吳用之) 등을 들 수 있다. 의윤이 인용한 『신승전(神僧傳)』에는 민양화가 땅을 시주하여 지장이 그곳에 화성사를 세웠다는 기록이 전한다. 지장이 탁발을 위해 산에서 내려오는데 호랑이가 민양화의 아들 도명(道明)을 해치려 하자 그는 신라에서 데리고 온 백구 선청(善聽)으로 하여금 호랑이를 쫓게 하여 민공의 아들을 구해주었다. 이에 민양화는 호랑이로부터 자기의 아들을 구해준 지장의 은혜에 대한 보답으로 땅을 시주하였다. 그리고 그의 아들 도명을 출가시켜, 그로 하여금 지장을 보필하게 하였으며, 민공 역시 출가하여 지장의 제자가 되었다는 것이다. 그러나 민양화의 전설은 중국 선종 제6조 혜능(惠能, 638~713)이 보림사를 창건할 때, 진아선(陳亞仙)이 혜능에게 땅을 시주했다는 전설에서 차용한 것이라 하여 사실로 받아들이기에 주저됨이 없지 않다고 한다.

오용지 전설은 지장의 자작시 「은혜의 쌀(酬惠米)」과 「동자를 보내며(送童子下山)」 두 편 중 「은혜의 쌀」에 등장하는 인물이다. 그런데 이 시가 송나라 소식(蘇軾)이 순주 태수 주언질(周彦質)에게 보낸 시 「답주순주(答周循州)」와 비교해 보면 상당히 유사하다. 그로 인해 지장의 자작 여부에 대해 의

심받기도 한다. 그런데 진아선 전설과 「답주순주」에서 등장하는 인물이 공교롭게도 모두 혜능이라는 사실이다. 따라서 민양화와 오용지의 이야기는 후대에 조작되었음을 알 수 있다. 그렇다고 민양화와 오용지가 지장과 전혀 관련이 없는 인물이라고 단정할 수 없는데, 현재 구화산 주변에 민공과 관련해 민원(閔源)이라는 지명도 남아 있으며, 오씨(吳氏)와 관련된 원청장(源淸莊), 오씨신성택(吳氏新城宅), 신성정사(新城精舍) 등의 건물지들이 있기 때문이다. 당시 민양화와 오용지는 청양현 구화산 주위에 살던 세력 가문 출신이었을 것으로 보이며, 지장의 단월로서 그의 가르침을 받았던 인물임에는 분명하다.

지주(池州)의 관리, 학자들도 그를 보고는 존경하는 마음을 더욱 굳게 하였다. 강서(江西)의 상인들도 비단과 돈을 시주하고 멀리에서나마 지장의 교화 활동에 도움이 되기를 기원하였다. 마을의 부호들도 한번 찾아볼 때마다 예를 표했으며, 반드시 뽕나무 밭을 시주하였다. 그의 교화에 힘입어 부유한 상인과 큰 가문에서는 자신들의 재산을 가벼이 여기고, 그 덕을 본받으려고 하였다. 또한 이러한 소문을 들은 많은 신라승들이 입당하여 그의 문하에 들어 가르침을 받았다.

교종과 선종의 융화를 추구

지장은 불경을 연구하여 저술을 남기지 않았지만 염불과 기도를 하면서 선(禪)과 교학(教學)을 스스로 닦았다는 평가를 받는다. 그는 구자산의 석실에서 혼자 간고한 두타행과 자기 절제의 수행을 실천하였는데 이러한 수도 생활은 화성사가 창건된 이후에도 변함이 없었다.

여름에는 흙을 섞어 밥을 지어 먹었고, 겨울에는 불도 절반밖에 피우지 않았다. 땔감은 아이 어른 할 것 없이 자기들이 해서 땠다. 중년에 그는 시자 하나를 데리고 남대(南臺)에서 거처하였다. 낮에는 자신이 짠 60근이나 되는 삼베옷을 걸치고 있었고, 밤에는 이 마의를 걸상에다 깔고 잤다(『구화산화성사기』).

그의 생활은 자급자족을 위한 근검절약 정신에 근거함을 짐작할 수 있으며, 몸소 실천하여 일반백성들에게 제시하고 있었다. 자급자족은 그가 구화산에 관개시설을 하고 황립도를 심었다는 이야기에서도 살펴볼 수 있다. 그의 사원생활에 있어서의 '근면절약', '자급자족' 체제의 실현은 선종사원의 경제적인 모습을 보여준다. 그와 제자들의 수도생활은 더욱 철저하였다. 그는 화성사가 세워지기 전에 생활했던 석실에서와 같이 제자들과 함께 밀가루처럼 하얀 흙에 쌀을 섞어 먹곤 하였다. 그러나 제자들은 스승의 설법을 들음으로써 심신을 키우려 했지 음식으로써 목숨을 부지하려고 하지 않았다. 그리하여 당시 사람들은 그들을 '높고 마른 무리(枯槁衆)'이라고 불러서 매우 존경하였다.

이러한 생활은 당나라 승려 백장회해(百丈懷海, 749~814)와 석상경저(石霜慶諸, ?~887)에게서도 찾아진다. 회해는 스님들의 생산노동을 강조하였고, 남들과 똑같이 일을 하였으며 하루 일을 하지 않으면 하루를 먹지 않는다고 하였다. 한편 고고중은 경저와 그 문하승들을 지칭한 표현이었다. 그러나 이러한 모습은 이미 지장과 그의 제자들에게서 보여지고 있음은 주목할 필요가 있다. 경저는 석상산에서 20년간 대중과 함께 상좌불와(常坐不臥)의 참선을 하였는데, 지장 역시 이와 같은 수행을 했을 것으로 추측된다. 지장과 회해와의 교류관계를 전하는 기록은 보이지 않으나, 후대인 청나라 때 의윤(儀潤)이 「백장총림청규증의기(百丈叢林淸規證義記)」를 지으면서 지장의 행적을 기록하고 있는 것을 보면, 의윤은 지장과 회해와의 유사성을 인정했던 것 같다. 이러한 생활은 선종 사원의 일정한 규율이 되었음을 짐작할 수 있으며, 회해가 저술한 『백장청규』에 어느 정도의 영향을 주었을 것으로 보인다.

그는 유교, 도교에도 많은 관심을 가지고 있었으며, 그것이 그의 불교사상

속에 용해되어, 불교사상의 깊이를 더해 주었다. 불교에 있어서도 교와 선에 차별을 두지 않았으며, 특정 경전과 사상에 얽매이지 않는 폭넓은 사상을 수용하였다. 모든 것을 포용하는 바다와 같은 마음과 실천 수행하는 구조자의 모습은 지옥의 중생들을 모두 구제한 다음 비로소 부처가 되겠다고 한 대원보살(大願菩薩)의 마음이었으며 모습이었다. 그가 바로 신라승 지장이었다.

지장보살의 화신

지장은 신라 왕실에서 태어났으나 왕실의 화려한 생활을 버리고 고난의 길을 자처했다. 입당하여 스승도 없이 돌아다니며 구도행각을 시작했고, 결국 고국으로 돌아오지 않았다. 그가 귀국하지 않은 것은 도를 구하는 데 달리 스승이 없는 것처럼 중생제도에 고국과 타국이 따로 없다고 생각했기 때문이었다.

지장이 99세의 나이로 입적하자, 사람들은 석실에서 수행할 때 땅에서 샘물이 솟아올랐고, 입적할 때는 산이 울리고 돌이 굴러 떨어졌으며 입적한 후 뼈마디가 자유롭게 움직일 수 있는 것은 지장보살에게서만 볼 수 있는 괴상한 일이라 생각하였다. 그리하여 그를 지장보살의 화신으로 신앙했던 것이다. 그러나 이러한 신이한 자취는 그의 청정한 마음과 실천수행의 결과였음을 그들은 잘 알고 있었다.

안사의 난 이후 당나라의 재정수입은 대부분 회남, 강남지역에 의존했기 때문에 지장이 머물던 구화산 지역에도 상당한 영향이 미쳤다. 특히 그가 50여 년 동안 주석했던 지주(池州) 구화산 지역의 일대는 농경지가 부족했으며, 식량이 상당히 귀했다. 당시 백성들은 안사의 난으로 하루하루 삶을 살아가는 것조차 힘든 상황이었다. 또한 이 지역은 토호세력과 도교세력이 뿌리 깊게 자리했던 지역이었다. 따라서 이민족에 대한 편견뿐만 아니라 승려에 대한 지역민들의 반감 또한 심했을 것으로 추측된다. 결국 이러한 곳에서 전법처를 마련하고 중생을 제도한다는 것이 그의 가장 큰 과제였으며, 자신이 문제를 해결하기 위해 찾았던 부처님의 가르침을 이 지역민들에게 어떻게 알려줄 것인가를 고민하게 되었다.

그는 불교뿐만 아니라 유교와 도교에도 관심을 가졌으며, 이를 교화의 방편으로 이용하였다. 특정 경전과 사상에 얽매이지 않았으며, 선종에도 조예가 깊었다. 항상 4대부경을 읽으며, 유유자적한 생활을 하였다. 또한 가난과 굶주린 사람들을 위해 논을 개간하여 풍족한 삶을 제공해 주었으며, 항상 그들과 함께 했다. 그의 교화를 입은 사람들은 물질적인 부보다 정신적인 도에 비중을 두었고, 제자들 또한 음식이 아닌 불법으로 심신을 키우려 했다. 그러기에 이민족으로서 당나라에서 명망을 얻을 수 있었으며, 지장보살의 화신으로 신앙될 수 있었다.

당시 지장 외에도 무상(無相), 무루(無漏), 신행(神行), 혜초(慧超) 등 많은 신라승들이 중국에서 활동하고 있었다. 현종이 안록산의 난을 피해 성도에 있으면서 불력(佛力)으로 국난을 극복하고자 대성자사(大聖慈寺)를 창건할 때, 정중종의 종조인 무상은 절의 규제를 세웠다. 또한 당 숙종이 머무르고 있었던 영무의 내도량에서는 무루가 국난 극복을 위해 활동하고 있었고, 신라에 북종선을 처음으로 전한 신행은 숙종으로부터 그의 굳은 구법 의지를 칭송한 시(詩)를 받기도 하였다. 서역 순례기인 『왕오천축국전』으로 유명한 혜초 또한 이 시기에 활동하였다. 이들은 모두 중국 사회를 교화하고 중생을 제도하면서 중국 불교사에 큰 자취를 남겼던 위대한 신라승들이었다. 그럼에도 지장이 주목받는 것은 지옥에서 고통받는 중생이 하나도 없을 때 비로소 성불하겠다는 큰 서원(誓願)을 세우고, 지옥의 중생을 구하기 위해 지옥으로 뛰어든 지장보살처럼 그는 철저하게 중생을 위해 한 평생을 살았던 분이기 때문이었다. 나아가 진정한 세계인으로서 한중문화교류 및 화합을 위해 노력하고 실천했던 승려라고 할 수 있다.

동아시아 해상왕

장보고(張保皐)

최희준 (고려대학교)

한국과 중국 두 나라는 예로부터 정치·경제·문화 전 영역에서 상호 깊은 영향을 주고받았다. 특히 1992년 한중수교의 체결 이후 양국은 관계증진과 상호협력을 통한 '전면적 협력동반자'로 나아가고 있으며, 이는 21세기 동북아 번영을 위한 굳건한 초석이 되고 있다. 이러한 시점에서 우리는 9세기 한중 평화교류의 아이콘인 장보고(張保皐)의 발자취에 주목할 필요가 있다.

장보고의 출자와 생애

장보고 표준 영정(© 국립현대미술관 소장)

장보고의 다른 이름은 궁복(弓福), 또는 궁파(弓巴)이다. 궁복은 그가 당나라로 건너가기 전에 사용하던 이름으로, 신분이 낮아 성(姓) 없이 그냥 궁복이라고 불렸던 것이다. 중국으로 건너가서는 성이 필요하자 '궁(弓)'자와 한자가 비슷한 '장(張)'을 성으로 삼고, '복(福)'의 음을 따서 보고라는 이름을 사용하였다. 일본 기록에서는 '장보고(張寶高)', 즉 '보화가 아주 많다'는 의미의 한자로 이름을 표기하기도 하였다. 장보고의 가문이나 고향에 대해서는 구체적인 기록이 남아있지 않아 자세히 알 수 없다. 8세기 후반 오늘날 전라남도 완도 지역에서 태어나 유년기를 보냈고, 이후 고향 후배인 정년(鄭年)과 함께 풍운의 꿈을 품고 당나라로 건너갔다.

당나라에서 장보고는 정년과 함께 군대에 들어가 서주(徐州) 무령군(武寧軍)의 소장(小將)이라는 군직(軍職)에 올랐다. 무령군 시절 장보고와 정년, 두 사람은 말을 타고 창을 휘두르는 데 있어 감히 대적할 자가 없었을 만큼 무예가 출중했다고 한다. 이후 군대에서 퇴역한 장보고는 산동반도를 근거지로 삼아 재당신라사회를 조직화하여 당 – 신라 – 일본을 잇는 국제 해상무역 사업을 경영하기 시작하였다. 이후 신라로 귀국한 장보고는 828년(흥덕왕 3) 4월에 흥덕왕(興德王, 재위 826~836)을 알현하고 사졸(士卒) 1만 명으로 완도에 청해진(淸海鎭)을 설치하는 것을 허락받았다. 이로써 장보고는 당 – 신라 – 일본을 잇는 국제해상무역의 중심 기지를 고향땅 완도에 건설하였고, 이를 통해 동북아시아 해상권을 장악하였으며 중개 무역을 통한 막대한 부를 축적하였다.

836년(흥덕왕 11) 흥덕왕이 왕위계승자를 정하지 못한 채 사망하자, 흥덕왕의 사촌 동생인 상대등 김균정(金均貞)과 흥덕왕의 조카인 김제융(金悌隆)이 왕위를 놓고 무력 다툼을 벌였다. 그 결과 김제융이 김균정을 죽이고 왕위에 올라 희강왕(僖康王, 재위 836~838)이 되었다. 이때 김균정의 아들 김우징(金祐徵)은 훗날을 도모하기 위해 자신의 가족들을 이끌고 청해진으로 달아나 장보고에게 몸을 의탁하였다.

그런데 희강왕은 재위 3년 만에 김명(金明)의 반란으로 자살하였고, 김명은 스스로 왕위에 올라 민애왕(閔哀王, 재위 838~839)이 되었다. 이 소식을 들은 김우징은 장보고에게 김명이 왕위를 찬탈했으니, 청해진의 병력을 동원해 민애왕을 몰아내자고 제안하였다. 장보고는 휘하에 있던 정년에게 군사 5,000명을 주어 김우징을 돕도록 하였다. 이에 김우징과 장보고의 군대는 왕경으로 진격하여 민애왕을 죽였고, 김우징은 신무왕(神武王, 재위 839)으로 즉위하였다. 신무왕은 즉위 후 장보고를 청해진대

청해진 본영인 완도의 장도(© 장일규)

사(淸海鎭大使) 감의군사(感義軍使)로 삼고 식읍 2,000호를 하사하여, 그의 도움에 최대한의 예우와 포상을 하였다. 장보고가 신라 중앙 정치 무대에 화려하게 등장하는 순간이었다.

하지만 신무왕은 즉위한 지 6개월 만에 병으로 세상을 떠났고, 그의 아들인 김경응(金慶膺)이 새롭게 문성왕(文聖王, 재위 839~857)으로 즉위하였다. 문성왕 역시도 신무왕의 즉위를 도운 장보고의 공로를 높이 평가하여, 자신이 장보고의 딸을 왕비로 맞이하려 하였으나 조정의 많은 신하들이 장보고의 미천한 신분을 이유로 반대하여 결국 무산되었다. 이에 분노한 장보고가 반란을 일으키려 하자 신라 조정에서는 자객 염장(閻長)을 청해진으로 보내 장보고를 제거하려 하였다. 염장은 846년(문성왕 8) 청해진으로 가 거짓으로 투항한 뒤 술에 취한 장보고의 목을 베었다. 엔닌(圓仁)의 『입당구법순례행기』에서는 장보고의 죽음을 841년(문성왕 3) 11월의 일로 전하고 있어 차이를 보인다. 신라 조정은 851년(문성왕 13) 2월에 청해진을 폐쇄하고 그곳 백성들을 벽골군(碧骨郡)으로 집단 이주시켰다. 이로써 청해진의 국제무역항으로서 기능은 완전히 정지되었다.

이사도의 난을 진압하며 전공을 세우다.

장보고가 당나라로 건너가 활약했던 9세기 초반은 변경의 군사령관인 절도사(節度使)들이 빈번하게 난을 일으켜 중앙집권체제의 기반을 흔들던 극심한 혼란기였다. 당시 가장 강력한 세력을 구축하고 당 조정에 대항한 번진은 바로 산동반도를 장악하고 있던 평로치청절도사(平盧淄青節度使) 이사도 세력이었다.

이사도는 고구려 유민 출신이자 스스로 평로치청절도사 자리에 오른 이정기(李正己)의 손자였다. 이정기는 765년에 자신의 상관이었던 후희일(候希逸)을 평로치청절도사 자리에서 무력으로 몰아내고 당 조정으로부터 평로치청절도사 겸 해운압신라발해양번사(海運押新羅渤海兩蕃使)로 임명받은 인물이었다. 이후 이정기의 평로치청은 산동반도 일원의 15개 주를 영유하고, 10만의 대군을 거느리는 등 최강의 번진으로 성장하였다. 이에 이정기는 당 왕조의 지배와 간섭을 배제하고, 심지어 당 왕조를 위협하기까지 하는 막강한 반당(反唐)세력으로 등극하였다. 이정기 사후에도 평로치청은 그의 아들인 이납(李納)과 손자 이사고(李師古), 이사도(李師道) 등 3대에 세습되어 약 반세기 동안 산동반도의 강력한 번진으로 군림하였다.

당시 당나라 조정은 반당번진들에게 관직과 위계를 주고 조정에 대한 방자한 행동을 용인함으로써 한편으로 회유하고 복종시키려는 정책을 고수하였다. 그러던 것이 805년 헌종(憲宗, 재위 805~820)의 즉위에 즈음하여 조정에 반하는 움직임을 보이는 번진들을 토벌하는 쪽으로 대응책이 전환되었다. 815년부터는 회서절도사(淮西節度使) 오원제(吳元濟)를 토벌하는 등 독립번진에 대한 토벌이 시작되었고, 오원제는 인접한 이사도에게 지원을 요청하였다. 낙양(洛陽)의 군사들이 오원제의 채주(蔡州)를 공격하기 위해 낙양을 비운 사이에, 이사도는 낙양에서 장안으로 통하는 대운하의 중요 재화창고 하음창(河陰倉)에 불을 놓았고, 낙양의 궁궐을 점령할 계획도 세웠다. 또한 장안(長安)으로 자객을 보내 재상 무원형(武元衡)을 암살하고 대신 배도(裴度)에게 부상을 입혔다.

이에 헌종은 815년 12월부터 강회지방의 여러 번진과 귀순한 번진의 무력을 동원하여 이사도의 반란군을 진압하도록 명하였다. 818년 후반에 이르자 당나라 조정 편에 서있던 여러 번진들의 포위공격이 큰 효과를 보여 이사도의 군대에는 패색이 짙어졌다. 조정의 압박이 심해지자 견디지 못한 이사도의 부하 유오(劉悟)가 819년 2월 이사도를 죽이고 조정에 투항하면서, 765년부터 819년까지 약 반세기 동안 당나라의 가장 강력한 번진으로 군림하였던 평로치청이 몰락하였다. 이는 산동 지역에 대한 이정기 일가의 55년간에 걸친 지배가 종식되었음을 의미하기도 한다.

장보고 역시 이때 무령군의 소장(小將)으로 이사도의 반란군을 진압하는 데 앞장섰다. 815년 12월 무령군 절도사 이원(李愿)은 휘하의 왕지흥(王智興)에게 8천 명의 병력을 주어 이사도의 반란군을 진압하도록 하였다. 이에 이사도의 군사와 무령군은 무려 11차례나 치열한 전투를 벌였다. 장보고도 당시 전투에 참여하였고, 자신의 뛰어난 무예를 발휘하여 당 조정에 반기를 든 반란의 무리를 평정하는 데 큰 공로를 세웠다.

황해의 해적을 소탕하다.

이정기 가문이 몰락할 즈음 산동반도를 둘러싼 황해 일대의 해상 교역은 해적들의 출몰로 큰 어려움에 봉착해 있었다. 강력한 통제 세력이 없는 틈을 이용해 여러 해적 집단들이 등장한 것이다. 이들은 황해를 지나는 선박에 대한 재물 약탈에 그치지 않고, 심지어는 신라인들을 납치하여 당에 노비로 팔아넘기는 만행도 서슴지 않았다. 그 폐해가 매우 심각하여 신라 – 당 양국 간의 외교 문제로 비화되기까지 하였다.

신라 헌덕왕(憲德王, 재위 809~826)은 왕자 김장렴(金張廉)을 통해서 해적들의 신라인 매매행위를 단속해 줄 것을 당 조정에 정식으로 요청했다. 이에 당 헌종(憲宗, 재위 805~820)은 816년에 신라인을 노비로 매매하는 행위를 금지하는 금령을 내렸다. 821년에도 해적들이 신라의 양민을 약탈하여 등주(登州)와 내주(萊州) 일대에서 노비로 팔고 있다는 사실이 당 조정에 보고되었고, 당 목종(穆宗, 재위 820~823)이 재차 금지하는 칙서를 반포하였다. 823년 정월에는 당에 끌려와 있는 신라인 노비들을 방환하라는 칙서를 내리기도 하였다. 그럼에도 불구하고 황해에서의 신라인 노비 매매는 근절되지 않았다.

이에 장보고는 황해 상의 해적 소탕에 직접 나서기로 결심하였다. 장보고는 무령군에 복무하던 시절부터 신라인들이 해적선에 의해 강제로 끌려와 당나라 도처에서 매매되는 현장을 목격하고 의분을 느꼈다. 그러나 당에서 장보고는 해상 무역업에 종사하는 일개의 상인이었을 뿐, 정치적 · 군사적 문제를 해결할 수 있는 지위에는 있지 못하였다. 때문에 장보고는 국가 차원에서 신라가 해적을 소탕해야 할 필요성을 절감한 듯하다.

중국을 두루 둘러보니 우리 신라 사람들을 노비로 삼고 있었습니다. 청컨대 청해(淸海, 현 완도)에 진영을 설치하여 해적들이 백성들을 붙잡아 당으로 끌고 가지 못하도록 하십시오(『삼국사기』 권44, 장보고 정년전).

828년 여름 4월에 신라 흥덕왕을 알현한 장보고는 왕에게 해적 소탕을 위해 완도에 군진의 설치를 건의하였다. 흥덕왕은 장보고의 요청을 받아들여 그에게 군사 1만 명을 주어 청해진을 설치하게 하였다. 장보고의 청해진 설치 이후 황해에 출몰하며 신라와 당 양국 조정에 근심을 안긴 해적들은 곧바로 소멸되었다. 『신당서』 신라전에는 태화(太和) 연간(827~835) 이후부터 해상에서 신라인을 약탈하여 매매하는 일이 근절되었다고 전한다.

재당 신라인 사회를 이끌다.

당은 이민족들에 대해서 매우 개방적인 나라였고, 신라와 당은 시종 우호적인 관계를 유지하였다. 그리고 신라인들은 각종 연유로 지속적으로 당에 이주하였으며, 그들은 지리적으로 당의 주변지역이면서 교통이 빈번하여 외래문화에 대한 경계심이 느슨한 지역에 정착하였다. 신라인들이 당에 이주한 가장 큰 이유는 국내의 경제적 어려움이었다. 신라에서는 8세기 이후 큰 기근과 흉년이 주기적으로 일어나 본국을 떠나는 사람들이 속출하였는데, 그들 가운데 상당수는 당나라에 들어갔다. 그리고 신라 하대에 빈발했던 왕위쟁탈전과 반란의 후유증으로 당에 망명하는 사람들이 잇따랐고, 당을 왕래하던 무역상인과 해적에게 붙잡혀 간 신라 양민, 그리고 유학생과 구법승 가운데서도 신라에 돌아가지 않고 당에 남은 사람들이 있었다. 이렇게 모여든 신라인들은 서서히 당에서 신라인사회를 형성해 나갔다.

장기간에 걸쳐 파상적으로 당에 건너간 신라인들은 지리적으로 본국과 가깝고, 바다와 운하를 통한 생업 유지가 비교적 용이한 당나라 황해 연안 일대에 주로 정착하였다. 대표적인 곳이 장강 하류의 양주(揚州), 회수 유역의 초주(楚州)와 연수현(漣水縣), 태주(台州) 황암현(黃巖縣), 산동반도의 등주(登州)와 내주(萊州) 일대, 그리고 밀주(密州) 등지였다. 각지의 신라인사회는 생업과 주민 구성이 약간씩 달랐으나, 그들 내부에서는 신라 말을 사용하고 신라 풍습을 유지하는 등의 방법으로 결속을 다지고 정체성을 지켜나갔다.

장보고는 9세기 재당 신라인들 사회의 리더로서 구심점 역할을 담당하였다. 9세기 초 황해 상에 해적들이 출몰하여 신라인에 대한 약탈과 매매 행위가 기승을 부렸던 것은 당 왕조와 군진 세력의 첨예한 대립구도 속에서 황해의 해양질서를 통제할 공권력이 붕괴하여 일종의 공백상태에 빠졌기 때문이다. 당시 사무역업을 중심으로 다양한 생업에 종사하고 있었던 재당 신라인들 역시 이러한 해적의 종횡에 피해자일 수밖에 없었다. 이들은 해적들의 약탈에 무방비 상태로 노출되어 생업에 커다란 위협을 느끼게 되었고, 자연스럽게 해적 퇴치라는 시대적 과제 속에서 장보고라는 인물이 재당 신라인 사회의 새로운 지도자로 부상할 수 있었다.

산동 석도의 적산 법화원(ⓒ 장일규)

장보고는 지금의 산동성 영성시 석도진 적산 기슭에 적산 법화원을 창건하여 산동반도 일대 재당 신라인사회의 구심체로 삼았다. 적산 법화원은 청해진이 설치되었던 828년을 전후한 어느 시점에 창건되었다. 일본 승려 엔닌이 이 절에 머물렀던 840년경 법화원은 법당을 중심으로 하여 200여 명을 한꺼번에 수용할 수 있는 대규모 강당, 30명에 가까운 상주승과 또 다른 수십 명이 함께 기거할 수 있는 승방, 불경을 보관하던 장경각, 식당과 창고, 종루 등을 갖추고 있었다.

법화원은 재당 신라인사회에서 여러 가지 역할을 수행하였다. 우선 법화원은 여름과 겨울에 각각 2개월 동안 열렸던 정기적인 강경법회를 통하여 산동지방 곳곳에 흩어져 살던 신라인들을 교화하였다. 또한 관음신앙을 바탕으로 세워진 법화원은 바다를 생업의 터전으로 삼아 살아가고 있던 재당 신라인과 장보고 선단의 번영과 안전을 기원하던 기도원이자 마음의 안식처 구실을 하였다. 그리고 무엇보다도 재당 신라인들이 한자리에 모일 수 있는 장소를 제공해 줌으로써 서로 생활정보를 교환하고 고충을 위로하며 자신들의 정체성을 확인할 수 있게 하였다. 다시 말해 법화원은 재당 신라인들을 하나로 결집시키는 기능을 담당한 것이다.

재당 신라인사회의 지도자였던 장보고가 신라 중앙정계의 정쟁에 휘말려 841년 11월 신라에서 살해당하고, 당 무종 회창(841~846) 연간에 불어닥친 폐불의 소용돌이 속에서 적산 법화원도 844년경 훼철되었다. 장보고의 사망과 적산 법화원의 훼철로 재당 신라인사회는 구심점을 상실하였고, 이후 빠른 속도로 해체되어 갔다.

동아시아 해상무역을 주도하다.

장보고가 상업제국을 건설하고 성공적으로 운영할 수 있었던 것은 막강한 군사력과 뛰어난 선원집단, 그리고 세련된 상인집단을 한데 어울러 효과적으로 활용했기 때문이었다. 그런데 이러한 인적 자원은 대부분 당나라 황해 연안에 거주하고 있던 재당 신라인들이었다. 즉, 장보고는 820년대 초 당의 번진에서 퇴역한 신라 출신의 군인들을 군사적 기반으로 삼고, 신라 연해안에서 약매(掠賣)되어 온 신라인들과 일부 재당 신라인들을 선원집단으로 활용하였으며, 황해 연안에서 독자적으로 무역업에 종사하던 재당 신라인들을 상인집단으로 포섭하였다. 그 후 장보고는 점차적으로 청해진 주변의 해민과 식읍의 장정 및 군소 무역업자들을 자신의 휘하로 끌어들여 상업제국의 인적 기반을 더욱 튼튼히 하였다.

공간적으로 산동반도의 등주는 장보고의 대중국 진출에 있어 가장 중요한 교두보였다. 먼저 앞서 살핀 바와 같이 장보고는 문등현 적산에 법화원을 건립하여 재당 신라인들을 결집시키는 구심체로 삼았다. 그리고 적산 아래의 포구인 적산포를 장보고 선단이 발착하는 전용 국제항구로 활용하였다. 장보고의 신라 귀국 후 등주 일대는 장영(張詠)이 장보고를 대리하여 신라인 사회를 관리하고 있었던 것으로 보인다. 초주는 대운하와 회하 하류가 만나는 수로 교통의 요지에 위치하며, 이곳에도 신라인들의 집단 거주지가 존재하였다. 이곳의 총관인 설전(薛詮)과 이를 계승하여 후임 총관이 되는 유신언(劉愼言)은 장보고와 긴밀히 연계하여 신라인 사회를 관리하고 있었다. 따라서 등주와 초주는 재당 신라인 사회의 네트워크를 관장하는 양축을 이루며 장보고의 대당 무역에서 가장 중요한 교두보 역할을 담당하였다고 할 수 있다.

장보고는 청해진을 국제무역센터로 삼고 당의 적산포와 일본 박다진에 자신의 무역기지를 설치하여 동아시아 삼국의 국제무역을 주도하였다. 장보고 선단은 중계무역을 통한 상품유통업과 해운업에 주력했다. 특히 당의 제품뿐만 아니라 서역과 동남아시아, 그리고 서방의 물품들, 이른바 당물(唐物)을 신라와 일본에 공급하였다. 그들이 취급한 상품은 구리로 만든 식기류에서부터 도자기, 그리고 타슈켄트산 에메랄드로 장식한 빗과 페르시아산 카펫에 이르기까지 다종다양했다. 장보고 선단은 이러한 고가의 호화 사치품을 신라와 일본에 대량으로 유통시킴으로서, 830년대 신라와 일본 사람들의 생활패턴에 변화를 초래하였다. 이는 곧 당 – 신라 – 일본을 잇는 동아시아 항로를 세계 항로인 '남해항로(南海航路)'와 연결하는 일을 의미하는 것이기도 하다. 또한 장보고 선단은 당 – 신라 – 일본을 왕래하던 사람들을 실어 나름으로써 동아시아의 인적 교류를 촉진시켰고 문화 교류에도 기여하였다.

장보고에 대한 한중 지식인들의 평가

당나라의 저명한 시인 두목(杜牧, 803~852)은 그의 저서 『번천문집(樊川文集)』에 수록된 「장보고 정년전」을 통해 동시대 인물인 장보고에 대해 직접적인 평가를 내린 바 있다. 이 전기문에서 두목은 장보고와 정년의 관계를 안록산의 난 직후의 곽분양(郭汾陽)과 이임회(李臨淮)의 관계에 비유하면서, 장보고를 '인의지심이 충만하고 명견을 가진 인물'로 평가하였다. 뿐만 아니라 그는 "나라에 한 사람이 있으면 그 나라가 망하지 않는다"는 잠언을 이용하면서 장보고가 바로 그런 사람이라고 극찬하였다. 또한 장보고가 신라 중앙정계의 왕위쟁탈전에 간여한 사건에 대해 언급하면서, 이를 우호적으로 평가하여 배반자를 평정한 사건으로 간주하였다. 장보고가 신라에 귀국한 후에도 두목은 장보고에 대해 지속적인 관심과 애정을 보내고 있었던 것이다. 이러한 두목의 장보고에 대한 평가와 관심은 곧 장보고가 당시 당의 지식인들 사이에 얼마나 우호적인 인물로 비춰지고 있었는가를 단적으로 보여준다.

두목의 장보고에 대한 이같은 평가는 이후 역사서에서도 그대로 계승되었다. 예를 들어 11세기 중엽에 편찬된 『신당서(新唐書)』에서 열전을 맡아 편찬한 송기(宋祁)는 장보고에 대한 두목의 평가를 인용하면서 장보고에 대한 자신의 논찬을 다음과 같이 덧붙였다.

> 아아 원한이 있어도 서로 봉공함을 저해하지 않고, 국가의 근심을 앞세운 이로는 진나라 때는 기해가 있었고, 당나라 때에는 곽분양과 장보고가 있으니, 누가 이국(夷國)에 사람이 없다고 말할 수 있으랴!

고려의 김부식 역시 『삼국사기』 김유신 열전에는 우리 측 사서의 기록이 많지 않음을 아쉬워하면서 사론으로 “비록 을지문덕의 지략(智略)과 장보고의 의용(義勇)이 있어도 중국의 서적이 아니었다면 민멸하여 전문할 수 없었을 것이다”라고 하여 장보고를 ‘의용’을 지닌 인물로 평가하기도 하였다. 신라에서는 반역자로 몰려 죽임을 당한 장보고였지만, 고려시대에 이르러 그에 대한 평가는 객관적인 시각을 회복하게 된 것이다.

마치며

장보고는 청년시절에 당에 건너가 당 조정에 반기를 든 이사도의 반란군 무리를 진압하는 데 앞장섰으며, 신라에 귀국한 후에는 왕위를 찬탈한 세력을 응징하기 위해 군사를 일으켰다. 또한 황해 상에서 약탈과 인신매매를 일삼던 해적들을 소탕하는 데 정력을 아끼지 않았다. 당나라 각지에 흩어져 살고 있던 신라인들을 규합하여 통솔하였고, 신라 서남해안에 청해진을 설치하여 대외교역의 기지로 삼아 당 – 신라 – 일본을 연결하는 국제해상무역을 활발히 전개했다. 장보고의 이 같은 활약으로 9세기 전반 신라와 당 양국에는 이제껏 없었던 해상 교역의 눈부신 번영이 도래하였다.

이처럼 장보고의 삶은 그 자체가 한중 양국의 우호적 교류를 상징적으로 대변해 주고 있다. 때문에 우리는 한국과 중국 양국의 관계증진과 상호협력을 바탕으로 한 21세기 동북아의 번영이라는 시대적 요구에 부합하는 인물로서 한중 교류의 아이콘인 장보고를 다시금 주목하는 것이다.

중국 도교의 상징적 인물

김가기(金可記, 金可紀)

김성환(군산대학교)

김가기(?~859)는 통일신라 때 사람으로, 한자 이름은 金可記 혹은 金可紀이다. 그는 당나라에 유학해 진사과에 급제했는데, 장안 남쪽의 종남산(終南山) 자오곡(子午谷)에 은거해 도를 닦아 끝내 승천했다고 전해진다. 김가기는 당나라에 유학한 신라인이 중국 도교를 받아들이고 수련했음을 보여주는 상징적인 인물이다.

중국 문헌 속의 김가기

김가기에 관해서는 중국 측의 기록이 오래되고 상세하다. 오대(五代, 907~960)에 편찬된 『속선전(續仙傳)』과 이를 인용한 송대(宋代)의 『태평광기(太平廣記)』에 「김가기전(金可記傳)」이 실려 있다. 도교전적인 『운급칠첨(雲笈七籤)』과 『역세진선체도통감(歷世眞仙體道通鑑)』 등에도 유사한 기록이 있다. 『전당시(全唐詩)』에는 당나라 시인 장효표(章孝標)가 신라로 귀국하는 김가기를 송별하며 쓴 시 「송김가기귀신라(送金可紀歸新羅)」가 수록돼 있다.

장효표가 원화(元和) 14년(819) 진사과에 급제했고 『속선전』에서 김가기가 승천한 날을 당 선종(宣宗) 때인 858년 2월 25일로 전하므로, 김가기가 9세기 전반기에 살았던 것은 거의 분명하다. 『속선전』에서 전하는 김가기의 행적은 다음과 같다.

김가기는 당나라에서 빈공진사(賓貢進士)가 되었는데, 성격이 침착하고 도를 좋아해 사치를 멀리했다. 복기(服氣)·연형(鍊形)의 수련을 즐거움으로 삼았고, 박학했으며 기억력이 좋고, 문장은 맑고 수려했다. 용모가 아름답고, 거동과 말에 중화(中華)의 기풍이 있었다. 급기야 벼슬에서 물러나 종남산 자오곡에 머물렀다.

흉중에 은일(隱逸)의 취향을 품고 직접 진귀한 꽃과 과수를 많이 심어 길렀다. 늘 향을 피우고 정좌해 앉아 사념하는 듯 했으며, 또한 『도덕경』과 여러 선경(仙經, 도교 전적) 읽기를 그치지 않았다. 그러기를 3년 뒤에 본국으로 귀국할 생각을 하고 배를 타고 떠났다가, 다시 돌아와 도사 복장을 하고 종남산에 들어갔다. 음덕을 행하기에 힘써 사람들이 바라는 바가 있으면 거절하지 않고, 정성을 다해 일을 돌봤으니 보통사람으로서는 할 수가 없었다.

대중(大中) 11년(857) 12월, 갑자기 황제에게 표문을 올려 말하기를 "신은 옥황상제를 받드는데, 부름을 받아 영문대(英文臺) 시랑(侍郎)이 되었으니 내년 2월 25일에 의당 하늘로 올라가야 합니다"라고 했다. 이에 선종(宣宗)이 아주 기이하게 여겨, 중사(中使, 왕명을 전하는 내시)를 보내 궁으로 들어오게 했으나 굳이 사양하고 가지 않았다. 또한 옥황상제의 조서를 보여 달라고 했으나 거절하며, 다른 신선이 이를 관장해 인간 세상에 남겨두지 않았다고 했다. 마침내 황제가 궁녀 네 사람과 향(香)·약(藥)·금(金)·비단을 보내고, 또한 중사 두 사람을 보내 전담해서 시중들게 했다.

그러나 김가기는 고요한 방에 홀로 기거해, 궁녀와 중사들이 거의 접근하지 못했다. 매일 밤마다 방안에서 사람들이 담소하는 소리가 들려 중사가 이를 몰래 엿보니, 다만 선관(仙官)과 선녀(仙女)가 각자 용과 봉황을 타고 앉아서 공손히 서로 마주하고 있었고, 또한 시위하는 자가 적지 않았다. 그러니 궁녀와 중사들이 감히 놀래키지 못했다. 2월 25일, 봄 풍경이 아름답고 화초가 만발했다. 과연 오색구름이 일더니 봉황(혹은 학)이 울고 난(鸞)새(혹은 흰 고니)가 날아들며, 온갖 악기소리가 울려 퍼지는 가운데 날개깃 지붕에 옥 바퀴를 단 수레가 내려왔다. 깃발이 공중을 가득 메우고 신선의 의장(儀仗)이 극히 많이 펼쳐진 가운데, 김가기가 하늘로 올라갔다. 조정 관원과 백성들로 지켜보는 자들이 산 계곡을 가득 메웠는데, 이를 바라보고 예를 올리며 감탄하고 경이로워 하지 않는 자가 없었다.

한국 문헌 속의 김가기

김가기에 관한 중국의 기록이 오래된 반면, 한국의 기록은 대개 조선시대의 것이다. 비교적 이른 기록으로, 한무외(韓無畏, 1517~1610?)의 『해동전도록(海東傳道錄)』과 홍만종(洪萬鍾, 1643~1725)의 『해동이적(海東異蹟)』이 있다. 그밖에 『택리지(擇里志)』, 『동사강목(東史綱目)』, 『연려실기술(練藜室記述)』, 『오주연문장전산고(五洲衍文長箋散稿)』 등에서 간헐적으로 김가기를 언급한다.

한데 그 내용이 『속선전』의 범위를 크게 벗어나지 않고, 게다가 허위로 만들어진 것이 많다. 예를 들어 『해동전도록』은 당 개원 연간(開元, 713~741)에 김가기가 최승우(崔承祐), 승려 자혜(慈惠)와 함께 입당했으며, 진사과에 급제한 뒤 화주참군(華州參軍)을 거쳐 장안위(長安尉)을 역임했다고 한다. 그러나 세 사람의 연대가 서로 맞지 않고, 그 나머지 내용도 신뢰하기 어렵다.

『속선전』 등에 따르면, 김가기는 당 선종 대중(大中) 12년(858)에 백일승천했다. 그런데 최승우는 당 소종 용기(龍紀) 2년(890)에 입당해서 893년에 급제했다(『三國史記』 崔承祐傳). 김가기와 최승우는 당연히 함께 입당하지 않았고, 더구나 만날 수도 없었다. 또한 "최승우가 서경(西京)에서 이덕유(李德裕)를 좇아 섬겼다"고 하는데, 이 역시 허구다. 왜냐하면 이덕유는 당 원화(元和) 11년(816)에 태어나 대중 3년(850)에 병사했는데, 최승우는 그로부터 40년 뒤에야 입당하기 때문이다.

『해동전도록』은 김가기, 최승우, 자혜가 종남산 광법사(廣法寺)에서 신원지(申元之)를 만나고, 또한 종리권(鍾離權)을 소개받았다고 한다. 그러나 두광정(杜光庭)이 저술한 『선전습유(仙傳拾遺)』에 따르면, 신원지는 김가기보다 한 세기 앞선 개원 연간에 황제의 부름을 받고 개원관(開元觀)에 머물렀던 도사다. 당연히 김가기와 연대가 맞지 않는다.

최승우가 "문창후(文昌侯)에게 구결을 전수했다"는 것도 믿기 어렵다. '문창후'는 곧 최치원을 가리킨다. 그런데 최치원은 최승우보다 20여 년 앞서 868년에 입당했고, 885년 귀국한 뒤에 줄곧 신라의 관료로 남았다. 하지만 최승우는 그보다 늦게 귀국한 뒤, 후백제 견훤(甄萱)의 책사가 되었다. 두 사람은 서로 적대국에 살았고, 좀처럼 교류하기 어려운 사이였다. 게다가 연장자이자 대학자인 최치원이 최승우로부터 도교의 구결을 전수받았다는 건 납득하기 어렵다.

1610년(광해군 2)경에 찬술된 『해동전도록』은 이처럼 허구로 가득하다. 한무외는 중국과 한국의 여러 전적, 특히 중국의 문헌 여기저기서 긁어모은 단편적인 기록들로 허구의 계보를 만들었다. 그런데 17세기 조선의 한무외는 왜 그런 계보를 조작했을까? 『해동전도록』에서 종리권의 입을 빌어서 다음과 같이 말하는 데서 그 의도를 엿볼 수 있다.

그러나 신라국은 도교와 인연이 없고, 다시 8백년이 지난 뒤에 환반(還返)의 뜻이 있어 그로부터 선양될 것이다. 그 뒤에 도교가 점차 성행하고 불교가 차츰 쇠퇴하여, 지선(地仙) 2백 명이 혹은 신선세계에 들고 혹은 기를 타고 날아올라 큰 가르침을 널리 펼 것이다.

단도직입적으로 말해, 한무외는 『해동전도록』으로 자기의 도교 수련을 정당화하려고 했다. 이미 오래 전에 중국의 신선 종리권이 조선에서 도교가 부흥할 것을 예견했다고 천명하고, 이를 통해 한무외 자신의 도법이 당의 도교에 연원을 둔다고 암시한다. 물론 이는 종교적 신비의 문법일지언정, 결코 역사의 문법은 아니다. 그러므로 이런 기록을 근거로, 김가기의 역사적 행적과 사상적 영향을 논증하는 것은 위험하다.

홍만종이 1666년(현종 7)에 발간한 『해동이적』은 한국 선가(仙家)의 계보를 담은 책으로, 그 체제와 성격이 중국의 『열선전(列仙傳)』에 비견된다. 그런데 그 책에서 홍만종은 다음과 같이 말한다.

『사림광기(事林廣記)』에 따르면, 천하의 도사들이 모두 김가기가 승천한 날에 그의 명복을 비는 제사를 드린다. 그렇다면 천하 사람들이 비록 아녀자나 어린아이라도 그가 진선(眞仙)이 된 것을 모르는 이가 없을 텐데, 우리나라에서는 그를 좋아하지 않고 옛 서적도 전하는 것이 없다. 처음부터 있는지 없는지 조차 몰라, 심지어 중국인이 물어도 대답을 못하니 또한 부끄럽지 않은가?

홍만종은 『사림광기』에서 김가기에 관한 기록을 보았다. 『사림광기』는 남송(南宋) 때 복건(福建) 사람인 진원정(陳元靚)이 저술했다. 이 책의 「도교류(道教流)」에서 2월 15일을 "김가기 선인 승선일(金可記眞人昇仙日)로 기념한다. 중국의 도교와 민간에서 이처럼 김가기를 존숭했으나, 정작 조선에서 그는 거의 망각된 인물이었다. 김가기에 대해 홍만종은 "우리 조선에서 유독 좋아하지 않고 고서적에도 전기가 없다"고 하고, 한무외도 "신라국은 도교와 인연이 없다" 진술했다. 그것이 대개 역사의 진실에 가깝다.

'김가기'라는 문화상징

김가기는 중국과 한국의 문화교류사에서 중요하다. 특히 중국 학계에서 한국에 도교를 전파한 인물로 김가기에 주목한다. 그런데 정작 한국에서는 김가기의 역사적 흔적을 거의 발견할 수 없다. 신라의 문헌이나 문물 어디에도 그에 관한 기록이 남아있지 않다. 또한 『삼국사기』나 『삼국유사』를 위시한 고려의 문헌에도 김가기는 보이지 않는다. 조선시대의 문헌 가운데 간혹 김가기를 언급하지만, 앞서 말했듯이 그것은 대개 중국 기록에서 비롯되거나 허구인 경우가 많다.

김가기는 종남산에서 수도한 지 3년 만에 신라로 귀국했다가, 다시 종남산으로 되돌아갔다. 『속선전』 등의 모든 「김가기전」에 그런 기록이 보인다. 앞서 말했듯이, 당의 장효표가 쓴 문장에도 신라로 귀국하는 김가기를 송별하는 시(「송김가기귀신라[送金可紀歸新羅]」)가 있다. 그렇지만 이왕의 문헌에는, 김가기가 얼마나 오랫동안 신라에 머물다가 당으로 돌아왔는지를 말하는 단서가 없다. 다만 "다시 돌아왔다(復來)"고만 한다.

그런데 1980년대에 서안의 종남산 자오곡에서 『김가기전』과 두보(杜甫)의 「찬원일인현단가(贊元逸人玄壇歌)」를 함께 새긴 세칭 '김가기 마애비'(혹은 '김가기 마애석각')이 발견돼 김가기 연구에 획기적인 전기를 제공했다. '흥륭비(興隆碑)'라는 각자(刻字)가 새겨진 이 마애비는 당말(唐末) 오대(五代) 무렵에 조성된 것으로 추정된다. 이로써 김가기의 실존은 물론, 그의 구도(求道) 행적이 상당한 역사적 실체가 있음을 입증하게 되었다.

마애비에는 김가기가 종남산 자오곡에 수년간 은거했으며, 본국(신라)으로 귀국했다가 얼마 뒤에 종남산으로 돌아와 은둔수양해서 도를 이뤘다고 전한다. '얼마 뒤에(未幾)'라는 짧은 각자(刻字)를 통해, 김가기가 신라에 잠시 머물다가 이내 종남산으로 돌아왔음이 확인된다. 그처럼 짧은 기간에, 김가기가 당의 도교를 신라에 전파한다는 것은 상식적으로 가능하지 않다. 여러 정황상, 오히려 신라에서 수도하기 어려웠으므로 그가 곧 당에 돌아왔을 가능성이 훨씬 높다.

그렇다면 한국과 중국 문화교류사에서, 우리는 김가기의 위상과 역할을 어떻게 평가해야 하는가? 단순히 중국 도교를 한국에 전파한 인물로 김가기를 평가할 수는 없다. 그에 대한 재론이 필요하다. 역사의 각도에서 엄밀하게 말하면, 신라와 고려의 도교에 김가기는 거의 영향이 없었다. 김가기가 중국 도교를 신라에 들여왔음을 입증할 증거가 없으며, 심지어 그가 신라 문화에 어떤 영향을 미쳤는지도 거의 확인되는 바가 없다.

그런데 오히려 조선시대에 김가기가 다시 역사 무대에 등장한다. 앞서 말했듯이, 17세기 조선의 『해동전도록』과 『해동이적』 등에서 김가기에 주목했다. 가령 『해동전도록』처럼 거의 만들어진 이야기라고 할지라도, 그것이 또한 의미가 없는 것은 아니다. 거기서 특히 두드러지는 점은, 김가기가 하나의 문화적 상징(기호)으로 작동한다는 사실이다.

김가기는 역사상의 인물일 뿐만 아니라, 한국과 중국 두 나라의 문화교류에서 중요한 상징이다. 따라서 그 역사적 의의와 문화적 상징으로서의 의의를 혼동하지 말아야 한다. 역사에서는 사실의 진실과 거짓을 가리는 게 중요하다. 그러나 문화상징은 그 의미를 어떻게 해석하는가에 더 큰 의미가 있다. 상징은 특정한 시대와 문화를 반영하며, 또한 그 배후에 일정한 의도와 사상을 함축한다.

익히 알다시피, 조선은 유교를 숭상했다. 특히 성리학의 영향이 지대했다. 그런데 16세기 조선에 임진왜란(중국명 '萬曆朝鮮之役')과 병자호란(중국명 '丙子之役') 등의 침략전쟁이 연달아 발생했다. 전란을 거치면서 국토가 황폐하고, 나라의 기강이 무너지고, 민생은 파탄이 났다. 또한 부패한 정치에 염증을 느껴 세속을 떠나 은둔하는 식자들이 늘어났다. 그들이 산림에 숨어 신선을 구하는 풍조가 은밀히 유행했다. 훗날 이를 '조선단학파(朝鮮丹學派)'로 부르게 된다.

그렇지만 조선 왕조에서 신선술은 여전히 이단사설(異端邪說)로 간주되고, 유학자들로부터 배제와 공격의 대상이 되었다. 이런 시대 배경에서, 조선단학파는 자신들의 사상체계를 건립하기 위하여 한국 선가(仙家)의 연원과 계보를 새롭게 구축하려고 시도한다. 그런 과정에서, 수백 년간 망각의 늪에 빠졌던 김가기를 다시 호명한다. 김가기가 새롭게 주목할 역사적 인물로 주목받은 동시에, 중국 도교와 한국 선도의 관계를 대표하는 표상으로 재조명된 것이다. 『해동전도록』과 『해동이적』 등의 책이 모두 이런 시대를 반영한다. 그러면서도 각자의 시각에서 서로 다른 김가기를 말한다. 이는 오늘날에도 시사하는 바가 크다.

옛 문헌은 고증을 필요로 한다. 엄격한 객관적 근거로 역사의 진상을 가려야 하고, 함부로 사실(史實)을 억측하면 안 된다. 그러나 역사적 상상력도 발휘해야 한다. 왜냐하면 전통이란 전승되는 과정에서 끝없이 변화하고, 새로운 의미를 획득하면서 재해석되기 때문이다. 과거의 사실은 확정된 것이지만, 과거 사실에 대한 해석은 개방적이다. 김가기가 고국에서 오랫동안 망각

됐지만, 조선 중엽의 단학파가 그를 다시 불러냈던 것 역시 그런 맥락에서 이해할 수 있다.

김가기와 중국 도교

앞서 말했듯이, 20세기 후반에 김가기 마애비가 발견되었다. 그것이 중국과 한국에서 다시 한 번 김가기에 대한 관심을 불러일으켰다. 또한 마애비가 발견된 지 얼마 뒤인 1992년에 한국과 중국이 국교를 맺었고, 두 나라의 교류가 다방면에서 급속히 발전했다. 그 역시 김가기를 재조명하는 기폭제가 되었으며, 도교 방면의 교류가 증대했다. 그러나 김가기에 관하여, 한국과 중국 두 나라의 연구가 부족할 뿐만 아니라 오해도 적지 않다.

최근 몇 년 동안, 학계는 도교를 한국에 전파한 인물로 김가기에 주목했다. 그리고 두 나라의 문화교류사에서 김가기의 위상과 의미를 중시했다. 그러나 김가기는 당나라 장안에서 도교를 수련한 대표적인 신라인으로, 한국보다는 중국에서 오히려 그 명성과 영향력이 컸다. 그는 오랫동안 장안에서 현지인의 추앙을 받았다. 김가기 마애비가 그 사실을 입증한다.

김가기는 858년에 백일승천했다고 알려졌다. 그로부터 20여 년 뒤인 884년에 도사 두광정(杜光庭)이 『역대숭도기(歷代崇道記)』를 찬술해서 당시 도교의 개황을 기록했다. 그에 따르면, 당이 건국한 이래 1천 9백여 곳의 도관을 세우고 1만 5천여 명의 도사가 있었으며, 왕족과 귀족들이 사사로이 세운 도관은 그 수를 헤아리기 어려울 정도로 도교가 번성했다.

그런데 이렇게 많은 도사들 가운데 진선(眞仙)으로 추앙받은 외국인은 김가기뿐이었다. 『속선전』은 진선 36명을 열거한다. 그 가운데 대다수가 도교의 전문적인 도사(道士)지만, 또한 여러 직업과 계층의 구도자들이 포함되어 당대(唐代)에 도교가 광범위하게 유행했음을 보여준다. 그런데 『속선전』은 '진선'을 다시 '비승(飛昇)' 16인과 '은화(隱化)' 20인의 두 그룹으로 나눈다.

그 중 백일승천하는 '비승'이 도교의 선화(仙化)에서도 가장 높은 경지인데, 김가기는 비승 16명 가운데 아홉 번째로 거명된다. 게다가 '비승' 중에도 '선계의 관직(仙官)'에 오르는 경우와 '선계의 백성(仙民)'이 되는 차이가 존재하는데, 『속선전』의 비승 16인 가운데도 극소수만 선관에 오른다. 예를 들어 옥황상제의 부름을 받아 후도화(侯道華)가 선대랑(仙臺郎)이 되고, 마상(馬湘)이 승천하며, 김가기가 영문대시랑(英文臺侍郎)이 된다.

여기서 선관의 품계는 당나라 관직의 등급 관념을 반영한다. 그렇다면 김가기에게 부여된 선계의 관직은 대단히 높은 것이다. 심지어 후도화나 마상에 비해, 김가기가 한층 높은 선관이라고 할 수 있다. 하지만 『속선전』이 엄밀한 의미에서 역사서는 아니고, 거기서 기술되는 주요 인물과 사건이 반드시 사실에 부합하는 건 물론 아니다. 도교의 독특한 문법에서, 그것은 판타지를 포함하고 또한 상상과 과장을 동원한다.

하지만 그것은 도교가 추구하는 이상적 인격에 대한 기대를 반영하는 독특한 화법이다. 또한 『속선전』이 묘사하는 '진선'은 각자의 특징이 뚜렷하며, 그 정신적 면모와 형상 역시 제각각이다. 그 가운데도 김가기의 풍모가 두드러진다. 재능이 출중하고 원만하며, 박학하고 문장이 뛰어나다. 수련과 언행, 음덕, 종교적 재능의 다방면에서 탁월한 면모를 보여 어느 하나 부족한 점이 없다. 뿐만 아니라, 마침내 선관이 되어 '비승' 중에도 매우 높은 품계에 오른다.

이는 고귀한 신선의 풍모에 대한 기대를 높일 뿐만 아니라, 김가기가 도교 방면에서 이뤄낸 성취를 당나라 사람들이 얼마나 높이 평가했는지 보여주는 화법이다. 무수한 대중들이 지켜보는 앞에서 승천한 연월일까지 명확히 제시된 사례가 『속선전』에도 김가기밖에 없었으니, 당시 도교에서 존귀했던 그의 위상을 충분히 짐작할 수 있다. 중국 도교에서 김가기의 영향은 비교적 오랫동안 이어졌다.

한 예로, 그의 이름을 딴 '김가기 분향정좌법(金可記焚香靜坐法)'이 후대로 전해졌다. 명나라 만력(萬曆) 25년(1597) 주리정(周履靖)이 편찬한 총서(叢書)인 『이문광편(夷門廣牘)』에 「적봉수(赤鳳髓)」라는 수련서가 포함돼 있는데, 거기 보이는 46종의 수련법 가운데 하나가 '김가기 분향정좌법'이다. 이는 김가기의 수련법이 명나라 때까지 줄곧 행해졌다는 증거이다.

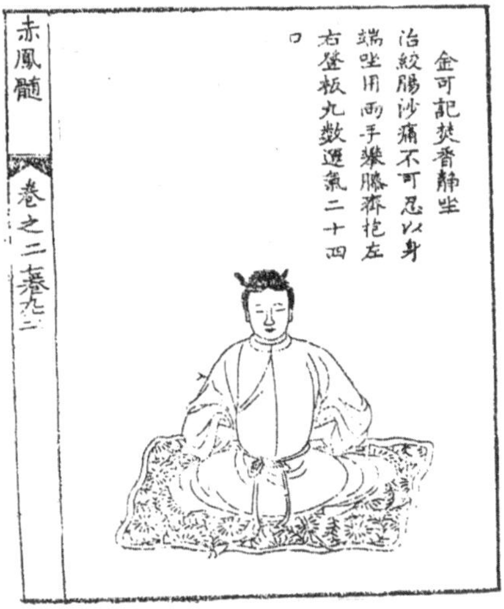

김가기 분향정좌법(『적봉수[赤鳳髓]』 권2)

디아스포라 그리고 신선

끝으로 종종 간과되는 문제 한 가지를 짚고 넘어갈 필요가 있다. 신라에서 당으로 유학을 갔던 인사들의 행적은 크게 두 유형으로 나뉜다. 첫째는 체류형이다. 일정기간 외국에서 체류한 뒤에, 그 나라의 문물을 익혀 가지고 본국으로 귀국하는 경우이다. 예를 들어 의상(義湘), 최치원(崔致遠) 등을 포함하는 일군의 신라 승려와 학자들이 그 유형에 속한다. 둘째는 이주형이다. 외국에 영구거주하며 세계도시의 거주민이 되고, 현지 문화의 번영과 발전에 참여하는 유형이다. 예를 들어 신라의 승려 원측(圓測), 김교각(金喬覺) 등이 대표적이다.

신라 외에도 일본, 발해 각지에서 모여든 여러 국가의 인재들 가운데 체류형과 이주형이 고루 분포했다. 그들이 모두 각자의 방식으로 아시아 각국의 문명 발전에 기여했다. 또한 각지의 인재와 문화를 '아울러 거두고 보존(兼收幷蓄)'했던 당 문화의 풍부함과 개방성을 촉진시켰다. '온갖 다양성을 용납하여 위대해진다(有容乃大)'는 정신이 당의 번영을 가져온 원동력이었다. 당 태종 이세민(李世民)이 "예로부터 모두 중화(中華)를 귀히 여기고 이적(夷狄)을 천시했지만, 나는 그들을 한결같이 사랑한다"고 천명했던 것은 유명하다.

당의 전성기에 중국 내 각 민족의 교류가 긴밀했을 뿐만 아니라, 아시아와 유럽 심지어 아프리카와도 교류가 활발했다. 문화적으로 세계가 교류하고 융합하는 추세가 있었다. 당은 외래문화의 유입을 막지 않았다. 외국인이 중국에 유학을 오는 것을 용인했으며, 더 나아가 외국의 우수한 인재를 대거 흡수해 자국 발전의 동력으로 활용했다.

김가기는 대표적인 이주형 외국인이었다. 신라의 입장에서 본다면, 그는 본토를 떠나 타국에서 위대한 운명을 개척한 디아스포라였다. 특히 희소하게도, 김가기는 도교 방면에서 특출한 성취를 이뤄 중국에서 그 명성을 오랫동안 이어갔다. 역설적으로, 이는 당의 도교가 대외적으로 개방되고 관용적이었음을 보여주는 하나의 표상이기도 하다.

종남산 자오곡의 김가기 마애비와 『속선전』등의 기록이 서로를 보충하며, 중국 도교사와 한중 문화교류사의 한 대목을 웅변한다. 김가기가 실제로 존재했던 역사인물 이었음을 의심하는 학자는 이제 거의 없다. 하지만 그의 사적은 매우 간략한 신선 전기로 전하고, 또한 신선설화와 종교적 요소로 충만하다. 그렇다고 해서, 그게 전적으로 허구에 속하는 것은 물론 아니다.

신선설화는 도교문화의 핵심 구성요소로, 수천 년 동안 사람들은 끊임없이 신선 이야기를 전송(傳頌)했다. 이는 동아시아의 도교를 연구하는 풍부한 자료를 보존할 뿐만 아니라, 조상들의 사상과 정감을 담은 귀중한 유산이기도 하다. 김가기의 신선설화 역시 그 물목에 포함된다. 그것은 한국과 중국 두 나라에서 만들어지고 교환된 도교적 상상력의 과거이자, 또한 앞으로 일어날 문화적 상상력의 미래를 자극하는 문화원형이기도 하다.

중화(中華)와 어울린 신라 유학생

최치원(崔致遠)

장일규(동국대학교)

신라 유학생, 푸른 바다를 건너다.

십여 년 전 2007년 7월 어느 날의 일이다. 그날, 중국 4대 서원 가운데 하나인 호남성 장사(長沙)의 악록서원(嶽麓書院)을 방문하였다. 많은 방문객 가운데 청년 한 명이 대성전을 향해 걸음을 재촉하였다. 영국 국가대표 축구팀의 유니폼을 입은 그의 모습은 모택동 주석이 공부하였다는 악록서원과는 썩 어울리지 않았다. 대성전 앞에 서 있는 청년을 만나서는, "영국 국가대표 축구팀 유니폼을 입은 모습이 특이하다"고 묻자, 그는 "영국 축구팀을 좋아한다. 청화대학 학생인데, 며칠 뒤 영국으로 유학을 간다. 그래서 입었다"고 대답하였다. 이어서 "이곳에 온 이유는 무엇인가?"라고 물으니, 그는 "영국에 가서도 조국을 위해서 열심히 공부하려는 다짐을 공자님께 말씀드리려고 왔다"고 말하고는, '만세사표(萬世師表)' 공자의 화상 앞에서 허리를 깊이 숙여 절을 하였다. '천년학부(千年學府)'라는 편액이 걸린 문을 나오면서, 문득 최치원의 시 「범해(泛海)」가 떠올랐다.

掛席浮滄海　　돛을 단 배 푸른 바다에 띄우니,
長風萬里通　　긴 바람은 만 리에 통하는구나.
乘槎思漢使　　뗏목을 탄 한나라 사신도 생각나고,
採藥憶秦童　　약을 캐는 진나라 아이도 기억나는구나.
日月無何外　　해와 달은 허공 밖에 걸려 있고,
乾坤太極中　　하늘과 땅은 태극 속에 있구나.
蓬萊看咫尺　　봉래가 지척에 보이니,
吾且訪仙翁　　나도 잠깐 선옹을 찾아볼까.

최치원은 돛배를 타고 긴 바람을 맞으며 푸른 바다를 건넜다. 그는 '선옹'을 찾겠다는 기대감을 안고는 항해의 두려움을 견디며 만 리의 길을 넘어 당나라 유학길에 올랐다. 유학의 길은 특별한 다짐이 필요한 지난(至難)한 길이었다.

신라는 한강 하류를 차지하여 독자적으로 중국과 교류하게 되면서, 사신을 파견하여 우호 관계를 맺는 한편, 유학생을 보내어 중국의 문물과 제도를 익혔다. 640년(선덕왕 9)에 선덕왕은 당나라 태종에게 유학생의 국학(國學) 입학을 요청하였고, 태종은 천하의 명유(名儒)를 스승으로 삼고서 학사(學舍)를 늘린 다음 주변 나라의 유학생을 받아 들였다. 그 뒤 신라는 멸망 때까지 꾸준히 유학생을 파견하였다. 책상자를 짊어지고 피로를 잊으며 배를 타고 험한 바다를 건넌 신라 유학생들은 장안(長安)과 낙양(洛陽)의 거리를 누볐다. 그들은 서로 그리울수록 왕래를 끊지 않았고 많을수록 더욱 힘써서, 지금 국자감(國子監) 안에는 오직 신라의 마도(馬道)만이 있을 뿐, 여러 번방은 고요히 중간에 끊어졌을 정도로 꾸준히 활동하였다.

신라 유학생은 재당 시절에 중화 문물과 제도를 익힌 뒤 귀국하여 관직에 진출하려는 뜻을 가졌다. 신라 왕실은 백제·고구려와 통일전쟁을 치루는 과정에서 관료제를 시행하였다. 고유의 신분제인 골품제(骨品制)에서 진골 세력이 정치적 위상을 높여가자, 이를 견제하려고 6두품 세력을 중용하였다. 자연히 진골의 바로 아래 신분인 6두품 세력은 유교적 정치이념이나 불교사상을 익혀 국왕 중심의 국가 체제 정비에 참여하였다. 그 뒤에도 신라 왕실은 유교적 교육 기관인 국학을 설치하였고, 788년에는 독서삼품과(讀書三品科)를 설치하여 관료 선발제도를 정비하였다. 이 과정에서 6두품 출신 당나라 유학생은 점차 늘었다.

신라 유학생은 귀국 후에 대체로 중앙 관인이나 지방관에 임용되었다. 특히 외교문서 작성에 능하였기에 주로 국왕과 가까운 문한직(文翰職)을 전담하였다. 자연히 유학생은 더욱 늘어나 840년(문성왕 2)에는 질자(質子)와 함께 수학 기한 10년에 다다른 학생 105명이 당으로부터 귀국 조치되기도 하였다. 한편 유학생의 증가는 경쟁을 불러 일으켜 빈공진사시(賓貢進士試)에 급제하는 경우도 점차 늘어났다. 빈공진사시 급제자는 재당 시절 당나라 조정으로부터 사마(司馬), 장사(長史), 현자사(縣刺史), 원외랑(員外郞) 등의 관직을 제수받기도 하였는데, 이것이 귀국 후 중앙 관인으로 진출하는 데 영향을 주었기 때문이다. 821년(헌덕왕 13)부터 당나라 말까지 빈공진사시에 급제한 신라 유학생은 모두 58명이었다. 현재 확인되는 36명 가운데는 6두품 가문인 경주최씨 출신 유학생이 가장 많다. 그들은 대체로 경문왕~진성왕 때 당나라에 건너가 공부하였는데, 그 가운데서 널리 알려진 유학생이 바로 최치원이다.

최치원, 두 나라 혼란 속에서 살다.

최치원은 857년(헌안왕 1)에 태어났다. 그는 최견일(崔肩逸)의 아들이자 승려 현준(賢俊, 賢儁, 賢雋, 玄準)의 동생으로, 최인연(崔仁渷, 崔愼之, 崔彦撝)·최서원(崔栖遠, 崔棲遠)과는 4촌 내지 6촌의 형제 사이였다. 최견일은 861년(경문왕 2)부터 시작된 곡사(鵠寺) 중창(重創) 불사(佛事)에 참여하였고, 현준은 880년대 중반부터 해인사(海印寺)에 머물면서 왕실이 주관하는 불사를 맡았다. 최서원은 884년(헌강왕 10)에 견당사(遣唐使)의 수행원으로 활동하였고, 최인연은 문한관과 중앙 관서의 차관을 지냈다.

최치원 표준 영정(© 국립현대미술관 소장)

최치원 일가는 관료나 승려로 활동하였는데, 주로 왕실과 긴밀한 관계를 맺었다. 자연히 최치원도 868년에 12살의 나이로 당나라에 국비 유학생으로 파견되었다. 낙양의 국자감 태학(太學)에 들어간 그는 874년 7월 이전에 예부시랑 배찬(裵瓚) 아래서 외국 유학생인 빈공(賓貢)의 자격으로 생도시(生徒試)의 진사시(進士試)에 급제하였다.

최치원은 국자감 학생 시절부터 시부(詩賦)와 책문(策問)을 익히는 데 노력을 다하였다. 이러한 노력은 진사 급제 뒤에 2년 동안 낙양에 머물 때도, 876년 겨울에 종9품하(從九品下)의 말단 지방관인 선주(宣州) 율수현(溧水縣) 현위(縣尉)로 나아갔을 때에도 계속되었다. 당나라 이부(吏部)에서는 시부론(詩賦論) 3편(三篇)을 시험보아 뛰어난 능력의 인물을 선발하는 박학굉사(博學宏詞)를 운영하였다. 고급 관료가 되기 위해서는 이를 통과하여야 하는데, 최치원은 고위 관료로 진출하려고 하였다. 그는 877년 겨울에 현위직을 사임하고 박학굉사를 준비하고자 입산하여 시부책문 연마에 더욱 정성을 기울였다.

당시 당나라는 황제의 권위가 무너지고 각 지방의 절도사가 크게 일어나,

강소성 양주 최치원기념관(© 장일규)

인재 등용이 나라에서 정한 절차에 따라 이루어지지 않았다. 879년에 박학굉사는 중단되었고, 최치원은 관직을 그만 둔 탓에 경제적인 어려움에 시달리면서, 특히 황소(黃巢)의 반란군이 율수에 가까운 여주(廬州)를 약탈하자, 더 이상 입산생활을 유지할 수 없었다. 그는 회남절도사 고변(高騈)을 주목하고는 마침내 휘하에서 관찰지사(觀察支使)를 맡았던 진사시 동년(同年) 고운(顧雲)에게 부탁하여, 879년 10월 이후에 고변으로부터 관역순관(館驛巡官)으로 임명한다는 공첩을 받고서 880년 5월부터 884년 8월까지 약 4년 동안 감찰과 문한의 임무를 담당하였다. 고변이 882년 정월에 병마도통(兵馬都統)에서 물러난 뒤 실권(失權)한 채로 점차 도교에 침잠해 가자, 회남의 여러 장수들은 관할 지역에서 반란을 꾀하였고, 최치원은 더 이상 고변의 휘하에 머물기 어려웠다. 결국 그는 885년 10월에 본국에 조서(詔書)를 받들고 돌아가는 사신의 자격으로 17년 동안 머물렀던 당나라를 떠나 다음해 봄에 신라에 도착하였다.

경주 상서장(© 장일규)

최치원은 귀국 직후에 헌강왕의 측근인 시독(侍讀)을 맡았고, 개편된 문한기구의 문한관에 임명되어 왕실 주관 불사에 관한 여러 글을 작성하였다. 특히 왕명을 받아 885년~893년에는 '사산비명(四山碑銘)'을 작성하기도 하였다. 또한 886년 정월에는 『계원필경집(桂苑筆耕集)』을 엮어 헌강왕에게 진상하였다. 다만 889년(진성왕 3)에 전국에서 초적이 일어났는데, 남편이자 삼촌인 위홍(魏弘)의 죽음 이후에 지방 사회의 혼란을 수습하려고 하였던 진성왕은 최치원의 재당 시절 경험을 높이 평가하였다. 이에 최치원은 889년~890년에 병부의 차관인 시랑(侍郎)을 맡아 반란 세력의 진압과 왕경의 방어에 힘썼고, 점차 호족세력이 크게 일어나자 직접 지방 사회를 살피기 위해서 893년까지 대산군(大山郡, 태인)과 부성군(富城郡, 서산) 등 서해안 일대 지방관을 스스로 맡기도 하였다. 하지만 혼란이 더해가자, 893년에 하정사(賀正使)의 사행이 실패한 뒤에는 문한기구의 장관인 지서서원사(知瑞書院事)를 맡아 이듬해 2월에 시무(時務) 10여 조를 진성왕에게 올렸다.

시무책은 귀족 세력과 호족 세력을 견제·응징하여 왕실과 국가를 보전하려는 방안이었다. 자연히 그는 진성왕의 즉위에 반발하였던 세력의 견제를 받게 되었고, 895년 10월에 헌강왕의 서자 요(嶢)의 태자 책봉을 계기로 지방 곳곳을 유랑하였는데, 특히 위홍의 원당(願堂)인 해인사에 주로 머물렀다. 그러나 신라와 발해의 외교 관계가 점차 경직되고 진성왕이 태자 측근 세력의 심한 견제를 받아 선위(禪位)를 고려하자, 895년 10월 전후~898년 정월에 신라와 발해의 관계를 재정립하고 진성왕 선위와 효공왕 계위(繼位)를 당나라 황제에게 알리는 외교문서를 작성하였다. 마침내 898년 정월 이후에는 세상을 떠난 진성왕을 기리기 위해서 가족을 이끌고 해인사에 들어가 정계를 은퇴하였다. 그는 해인사 중창 불사 관련 글과 화엄승전(華嚴僧傳)을 찬술하면서 신라 국가 재건과 호국의 의지를 주장하다가 908년(효공왕 12) 이후 어느 시기에 삶을 마쳤다.

아버지의 말씀, 인백기천(人百己千)으로 답하다.

신라 제48대 국왕인 경문왕은 헌안왕의 사위로 즉위하였다. 신라의 왕위 계승에서 사위로 즉위한 이는 탈해왕과 경문왕뿐이다. 자연히 진골귀족 세력들은 경문왕의 왕위 계승 정통성을 문제 삼았다. 사람들은 경문왕이 나귀의 귀를 가졌다고, 뱀을 덮고 잔다고 비웃었다. 경문왕은 나귀 귀 소문의 진원지인 대나무 숲을 없애고 산수유를 심었고, 뱀을 덮지 않으면 편안히 잘 수 없다고 강조하였다. 나아가 그는 불사를 통해 선왕을 이은 효성을 온전히 드러내면서 자신의 정통성을 확보하려고 노력하였다. 이러한 노력은 원성왕의 명복을 기리는 곡사의 중창 불사로 진행되었다. 이 때 최견일은 왕명을 받아 종묘에서 곡사 중창을 고하였다. 그는 왕위 계승의 정통성을 확보하려는 경문왕의 노력에 깊이 관여하였다. 자연히 최치원의 당나라 유학에도 이러한 의지가 반영되었다. 최치원은 이에 대한 감회를 「계원필경서(桂苑筆耕序)」에서 고백하였다.

회남에서 본국으로 들어가면서 조서 등을 받든 사신으로, 전 도통순관 승무랑 시어사 내공봉에 자금어대를 하사받은 신 최치원은 잡시부(雜詩賦) 및 표주집(表奏集) 28권을 올립니다. … 신은 12세에 집을 떠나 서쪽으로 갔습니다. 배를 탈 때 돌아가신 아버지께서 "10년 동안 진사에 급제하지 않으면 내 아이라고 말하지 말라. 나 또한 아이가 있다고 말하지 않겠다. 가서 부지런히 해라. 무너짐 없이 힘써라"고 훈계하셨습니다. 신은 엄한 가르침을 옷 속 깊이 담고서는 감히 잊지 않으려고 졸음을 참았으며 허둥대지 않고 오로지 뜻을 키우는 데 잘 어울리게 하여, 실제로 다른 사람이 백을 하면 스스로는 천을 노력하였습니다. 나라를 둘러본 지 6년 만에 금빛 이름을 게시판의 끝에 걸었습니다.

최치원은 유학을 떠나면서 아버지의 엄한 훈계를 받았다. 최견일은 '10년

안에 반드시 진사에 급제한다는 목표를 한 순간도 잊지 않고 부지런히 최선을 다하라'고 하였다. 12살 어린 나이에 받아들이기는 힘든 훈계였을 것이다. 하지만 그는 아버지의 훈계를 잊지 않고 남이 백을 하면 자신은 천을 하는 쉼 없는 노력을 다하였다. 마침내 당나라 태학에 입학한 지 6년 만에 아버지의 바람을 이루었다. 아버지의 바람을 이루었기에 그는 10년의 수학 기한을 채우지 않고서 당장이라도 귀국할 수 있었다. 그러나 그는 귀국하지 않았다. 이때의 심정도 「계원필경서(桂苑筆耕序)」에 담겨 있다.

이때 정성(情性)을 풍자하여 읊고 사물에 의지하여 편이라 이름한 것을 부(賦)라고 시(詩)라고 불렀는데, 상자에 거의 가득 찰 정도였습니다. 단지 동자가 전각한 것 같아 장부에게는 부끄러운 일이어서, 어대를 하사받음에 이르러서 모두 버렸습니다. 동도(東都)를 방황하며 붓으로 밥주머니를 삼아서는 마침내 부 5수, 시 100수, 잡시부 30수로 삼편(三篇)을 만들었습니다. 이후 선주 율수현위에 제수되었는데, 봉록(俸祿)이 많고 벼슬이 한가로워서 종일 배부르게 먹을 수 있었습니다. 벼슬을 하면서도 배움에 잠시의 시간을 헛되이 보내지 않아 공사(公私) 중에 쓴 글을 모아 문집 5권을 만들었습니다. 산을 만든다는 뜻을 더욱 격려해 복궤(覆簣)의 이름을 내걸고 지명인 중산(中山)을 그 앞에 올렸습니다. 높지 않은 벼슬을 그만두고 회남의 군직(軍職)을 지내며 고시중(高侍中)의 은혜를 입어 필연(筆硯)을 전담할 때 군서(軍書)가 몰려듦을 힘을 다해 감당했습니다. 4년 동안 마음을 쓴 것이 1만여 수였지만 간추려보니 10분의 1 내지 2 정도뿐이었습니다. 어찌 모래를 파서 보배를 보았다고 비유하겠습니까? 거칠지만 기와를 깨뜨리고 벽에 그린 그림보다 낫다고 여겨 드디어 『계원집(桂苑集)』 20권을 이루었습니다.

최치원은 빈공진사시 급제 이후 낙양에서 붓으로 밥주머니를 삼았다. 그는 빈공진사시 급제 이전부터 상자가 거의 가득 찰 정도로 시부를 짓곤 하였으므로, 빈공진사시 급제 이후에도 여전히 끼니를 잇는 수단으로 시부 연마에

하동 쌍계사 『진감선사대공탑비』(© 장일규)

힘썼다. 시부 연마는 율수현 현위로 나아가서도 계속되었다. 봉록을 받아 경제적 상황은 나아졌지만, 자투리 시간을 그냥 보내지 않고 오히려 더욱 시부 연마에 공을 들여, 당시에 지은 것을 모아 『중산복궤집』 5권을 엮기도 하였다. 이후 회남도에서 관역순관으로 근무할 때도 4년 동안 1만여 수의 시부를 지을 정도로 시부 연마를 쉬지 않았다. 그는 귀국한 뒤에 1/10~2/10을 간추려 『계원필경집』 20권을 엮었다.

'계원'은 문장가들이 모여 있는 곳을 가리키고, '필경'은 융막에 거주하며 먹고 살았음을 말한다. 최치원은 『계원필경집』의 이름에서 자신이 고변 휘하에 모인 여러 문인들과 함께 어울렸음을 강조하였다. 고변은 시집 1권을 엮었을 정도로 어려서부터 문학(文學)에 힘썼고, 여러 유자(儒者)와 어울려 치도(治道)에 대해 이야기하곤 하였다. 이러한 면모는 최치원의 관심을 끌었다.

① 모는 동해(東海)의 일개 포의(布衣) 신분으로, 근래에 만 리 밖의 집에 인사하고 10년 동안 이 나라를 살폈음은 본래 방의 끝에 등제되어 강회(江淮)의 한 현령이 되기를 원하였기 때문입니다. 이전 해 겨울에 말단 현위를 그만두고 굉사에 응시하러 산에 거주하여 잠시 은퇴하기를 결심하면서 배움이 바다에 이르기를 기약하고 거듭 스스로 갈고 닦았습니다. 녹봉은 남음이 없고 글 읽을 양식은 구제되지 못하였습니다. 문득 위발(魏勃)의 빗자루를 가지고 와서 이응(李膺)의 문을 쓸었는데,

어찌 태위상공(太尉相公)이 멀리서 칭찬과 불쌍히 여김을 베풀어 임무와 녹봉을 내릴 것이라 생각했겠습니까? 자취는 정역(鄭驛)을 쫓고 몸은 도창(陶窓)에 머물러 겨우 동곽(東郭)의 가난함을 걱정했으나 부질없이 북궁(北宮)의 용맹함을 길렀을 뿐입니다.…또한 성조(聖朝)에서 벼슬하는 빛나는 자제(子弟)는 출신입사하기를 20~30년이라도 오히려 누더기 도포를 걸고 연막(蓮幕)을 쫓지 않은 자가 많습니다. 하물며 아무와 같은 이역(異域)의 유생에 이르겠습니까!

② 지금은 잠깐 한 벼슬에서 물러나 삼편에 응시하려고 재차 나아가 닦기를 원했고, 또한 물러나 다스리기를 꾀하여 홀로 산림에 의지하면서 거듭 고서를 열람하였습니다. 날마다 시를 지음은 우눌(虞訥)의 비난과 책망을 피할 수 없고 해마다 부를 지음은 육기(陸機)의 비웃음을 어찌 부끄럽게 여기겠습니까? 그리하여 노력하고 돌보아서 공을 이루고 갈고 닦아서 그릇을 이루기만 기다립니다.…삼가 살펴보건대 만물이 정성을 다하고 천하가 어짊을 향하고 있는데, 상공의 손님 맞는 문을 찾아가지 않고 상공의 어진 문간에서 지내지 않는다면, 글 짓는 이들이 부끄러워 할 것이요, 많은 이들의 논의로 꾸짖을 일입니다. 아무는 감히 충성과 충정을 다하여 붓을 잡아 편지를 올려서 엄한 꾸중을 피하지 않고 번번이 평소의 생각을 말하고자, 삼가 생업으로 지은 잡편장 5축과 함께 진정(陳情) 칠언장구시 100편을 올립니다.

최치원은 원래 10년 안에 진사시에 급제한 뒤 당나라 지방 현령이 되려는 목표를 가졌다. 현위에 임용되자 고위 관료로 나아가려고 목표를 바꾸었고, 수학 기간에 상관없이 응시할 수 있는 박학굉사에 응시하고자 하였다. 하지만 경제적 어려움에 처하자, 덕망이 높은 현인의 도움을 받아야 하였다.

당시 절도사는 관내의 정치·군사·재정권을 장악하기 위해 유능한 문사를 초빙하였고, 벽소(辟召)를 입고자 하는 자는 유력한 절도사에게 투탁하기를 희망하였다. 20~30년 동안 막부에 들어가려는 자들이 많았던 당시에, 한나라 관인 정당시(鄭當時)가 손님을 맞아 후대한 것처럼, 우눌의 혹평과 육기의 비웃음을 생각하면서도 미래를 위해서 날마다 시를 짓고 부를 지었던 최치원은 고변의 문하에 들어가기를 바랐다. 그는 신라의 유생이자 글 짓는 자로서, 고변이 문인과 유자와 어울린다는 소문을 듣고는 자신의 문재(文才)를 은근히 부각하려고 잡편의 문장과 칠언장구시를 바쳤다. 마침내 그는 고변의 문하에 들어가게 되었다.

계원행인, 한중 문인 교유의 주춧돌을 놓다.

865년에 어사중승 호귀후(胡歸厚)는 배광(裵光)과 함께 당나라 의종의 명령을 받들어 책봉사로 신라에 왔다. 그는 귀국한 뒤에 재상에게 "앞으로 나와 같은 산서(山西)의 무사(武士)는 해동에 사신으로 보내지 말라. 계림에는 아름다운 산수가 많은데 경문왕이 시로써 그것을 옮겨 선물로 주었다. 일찍이 배웠던 것에 의지하여 운어(韻語)로써 글을 지어서 억지로 창피함을 참았다. 그렇지 않았더라면 바다 밖의 웃음거리가 되었음에 틀림없다"고 탄식하였다. 최치원이 유학을 떠날 즈음 신라의 문예는 당나라 사신의 격찬을 받을 정도로 높은 수준에 이르렀다.

최치원은 재당 시절에 고운(顧雲), 배숙(裵璹), 배료(裵璙), 배졸(裵拙), 배찬(裵瓚), 송현(宋絢), 왕계(王棨), 이관(李琯), 양섬(楊贍), 오만(吳巒), 장고(張翺), 장웅(張雄) 등과 교유하였다. 이들은 대부분 도통이나 관찰사, 절도사 휘하의 판관이나 순관을 담당하거나 수재로 불린 문인(文人)이었다. 최치원이 여러 문인과 가까운 관계를 맺은 데는 빈공진사시에 응시할 때 공거(貢擧)를 맡았던 배찬의 도움이 컸다. 진사과는 좌주·문생·동년 등의 조직을 구성하여 특수한 세력을 이루면서 특권을 강조하였기에 의관호(衣冠戶)라고 불렸기 때문이다. 고변은 배찬에게 글을 보내어 인재 선발의 중요성을 강조하기도 하였다. 최치원은 진사시 동년 고운(顧雲)의 도움으로 고변에게 나아갔으므로, 자연히 배찬에게 감사하는 마음이 클 수밖에 없었다.

엎드려 받들건대 총명(寵命)을 영광스럽게 받으셨다고 하니 오직 감격하여 위로가 됩니다. … 아무개는 엎드려 생각하건대, 만리에 의지할 곳 없이 오랫동안 헛되이 떠돌며 쓸려 다니다가 10년 만에 지우(知遇)를 만나 다행히 떨쳐 날아오름을 이루어, 고향에서는 늙은 부모를 영화롭게 하였고 관직에서는 붉은 빛의 장식을 더럽히게 되었습니다. 옛날에는 이름난 선비로 이공(李公)을 모시는 자가 되어도 기뻐 손뼉 치는 것이 오히려 많았는데, 지금은 먼 곳의 사람으로 이부(尼父)의 생도라고 하여 그 후광이 견줄 바 없이 빛납니다. 지극한 간절함을 펼치자면 입이 석자가 되기를 애쓰고, 깊이 어짊을 바라보면 창자가 아홉 번이나 뭉칠 것입니다. 손뼉을 치며 축하하고 감격하는 마음은 멈추어지지 않으니, 엎드려 바라건대 굽어 살펴주소서.

최치원은 배찬이 이부시랑에 제수된 것을 축하하며 의지할 것 없는 자신을 보살펴주었다고 칭송하였다. 그는 귀국길에 오르면서 배찬 문하의 여러 생도들 사이에서 자리를 얻었음을 자랑스러워하였고, 신라에도 덕화(德化)가 잘 이루어지도록 노력할 것이라고 다짐하였다. 현재 전하는 최치원의 글 가운데, 고변에게 보낸 글을 제외하고, 배찬의 일가에게 보낸 글이 모두 15편에 이르는 것은 빈공진사시의 좌주였던 배찬에 대한 감사의 마음이 그만큼 각별하였기 때문이다.

양주 최치원기념관의 최치원 동상(© 장일규)

최치원은 고변 휘하에서 진사시 급제자 출신으로 종사관(從事官)

에 천거된 송현이나 염철출사순관(鹽鐵出使巡官)을 맡았던 왕계 등과도 교유하였다. 또한 양섬과 오만과는 국자감에서부터 귀국할 때까지 관직 진출을 모색하며 매우 가까운 관계를 유지하였다. 나아가 나은(羅隱), 장교(張喬)와도 친분을 맺었고, 고운(顧雲)을 통해서 두순학(杜荀鶴), 피일휴(皮日休) 등과도 사귀었다. 이들 역시 당시의 뛰어난 시인이자 문인이었다. 곧 고운, 송현, 왕계, 양섬, 오만, 나은, 장교, 두순학, 피일휴 등은 대부분 진사시에 급제하였고, 절도사 휘하에서 관리로 활동하거나 유랑과 은거를 거듭하면서 시문을 짓는 데 힘썼다. 최치원은 그들과 어울리며 관직에 나아갔으므로, 자연히 시부 연마에 힘을 다하였다. 더욱이 낙양과 선주, 양주에서는 육기, 백거이(白居易), 두목(杜牧) 등이 자신보다 앞선 시기에 활동하였으므로, 최치원은 이들의 시문풍에도 자연스럽게 관심을 가졌다. 최치원은 이름난 시인·문인과 교유하면서 당나라 문예를 익히며 신라 문예도 한층 부각하였다.

884년에 신라국입회남사(新羅國入淮南使) 김인규(金仁圭)와 종제 최서원(崔栖遠)이 최치원의 귀국을 위해서 회남으로 들어왔다. 최치원은 갑자기 귀국하라는 지시를 받은 뒤, 조서를 받들고 이들과 함께 귀국길에 올랐다. 그의 귀국은 진골귀족 세력의 견제를 받은 신라 헌강왕의 요청에 의해서 이루어졌다. 최치원은 귀국길에 오르지만, 지난 날 교유의 즐거움과 함께 석별의 아쉬움을 떠올렸다. 그는 오만에게 "갈리는 길에서 잠시 몸을 힘쓰더라도 탄식하지 마시오. 오늘 아침에 멀리 이별하는데 다른 말이 무엇 있겠소. 변하지 않는 마음으로는 다른 사람에게 부끄러움을 주지 말기를"이라고 하여, 각자의 길을 가는 데 따른 이별을 아쉬워하였다.

海槎雖定隔年廻	바닷배는 격년마다 돌아오지만
衣錦還鄉愧不才	금의환향할 재주 없으니 부끄럽구나.
暫別蕪城當葉落	잎이 질 때 잠시 무성에서 헤어졌다가
遠尋蓬島趁花開	꽃이 필 때 멀리서 봉래섬을 찾아가리라.

谷鶯遙想高飛去	골짜기의 꾀꼬리는 아마도 높이 날겠지만
遼豕寧慙再獻來	요동의 돼지는 다시 바치기가 부끄럽구나.
好把壯心謀後會	굳세게 마음 잡고 뒷날 만나기를 기약하여
廣陵風月待銜杯	광릉의 풍월 속에서 술잔을 나눠 보세.

양섬에게 보낸 위의 「양섬 수재의 송별시에 답함(酬楊贍秀才送別)」에서도 의지를 달성하지 못한 채 귀국하는 것이 아쉽지만, 높은 관직에 나아가기를 서로 기원하면서, 이 가을에 귀국한 뒤 봄에 다시 돌아올테니 '광릉의 풍월 속에 술잔을 나눕시다'라고 재회를 기약하였다. 897년에 최치원은 견당사로 당나라에 왔는데, 이 때 지우(知遇)와 재회의 기쁨을 나누었는지는 알 수 없다. 다만 그의 문재는 그 뒤에도 꾸준히 회자되어, 『신당서(新唐書)』 예문지(藝文志)에 신라 사람으로는 유일하게 빈공진사시 급제와 『계원필경집』 편찬 내용이 게재되었고, 명나라~청나라 때에도 그의 시문은 줄곧 전승되었다.

최치원의 시 「범해」를 떠올리면서, 그 때에 만났던 청화대학 학생이 각고의 노력 끝에 조국으로 돌아왔는지, 영국 국가대표 축구팀의 유니폼을 입고서 영국에 머물고 있는지 궁금하다.

송나라와 교류의 길을 연 고려 왕자

의천(義天)

박용진(능인대학원대학교)

의천의 생애

의천(1055~1101)은 고려 제12대 국왕 문종과 문벌귀족 인주이씨 이자연의 장녀 인예왕후의 넷째아들로 1055년 9월 28일에 출생하였다. 의천은 11세에 화엄종의 난원(爛圓, 999~1066)에게 출가하여 화엄교학을 중심으로 불교의 대·소승교학을 수학하였으며, 유교나 도교 등 외학에도 박식하였다. 의천이 활동한 시기는 고려 문종대에서 숙종대에 해당하며 문벌귀족이 성립됨과 아울러 왕권이 안정되었고, 고려의 문화도 동아시아 제국과의 교류 속에서 국제성과 보편성을 갖추는 한편 독자적 문화를 꽃 피우는 시기였다.

의천은 출가 이후 불교학을 배우고 강론하면서 고려에 대장경의 경(經)과 논(論)은 갖추어져 있으나 이를 해석한 소초(疏鈔)가 제대로 갖추어져 있지 않아 교법을 바로 펼 수 없음을 인식하였다. 이 때문에 의천은 고려에 전존하고 있는 것과 송(宋)·요(遼)의 신·구 장소(章疏)를 모아 목록을 편찬하고 이를 일장(一藏)으로 만들어 유통코자 발원하였다. 이를 위하여 의천은 송나라에 가서 불교계의 고승과 교류하는 한편 장소를 구하고자 하였으나, 당시 국제정세는 고려·송·요 3국이 견제와 함께 대립하는 형세였다. 이 때문에 고려국의 왕자 출신인 의천의 입송은 고려와 요는 물론 송과 요와의 관계에 국제적 갈등이나 분쟁을 일으킬

의천 진영(선암사 성보박물관 소장, © 고려대장경연구소)

소지가 있었다.

의천은 1085년(선종 2) 4월 8일 제자인 수개, 양변 등과 함께 입송하여 1085년 5월 21일 변경에 들어가 철종을 만나고, 화엄종 승려인 유성, 정원 등 다양한 종파의 승려를 역방하였다. 의천이 송에서 폭넓게 사상을 교류하면서 국제적이고 보편적인 사상 체계를 성립시킨 시기였다. 의천은 1086년 5월 29일 14개월여의 입송 구법을 마치고 교장 3천여 권을 수집하여 귀국하여, 흥왕사에 교장도감을 두고 송·요·일본 등지에서 구득한 제종 교장을 간행하여 유통시켰으며, 주변의 나라와 종교에 기반한 문화적 교류를 통하여 동아시아의 불교문화와 사상을 일층 성숙시키는 업적을 이루었다.

의천은 화엄종을 중심으로 천태종을 개창하려는 노력이 좌절되면서 해인사로 이거하였다. 인주이씨인 이자의와 흥왕사 대사 지소의 세력에 밀려 해인사에 퇴거하였던 의천은 1096년(숙종 1) 개경의 흥왕사로 돌아와 주지가 되어 강학하였다. 1097년(숙종 2) 5월에는 국청사가 완공되었고 흥왕사 주지를 겸하면서 천태교관을 강의하였다. 이 시기 의천의 불교계에서의 역할은 화엄종과 천태종의 병립을 통한 불교계 재편이었다. 의천은 1100년에 국청사에서 천태 교학을 강하고, 1101년 2월에는 천태종의 승과를 실시해서 40명을 선발하는 등 천태종의 개창과 발전에 힘썼다.

의천의 활동 가운데 국가적 사업으로 지남관(指南館), 겸제원(兼濟院)을 복구하여 민의 편익을 도모하였고, 국가의 중대사를 자문하였으며, 주전(鑄錢)을 건의하여 시행하는 등 숙종의 개혁 정치에 조력하였다. 의천은 1101년 10월 지병으로 총지사에서 입적하였다.

고려 개경(開京)에서 송 개봉(開封)으로 구법과 교류의 길을 열다.

의천의 입송구법(入宋求法)은 국왕의 허가를 얻지 않고 입송하였지만 고려 사신의 추가 파견이라는 사후 추인의 과정을 거쳐 이루어졌다. 이후 고려와 송의 적극적인 지원 아래 송의 수도 개봉에서 황제를 배견한 뒤 관반사(館伴使)와 함께 불교계의 고승과 성지를 역방하였다. 이러한 의천의 구법과 교류의 길은『대각국사문집』에 상세한데, 고려시대에 사신이 입송하여 송나라의 황제를 만나러 가는 전반적인 여정과 절차를 알 수 있는 드문 기록이다.

의천은 1085년 5월 2일 송나라 밀주(密州) 판교진(板橋鎭)에 도착하여 지밀주사(知密州使) 조봉랑(朝奉郞) 범악(范鍔)의 영접을 받는 한편 송 황제인 철종(哲宗)에게 입송구법의 시말을 전하는 표문(表文)을 올렸다. 5월 21일에는 철종이 주객원외랑(主客員外郞) 소주정(蘇注廷)을 보내어 의천의 일행을 수도로 인반케 하였다. 6월 7일에는 밀주에서 출발하여 해주에 도착하였고, 황제의 사신 황영석(黃永錫)이 칙지를 전하는 한편 의천 일행에 연회를 베풀어 주었다.

6월 13일에도 중사(中使)가 칙지와 함께 차 20각, 약 1은합을 전하였고, 숙주를 지나 남경(南京)에 도착한 것이 7월 1일이었다. 이때에도 칙지와 함께 재식(齋食)을 전하였다. 7월 6일 수도 변경(汴京)의 근방에서 외국 사신을 맞이하는 예에 준하여 교외에서 환영하는 의례를 행하였다. 이후 의천은 인반사에 의해 계성원(啓聖院)에 안내되었고, 송 조정에서는 중사를 보내 긴 여정의 수고를 위로하는 칙지와 함께 중서사인(中書舍人) 범백록(范百祿)으로 하여금 시위케 하였다. 7월 21일 송 철종은 의천을 수공전(垂拱殿)에서 배알(拜謁)하는 의례를 빈례(賓禮)로 거행하였으며, 많은 예물을 하사하는 한편 중서사인 전협(錢勰)을 보내어 계성원에서 어재(御齋)를 주관토록 하였다.

7월 22일 의천은 황제에게 표를 올려 승사수업(承嗣受業)토록 요청하였고, 황제의 윤허로 유성법사(有誠法師)를 만나게 되었다. 송 조정에서는 의천의 구법에 대해 승정을 주관하는 양가승록사(兩街僧錄司)에서 유성을 천거하여 응대토록 하였다. 의천은 변경에서 화엄종 유성법사 등과의 한 달여 교류와 구법을 마치고, 8월 초에는「걸취항주원사리처학법표(乞就杭州源闍梨處學法表)」를 올려 항주의 진수정원(晋水淨源)에게서 현수교(賢首教)를 수

업하여 그의 평소의 소원을 달성할 수 있기를 요청하였다. 이에 송 철종은 항주 혜인원에 가서 수업할 수 있도록 허락하고, 주객원외랑(主客員外郞) 양걸(楊傑)을 관반사(館伴使)로 파견하여 의천의 구법 여정을 주관토록 하였다.

의천은 8월 조칙을 받들어 관반사 양걸과 함께 변경을 나와 변수를 따라 회수, 그리고 사수에 도달하였고, 항주에 이르러 진수정원을 만났다. 의천이 정원을 만난 이후 1086년 2월까지의 행적은 현수교관(賢首敎觀), 즉 화엄교학을 묻고 장소(章疏)를 수집하는 활동을 전개하였다. 이후 고려 국왕의 귀국 요청에 따라 송 황제는 의천을 수도인 변경으로 돌아오게 하였는데, 2월 13일 변경으로 들어가는 교외의 영령선원에서 의천 일행을 빈객의 예로 맞았으며, 조산랑시중서사인(朝散郞試中書舍人) 만중행(滿中行)을 관반사신(館伴使臣)으로 파견하여 동문관(同文館)에서 유숙하는 일련의 절차를 주관케 하였다. 윤2월 19일에 철종과 태후를 조알하고 작별함에 이르러 은그릇 1천 냥과 채색 비단 1천 필 등 예물을 하사하고 연회를 베풀어 주었다. 이 때 의천도 철종 황제의 탄생일인 용흥절을 맞아 축성수재(祝聖壽齋)를 설행하면서 불상과 금기(金器) 등을 올린 바 있었다.

3월 2일 의천이 출발할 때 양걸을 재차 관반사로 파견하여 귀국 여정을 주관케 하였다. 3월 7일 경사를 떠남에 철종은 고려 문종(文宗)의 진용(眞容)과 금향로, 향합 등의 선물을 내렸다. 의천 일행은 경사를 떠나 수주(秀州) 진여사(眞如寺)에 이르러 자선(子璿)의 탑 수리를 위하여 재시(財施)하고, 4월에는 항주 혜인사로 돌아왔다. 5월초 의천은 천태산에서 명주(明州)로 갔고, 이곳의 육왕광리사(育王廣利寺)에서 운문종의 대각회련(大覺懷璉)을 참방하였는데 회련은 법좌에 올라 설법하고 시를 지어 전별하였다. 5월 12일에는 명주를 떠나 정해(定海, 영파의 진해)로 갔고, 20일에는 정해에서 고려 조하회사(朝賀回使)의 배편으로 귀국의 길에 올라 5월 29일에 고려의 예성강에 도착하였다.

송 불교계 제종(諸宗)의 석덕(碩德)과 교류하다.

의천은 송나라에서 30여 명의 불교계 고승과 교류하였다. 의천은 송의 수도인 개봉에서 계성원(啓聖院)의 별원에 있으면서 처음 만난 고승은 화엄종의 유성법사(有誠法師)로, 이들은 '현수(賢首)와 천태교판(天台教判)의 차이와 양종의 깊은 뜻을 문답하여 그 설을 곡진히 하였다'라고 하여, 화엄종과 천태종의 교상판석(教相判釋)과 교학에 관련한 내용을 주고받았음을 알 수 있다. 또한 상국사(相國寺)에서 운문종의 종본(宗本), 흥국사에서 서천삼장(西天三藏) 천길상(天吉祥)을 만나 선종과 인도 천축국의 일을 상세히 묻는 등 변경 일원에 주석하고 있던 다양한 종파의 고승을 만나 교류하였다.

의천은 유성과 교류 후 항주의 진수정원(晋水淨源)에게 나아갔다. 의천은 송에 있을 때 1085년 8월 이후 1086년 2월까지 약 6개월여를 정원과 교류하며 화엄교관을 수학하였고, 여러 종파의 교학을 두루 접할 수 있었다. 정원은 화엄종 승려로 법장계(法藏系)의 정통 화엄을 이은 장수자선(長水子璿)을 계승한 인물이다. 정원은 화엄종의 징관(澄觀)이나 종밀(宗密)의 화엄교관을 전수 받았을 뿐만 아니라 중국 화엄종의 방계인 이통현(李通玄)의 화엄론에 접하였으며, 그의 스승인 자선의 영향을 받아 『능엄경(楞嚴經)』에 밝았다. 의천은 이 시기 정원의 문하에서 화엄경과 능엄경 사상을 주목하였고, 『원각경(圓覺經)』이나 『기신론(起信論)』 또는 법화·천태사상을 교류하였다. 이 시기 의천의 활동에 대하여 송승 가구(可久)는 "3개월 사이에 정법을 일으켜 선

진수정원 상(「옥잠산혜인고려화엄교사지[玉岑山慧因高麗華嚴教寺志]」)

비나 불자들이 모두 승통을 향하게 하였으니 전에 없던 일이었다"라고 하여 불교계와 관료 등 다양한 인물들과 교류하였음을 알 수 있다.

정원은 항주의 혜인사(慧因寺)에서 현수교를 진작하여 송대 화엄종을 중흥시켰다. 의천이 송에 머물렀을 때 관반사(館伴使) 양걸(楊傑)이 항주지사 및 동료들과 함께 이를 주선하여, 현수교장(賢首教藏)과 현수교의 조사상을 모시도록 하였는데, 의천도 돈을 희사하여 장경 7천여 권을 봉납하였다. 의천은 귀국 후

혜인사산도(「옥잠산혜인고려화엄교사지[玉岑山慧因高麗華嚴教寺志]」)

에도『화엄경』3본을 보내고, 재물을 시납하는 등 혜인사의 주요 단월이 되었다. 이 혜인사는 고려사로 칭하였고 항주 서호의 지근 거리에 있다. 현재 고려사의 유지에는 호텔이 있고 소동파의 상이 발굴되어 세워져 있다. 정원은 의천이 항주에서 개봉으로 귀경 시 동반한 이래 화엄교학의 전법을 계속하였는데, 이때 화엄대의를 강설하는 것을 마치고 경서와 향로 그리고 불자를 주어 전법의 신표로 삼았다.

의천은 정원과 이별하고 천태산(天台山)의 정광불롱(定光佛籠)에 올라 지자대사탑(智者大師塔)에서 천태교관을 선양할 것을 서원하였고, 양걸과 천태종 산가파(山家派)의 사문 중립(中立)이 이를 기록하여 비석을 세웠지만 현재는 전하지 않는다. 의천은 천태종 정통 산가파의 종간(從諫), 원정(元淨), 중립, 법린(法隣)을 만나 천태교관을 교류하였다. 중립과 법린은 천태종 산가파 신지감문(神智鑑文)의 법사로 광지상현계(廣智尙賢系)에 해당한다. 의천은 종간에게서 천태교관을 품수하고 귀국 후 천태교학을 크게 일으키고자 서원하였고, 천태종 국청사를 창건하여 거기에 종간의 저술을 받들어 모시는

한편 종간의 상을 세워 고려 천태종의 초조로 삼았다. 의천은 귀국 후에도 종간과 서신을 주고받았으며, 천태종 종간을 정통으로 계승하였음을 강조하였다.

의천은 선종계 운문종의 고승인 종본(宗本), 요원(了元) 그리고 회련(懷璉)을 직접 만났지만 긍정적으로 묘사되지는 않았다. 요원이 의천의 예를 앉아서 받는 모습은 이역승으로 대한 것 이외에 종파간의 대립을 유추할 수 있다. 그 밖에도 의천이 송에서 교류한 승려들은 법상종(法相宗)의 혜림(慧林), 선연(善淵), 계율종(戒律宗)의 택기(擇其), 원조(元照), 서천범학(西天梵學)의 천길상(天吉祥), 소덕(紹德) 등이 있었다. 그러나 이들과의 구체적인 교류 모습과 교학(教學)에 대하여는 기록에 잘 나타나지 않는다. 의천은 귀국 이후에도 지속적으로 송나라의 불교계 고승과 교학과 불전을 교류하였다.

송나라의 관료와 교류하다.

의천은 입송 이후 외국 사신에 준하는 예우를 받았는데, 이때 황제가 파견한 인반사(引伴使), 접반사(接伴使), 관반사(館伴使) 등 관료들은 학식과 불교교학에 대한 깊은 이해가 있는 인물들이었다. 이들 가운데 관반사 양걸(楊

천태산 지자탑원 지자육신탑

傑), 소주정(蘇注廷), 소식(蘇軾) 등과 구법 행로에 따른 지방장관들이 주목된다. 의천은 국왕의 허가 없이 입송하였지만 그의 일행이 밀주(密州) 판교진(板橋鎭)에 도착하자 황제는 외국 사신의 예에 준하는 빈례(賓禮)로 맞았다. 당시 송의 입장은 '유학비입공(遊學非入貢)'이라 하여 입공이 아닌 유학으로 보고, 의천의 구법 여정을 주관하였다. 의천의 송나라에서의 활동은 제종 승려의 역방과 불교 전적의 수집이었지만, 송의 관료들과 교류한 경험은 귀국 후 국왕권 강화를 통한 개혁 정치에 도움이 되었을 법하다.

의천이 교류한 관료군은 크게 관반관료(館伴官僚), 지방장관, 황제사신 등이다. 이들 가운데 의천의 행로에 있는 지방장관 및 황제사신들과는 긴밀하게 교류할 수 없었을 것이다. 이와 달리 의천이 송에 머물 때 상당한 기간을 함께 한 관반사나 오랜 기간 체류한 항주 지역의 지방장관은 간단히 취급될 수 없다. 그 가운데 주객원외랑(主客員外郎) 양걸(楊傑), 지항주(知杭州) 포종맹(浦宗孟)이 주목된다. 이들은 신법당(新法黨) 관료들이었다. 의천은 혜인원에 재물과 전적을 기증하였는데, 양걸과 항주의 지주사인 포종맹은 혜인원을 화엄도량(華嚴道場)으로 바꾸어 운영토록 하였다. 의천은 이 시기에 화엄종의 정원과 화엄교학을 논하였으며, 항주의 지주사인 포종맹을 통하여 천태종의 자변종간(慈辯從諫)과 교류할 수 있었다.

포종맹은 신법당의 핵심 인물인 여혜경(呂惠卿)의 측근이었다. 송 신종(神宗)은 즉위하여 왕안석(王安石)을 재상에 임명하고는 개혁 정치를 단행하였는데, 여혜경은 왕안석의 실질적인 정책 입안자로 활동하였다. 『송사(宋史)』의 여혜경의 전기에는 "일의 크고 작은 것을 모두 그와 의논하였으며, 무릇 건의한 장주(章奏)는 모두 그의 손에서 나왔다"라고 할 정도로 국가의 대소사에 깊이 관여하였다. 또한 왕안석은 여혜경에 대하여 "선왕의 도를 배워 잘 쓸 수 있는 자는 오직 혜경일 뿐이다"라고 하여 높이 평가하였다.

왕안석은 부국강병적인 성격의 변법개혁론(變法改革論)을 주장했는데, 이에 대해 소식(蘇軾)은 구법(舊法)을 옹호하였다. 구법에 대해 변법의 옳음을

소식 상(「옥잠산혜인고려화엄교사지[玉岑山慧因高麗華嚴敎寺志]」)

주장하기 위해 실제로 소식과 맹렬한 논쟁을 주도한 사람은 여혜경이었다. 양걸은 물론 뒷날 의천의 행적을 비문으로 남긴 장형(章衡)도 신법당에 속한 인물로 이해되며, 혜인사와 정원은 신법당 관료들과 긴밀한 관련을 맺고 있었다. 정원은 여혜경과 동향 출신일 뿐 아니라 일찍부터 그와 친교를 맺었다. 의천과 교류한 송 관료는 신법당 계열로 분류되며 불교교학을 전법한 정원과 종간 역시 이들과 긴밀히 연계되었다. 양걸과 포종맹뿐만 아니라 여혜경도 불교 교학에 깊은 이해가 있었다. 양걸은 불교 관련 많은 서문과 저술이 있고, 여혜경은 일찍이 『신주화엄법계관(新注華嚴法界觀)』을 쓰는 등 내외 교전에 박학한 인물이었다. 송 조정에서는 고려 왕자인 승통 의천을 맞아 불교를 비롯한 내외전에 박식한 관료를 관반사로 동행케 하여 예우한 셈이다.

한편 의천은 경사에서 철종을 조견할 때 접반사 예부시랑(禮部郎中) 소식에 의하여 안내되었다. 소식은 관반사 양걸이 의천과 함께 항주로 떠날 때 시를 지어 전별하였다. 이 시에서 "삼한의 왕자가 법을 구하러 서쪽으로 오니 습착치와 미천이 서로 강한 적수이리"라고 하여, 의천과 양걸을 동진(東晋)의 도안(道安)과 습착치로 비유하였다. 의천과 소식이 교류한 기록은 많이 나타나지 않지만 황제를 배알한 뒤에 예부시랑 소식을 관반사로 하여 종본선사를 만나기도 하였다. 소식은 의천이 귀국하고 3년 후인 1089년부터 약 3년간 항주지사로 부임하여 활동하였으며 불교계의 고승과 교류하였다.

이상과 같은 의천의 활동은 송 조정의 주선과 배려에 의하여 가능하였다. 의천의 구법활동에 조력한 관반사 양걸은 신법당계 인물로 같은 계열의 관료들과 교류할 수 있도록 주선하였다. 이들 관료 역시 천태종의 종간을 소개하는 등 불교계 승려들을 역방할 수 있도록 조력하였다. 의천은 송에서 다양한 활동을 전개하였는데 불교계의 사원과 고승을 역방하였다. 그들과 사상 교류는 물론 송의 불교계 상황을 몸소 체험하였다. 이외에도 의천은 송의 문물과 제도 등에 관심을 가졌으며 특히 신법당 주도의 변법에 대한 이해가 있었을 것으로 추정된다. 이는 귀국 후 숙종 때 주전론(鑄錢論)을 통하여 복국안민(福國安民)의 개혁정치에 조력한 점에서 근거를 찾을 수 있다.

동아시아 한문불교문화권의 장소(章疏) 교류와 간행

의천은 문종 27년(1073)에 불교 주석서를 수집하여 교장(敎藏)을 조성할 것을 발원한 이래 고려를 비롯하여 송·요 등 여러 나라의 장소를 수집하였다. 고려 전기 현종대와 문종대에는 고려대장경의 정장(正藏)과 속장(續藏)이 조성되었지만, 신라 이래 경론의 주석서는 많이 일실된 시기였다. 의천은 입송구법시 송승 정원을 통하여 장소를 수집하였으며, 귀국 후에 고려의 현행 장소에 더하여 송과 요나라에서 새로 수집한 장소를 종합하여 목록을 편찬한 것이 『신편제종교장총록』(이하 『교장총록』)이다. 이는 불교 경론을 주석한 장소목록의 효시인 점에서 높이 평가되고 있다. 『교장총록』에 수록된 장소는 1,010부 4,865권이며, 현재 동아시아 불교계에 약 350여 부가 전존하는 것으로 추정된다.

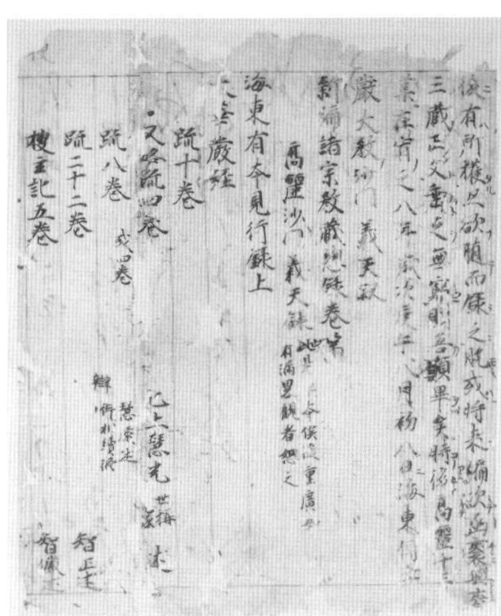
『신편제종교장총록』(© 고려대장경연구소)

의천이 활약한 11~12세기 동아시아 한문 불교문화권에서 고려와 송의 불교 장소 교류는 송의 화엄종의 재흥은 물론 중국에 일실(逸失)되었던 불서의 전래라는 측면에서 주목된다. 고려 초 체관과 의통이 오월국(吳越國) 국왕의 요청으로 천태교학 관련 전적을 전하여 천태교학을 부흥하였고, 송대에는 의천에 의해 화엄교학서를 전하여 화엄종의 재흥에 조력하였다. 고려와 송의 장소 교류에 대한 사례는 의천의 『대각국사문집』과 송의 항주 혜인사에 있는 정원의 「진수법사비문(晋水法師碑文)」에서 살펴볼 수 있으며, 송나라에는 전하지 않던 장소를 전하였다. 그 가운데 화엄종의 교학에 있어 주요한 것으로는 지엄의『수현기(搜玄記)』, 『공목장(孔目章)』, 법장(法藏)의 『탐현기(探玄記)』, 『기신론별기(起信論別記)』, 징관(澄觀)의 『정원신역화엄경소(貞元新譯華嚴經疏)』, 종밀의 『화엄윤관(華嚴綸貫)』 등이 있었다.

한편 의천은 입송구법시 목판 인쇄기술과 문화가 성했던 항주에서 은(銀) 3천량(兩)으로 『대방광불화엄경소(大方廣佛華嚴經疏)』 120권의 판각을 항주의 각수인 엄명(嚴明) 등에게 주문하고 귀국하였다. 이 『대방광불화엄경소』는 정원이 징관의 『화엄경소』를 화엄경의 경문 아래에 기입하여 화엄교학의 이해를 돕기 위하여 편찬하였다. 1087년(선종 4) 3월에 송의 상인 서전(徐戩) 등 20인이 가지고 와서 납품을 하였으며, 이 경판의 전체의 수량은 2,900여 판에 달한다. 이 수입된 경판으로 인성된 『화엄경소』는 다수 확인되며, 1424년(세종 6)에 일본에 하사되어 교토(京都)의 상국사(相國寺)에 보관되던 중 실전되었다.

이외에 요나라 선연의 저술인 『화엄경담현결택(華嚴經談玄決擇)』이 고려 개경의 흥왕사에서 간행되어 송나라에 유입되었고, 1123년(인종 1)에 송나라의 안인(安仁)이 숭오고사(崇吳古寺)에서 전사(傳寫)하였다. 이 자료는 일본의 교토(京都)의 고산사(高山寺)에 교장도감 간기(刊記)와 안인의 전사가 기록된 필사본이 전존한다. 의천의 장소 간행과 교류활동은 송에서 실전된 장소를 고려에서 전하여 재흥시킨 측면과 한편으로는 송과 요의 최신 화엄교학서를 수용하여 불교의 새로운 교학을 수용한 측면을 들 수 있다. 의천의 『교장총록』은 고려 중기 당대에 동아시아 불교 문화권의 제종 교장을 수집·정리한 것으로, 이를 통해 당시 동아시아 불교계의 교학 수준과 이해를 가늠해 볼 수 있다는 점에서 보다 큰 의의가 있다.

대각국사 의천이 활약한 11세기 동아시아의 국제관계는 고려와 송 그리고 요나라의 삼국이 정립하며 상호 연립하고 견제하는 시기였다. 의천은 이러한 격동의 시기에 불교문화를 매개로 동아시아 한문문화권에서 교류 활동을 전개하였다. 불교는 중국을 통하여 주변의 여러 나라로 전해져 각국의 문화형성에 기여하였다. 이러한 가운데 의천은 중국에서 오랜 전란으로 인해 소실된 불전을 중국에 역수출하여 불교 진흥의 쌍방향성을 실현하였고, 양국 불교문화의 상호 교류를 촉진시켰다.

인류의 보편적 진리를 갖춘 불교를 매개로 한 의천의 교류 활동은 각국의 문화를 보다 풍요롭게 하면서 한편으로는 동아시아 한문문화권에서 상호 신뢰와 이해의 기반이 되었다는 점에서 그 공헌은 재조명될 필요가 있다.

원나라 문인들과 교류한 고려 대학자

이제현(李齊賢)

최용철(고려대학교)

중국 대장정을 실현한 고려의 신하

고려 때 익재(益齋) 이제현(李齊賢)은 한국문학사에서 『역옹패설(櫟翁稗說)』과 『익재난고(益齋亂藁)』 등의 저술로 유명한 문학가이며, 주자학의 도입과 정착에 힘쓴 유학자이고, 동시에 역사상 중국의 가장 넓은 지역을 종횡으로 다녀본 여행가이며 원나라의 문학 예술인과의 깊은 교류를 가졌던 문화인이기도 했다.

현재 국립중앙박물관에는 중국의 저명화가가 그린 「이제현초상화」와 그 자신이 그린 것으로 여겨지는 「기마도강도(騎馬渡江圖)」가 소장되어 있다. 그가 원나라의 서울인 대도(大都, 北京)에서 친근하게 교류한 조맹부(趙孟頫)는 바로 역사상 뛰어난 서예가와 화가였는데 그 자신도 이처럼 그림과의 깊은 인연을 남긴 것이다.

이제현(1287~1367)은 어려서 조숙하여 15세에 성균관시에 수석으로 급제하였고 곧 문과에 합격하여 벼슬길에 올랐다. 한편 상왕(上王)이 된 충선왕(忠宣王)은 원나라 북경에다 만권당(萬卷堂)을 짓고 문인 학사들을 불러 학문과 예술을 논하며 널리 교유하였다. 만권당에 왕래하던 인물은 당대 최고의 명성을 지닌 요수와 염복, 원명선, 조맹부 등이었다. 충선왕은 이들을 상대할 만한 재주있는 고려의 젊은 엘리트를 생각하여 1314년(충숙왕 1) 성균악정(成均樂正)에 올라있던 이제현을 북경으로 불렀다.

이제현은 27세부터 원나라 체류를 시작하여 1324년(충숙왕 11) 봄 귀국할 때까지 무려 10년간이나 대부분의 시간을 원나라에서 보냈다. 그가 북경에 체류한 목적은 만권당에서 충선왕을 도와 당대의 문인들과 폭넓은 교류를 하는 것이었지만 주요 활동은 충선왕과 관련하여 중국대륙의 서남과 동남 그리고 서쪽 끝까지 다녀온 세 차례의 장거리 여행이라고 하겠다. 사천(四川)의 아미산(峨眉山)에 치제(致祭)를 드리러 다녀온 것은 왕명을 받아서 간 것이었고, 절강(浙江)의 보타산(普陀山)을 왕래한 것은 충선왕을 직접 수행한 것이며, 마지막으로 토번(吐藩)의 타사마(朶思麻)까지 간 것은 유배된 충선왕을 찾아뵙기 위한 것이었다. 그는 충선왕이 석방되어 돌아올 수 있도록 마지막까지 백방의 노력을 기울였다.

이제현은 충선왕의 부름으로 북경에 갔고 또 중원의 가장 먼 곳까지 다녀왔지만 그것은 또한 역사상 한국인으로서 가장 먼 지역을 여행한 소중한 경험이기도 하였다. 이제현은 고려의 대표적인 문인으로서 당대 최고의 중국 문인들과 교류를 실행하였으며, 그들의 문학과 예술, 사상과 문화를 직접 수용하여 한국문화사의 발전에 크게 공헌한 민족의 선각자이기도 하였다.

북경의 만권당에서 충선왕을 보필

북경에 만들어진 만권당은 충선왕의 개인 서재이면서 한중 문학 예술인들의 실질적 만남을 제공한 문화살롱이었다. 충선왕(1275~1325)은 충렬왕(忠烈王)의 차남으로서 모친이 원나라의 제국대장공주(齊國大長公主)였으므로 세조(世祖) 쿠빌라이(忽必烈)는 곧 그의 외조부였다. 그는 부왕으로부터 양위를 받아 7개월간 통치하며 개혁을 시도하였으나 왕비인 계국대장공주(薊國大長公主)와의 불화로 인해 폐위되어 10년간 원나라 황궁에서 살면서 외가의 생질이었던 회령왕(懷寧王) 카이산(海山) 등과 함께 지냈다. 후에 회령왕이 무종(武宗, 재위 1307~1311)으로 즉위하자 충선왕은 태자태사 겸 심양왕으로 책봉되었다. 심양왕(瀋陽王)은 심주(瀋州)나 요양(遼陽) 등지의 고려인을 통치하기 위해 고려의 왕족에서 특별히 선정되었다. 1308년 부왕의 사후에 고려국왕으로 다시 즉위한 충선왕은 5년간 재위한 이후 왕위를 차남에게 양위하니 바로 충숙왕(忠肅王)이었다. 자신은 상왕이 되어 다시 대도의 만권당에 머물게 되었는데 이때 만권당을 출입하는 문장과 학문하는 사람들은 모두 천하에서 선발된 가장 우수한 인재들이었다. 충선왕은 자신의 집에 이에 대응할만한 인재가 없는 것을 수치라고 여기고 곧 이제현과 권한공(權漢

「이제현 초상」 국보 제110호
(© 국립중앙박물관 소장)

功)을 북경으로 불러들였다.

이제현이 만권당에 갔을 때는 앞서 충선왕과 교류하던 염복(閻復)과 요수(姚燧) 등이 차례로 사망한 후였으므로 그들과는 만날 수 없었다. 이제현이 만권당에 들어가기 이전에 충선왕과 교류하던 이들의 명단을 이색(李穡)이 『익재난고』의 「서문(序文)」에 적어두면서 훗날 와전되었던 것이다.

북경의 만권당을 출입하면서 이제현과 함께 국제적인 교류를 진행한 당대의 유명인사는 조맹부(趙孟頫), 원명선(元明善), 장양호(張養浩), 우집(虞集), 탕병룡(湯炳龍), 주덕윤(朱德潤) 등이었다.

조맹부는 송나라 왕실가문이었으나 원나라에서 벼슬하여 한림학사를 지낸 인물인데 서예와 그림으로 당시에 이미 명성이 드높았다. 이제현에 비해 33살이나 많았으니 60대의 원로였던 것이다. 그는 황제의 소명을 받고 1313년부터 6년간 대도에 와서 체류하고 있었는데 다행스럽게도 이 때 이제현과의 직접 교류가 가능했던 것이다.

1319년 관부인(管夫人)의 병으로 강남의 고향으로 돌아갔다. 그해 여름 충선왕과 이제현 일행이 보타산을 여행하고 귀로에 특별히 우회하여 호주에 들른 것은 조맹부의 부인 장례에 문상을 갔던 것으로 여겨지고 있다. 부인 관도승(管道昇)도 뛰어난 서예가이며 시인이었는데 두 사람 사이의 애틋한 사랑 이야기가 널리 전한다.

이제현은 대도에 있는 동안 충선왕 덕분에 조맹부와의 깊은 교류의 기회를 얻을 수 있었던 것이다. 조맹부와 이제현은 여러 차례 시를 주고 받았다. 이제현이 서촉으로 떠날 때 조맹부가 지어준 시의 전반부는 이러하다.

三韓望巴蜀	삼한에서 파촉을 바라본다 하면,
相去萬里餘	만 리 하고도 더 떨어져 있겠구나.
棧道如登天	잔도는 하늘보다 오르기 어렵고,
劍門不可踰	검문은 함부로 넘을 수가 없도다.
誰令觸炎熱	그 누가 뜨거운 날 가라고 하여,
鞍馬事驅馳	말안장 타고서 달려가야 하는가.
王事有期程	임금 위한 일은 기약 있는 법이니,
吾敢求安居	내 감히 편안하기 바랄 수 있을까.
(下略)	(이하 생략)

고려에서 보면 파촉지방은 만 리가 넘는 멀리 떨어진 곳, 지금 왕명을 받들어 잔도를 지나 검문을 올라야 하는 앞길을 걱정하면서 무더운 여름에 길 떠나는 이국 젊은이의 장거리 여행길을 격려하고 왕명의 임무를 무사히 마칠 수 있기를 축원하고 있는 것이다. 이제현도 그에게 적잖은 시로 화답했는데 『익재난고』에 실린 「조자앙 학사에게 화답하여 올리는 시(和呈趙學士子昂)」 등이 그것이다. 이제현은 조맹부의 서첩(書帖)을 고려로 가지고 돌아와 널리 전하여 고려 말부터 조선시대에 이르기까지 송설체(松雪體)가 유행하도록 하였다.

원명선은 청하(淸河)사람으로 경사에 통달한 학자이며 한림학사, 예부상서 등을 지냈는데 역시 이제현이 서촉(西蜀)으로 갈 때 송별시 「촉으로 떠나는 익재를 전송하는 시(送益齋入蜀)」가 있다. 이제현도 그에게 보낸 「복초 원명선 학사와 헤어지며 화답한 시(奉和元復初學士贈別)」가 남아있는데 정작 현존하는 원명선의 『청하집(淸河集)』에는 수록되지 않았다.

장양호는 제남(濟南)사람인데 한림직학사가 되고 예부상서를 여러 차례 지냈다. 역시 이제현이 촉지방으로 떠날 때 칠언시를 지어 전송하였고 이제현은 그에게 「장양호시랑께서 주신 장단구 일편에 답례를 올리는 시(張希孟侍郎贈詩長短句一篇以詩奉謝)」로 답례를 하였는데 그의 시문집 『귀전유고(歸田類稿)』에는 보이지 않는다.

우집은 벼슬이 규장각(奎章閣) 시서학사(侍書學士)에 이르렀는데 원나라 대유(大儒)로 이름났다. 그의 글 중에 「익재명(益齋銘)」이 있는데 이제현에게 써준 글일 가능성이 크다.

이제현이 원나라에서 생활한 10년간은 오로지 충선왕을 모시기 위한 활동이었지만 그로 인해 당대 최고의 문인과 화가를 만난 것은 그 자신에게도 매우 행운이었다. 그가 만난 인물들은 가장 어린 주덕윤을 제외하면 모두가 이제현보다 나이가 많은 원로 학자들이었으니 그가 배우고 얻은 것이 훨씬 많았을 것이다. 만권당은 글자 그대로 수많은 책들이 갖춰진 지식의 보고였으며 이곳을 출입하는 당대 최고의 한림학사들과 자유롭게 교류하고 토론하는 학습장이며 문화교류의 화려한 무대였다. 이제현은 국가공무원으로서 장기적인 공무출장 중이었지만 개인적으로 당시 세계 최고의 환경에서 유학을 하고 있었던 셈이다. 고려후기 우리나라 역사와 문화를 빛낸 그의 뛰어난 학식과 저술이 이러한 기반 위에서 만들어졌음을 알 수 있다.

아미산과 보타산 그리고 토번의 타사마 여행

첫 번째 장거리 여행은 대도를 출발하여 사천의 아미산(峨眉山)으로 향하는 것이었다. 1316년 이제현은 충선왕의 명을 받고 아미산에 불공을 올리고자(降香) 북경을 출발하였다. 북경에서 7월 26일에 출발하여 태원(太原)을 경유하여 분하(汾河)와 황하(黃河)를 건넜고 화산(華山)을 지나 서안(西安)에 이르고 거기서 다시 남으로 검각(劍閣)을 지나 촉도(蜀道)를 경유하여 성도(成都)에 도착했다. 여기서 민강(岷江)을 따라 내려가 미주(眉州)를 지나 마침내 9월 11일 아미산에 올랐다. 돌아올 때는 약간 노선을 바꾸어 12월에 북경에 돌아오니 왕복 5천km가 넘는 거리였고 5개월여가 소요되었다. 이제현의 시 「아미산에 올라서(登峨眉山)」는 역대 한국인으로서 어느 누구도 엄두내지 못했던 쾌거의 순간을 담담하면서도 사실적으로 그리고 있다.

蒼雲浮地面	제 구름은 지면에서 떠오르고
白日轉山腰	하얀 해는 산허리를 에도는데
萬象歸無極	삼라만상이 무극으로 가버리니
長空自寂廖	넓은 하늘 그저 고요할 뿐이라.

이제현은 지금 해발 3,077m의 금정(金頂)에 오른 것이다. 아미산은 보현보살을 모시고 있는 불교성지의 하나다. 금정의 화장사(華藏寺)에 보현보살을 모시고 있었으니 이곳을 참배의 목적지로 삼았을 것이다. 구름이 산골짜기에서 피어오르고 한낮이 되어 해가 비치면 부처님의 빛(佛光), 광배의 현상이 나타난다고 한다. 이제현은 북경으로부터 50여 일을 달려와 다시 험한 산길을 며칠 걸어서 산의 정상에 이르러 부처님의 빛을 본 상황을 이렇게 표현한 것이다.

북경에서 길을 떠나기에 앞서 만권당에서 사귀던 당대의 석학과 문인들은 이제현의 장도를 축복하면서 전별시를 주었다. 아마도 거창한 전별연을 열었을 것이고 거기서 이별의 아쉬움과 여로의 안녕을 위해 서로 시를 주고 받았을 것이다. 전별시뿐만 아니라 이제현은 여행 도중에 부단히 시를 써서 당시의 역관을 이용한 급체포(急遞鋪, 급행우편)로 북경의 문인들과 시를 주고 받았다.

이제현이 조맹부에게 보낸 시 「이릉길에서 일찍 떠나며(二陵早發)」의 시주(詩註)에는 "내가 성도로 떠나려 할 때 송설 조자앙 공이 고시 한편을 보내주었는데 거기에는 '비단 성이 즐겁다 하지 마소, 일찍 돌아옴이 상책일지니

(勿云錦城樂, 早歸乃良圖)'라는 구절이 있었다. 시월에 북을 돌아오면서 눈 온 뒤에 이릉길에서 문득 그 시가 생각나 이를 지어서 부쳐드린다"고 했다. 앞서 인용한 조맹부 시의 뒷부분에 나오는 한 구절을 이제현이 여기서 인용한 것이다. 금성(錦城)은 비단이 생산되는 성도(成都)의 별칭이다.

원명선(元明善)이 보낸 시에서도 "아미산의 산 빛깔은 꿈속에도 푸르르니, 계림에서 온 사람이 금성으로 사신 갔네(峨眉山色夢中青, 人自鷄林使錦城)"라고 노래했는데 계림은 본래 신라를 지칭하지만 여기서는 고려의 뜻이며, 혹은 구체적으로는 이제현의 본관이 경주(慶州)임을 드러낸 것일 수도 있다. 장양호(張養浩)도 시에서 "오랜 역사 삼한 문물 이제 더욱 빛나는데, 괄목할 젊은이 중에 이 사람이 인재로다(三韓文物盛當年, 刮目青雯又此賢)"라고 노래하여 이제현의 뛰어난 재주가 고려의 젊은 문인 중에 으뜸이라고 추켜세웠다.

이들은 모두 이제현보다 나이가 많았지만 그와의 절친한 교류를 생각하며 그와의 아름다운 문학의 교류, 영혼의 교류를 이렇게 진행했던 것이다.

두 번째 여행은 충선왕을 수행하여 대운하를 따라 남행하여 보타산(普陀山)으로 향하는 여정이었다. 1319년 3월에 충선왕은 황제에게 주청하여 허락을 받고 대운하를 활용하여 출발하였다. 배를 타고 가니 훨씬 수월한 느낌이었을 것이다. 수행하는 이제현과 권한공에게 산천경개를 기록하여 『행록(行錄)』을 만들도록 하기도 했다. 일행은 소주와 항주 일대를 둘러보며 보타산으로 갔다. 원대에는 이 지역을 강절행성(江浙行省)이라고 했다. 왕복 3천km의 거리였다. 이제현에게 더욱 의미있는 일은 항주에서 충선왕의 주선으로 진감여(陳鑑如)로부터 초상화를 받은 일일 것이다. 원로 학자 탕병룡(湯炳龍)의 찬문까지 그림에 적어두었으니 큰 보람이었다. 그림에는 많은 사연이 서려 있다. 귀로에는 호주(湖州)로 우회했는데 조맹부의 부인상 문상을 가기 위한 것이라고 추정된다.

충선왕은 이듬해 새로운 황제 영종(英宗)이 즉위하자 신변의 위험을 감지하고 1320년 4월에 다시 강남여행을 떠났다. 하지만 양자강 건너 금산사(金山寺, 지금의 鎭江)에 도착했을 때 명을 받고 온 군사들에게 체포되어 북경으로 압송되었다. 형부에 들어가 삭발을 당하고 석불사에 안치되었다가 12월에 토번의 살사결(撒思結)이라는 곳으로 유배를 떠났다. 당시 신봉하고 있었던 티벳불교의 현장에 가서 불경공부를 더 하라는 구실을 달았다. 오늘날 티벳(西藏)의 성도인 라사(拉薩)보다 더 서쪽에 있는 사스까(薩斯迦)가 그곳이다. 박인간(朴仁幹)과 장원지(張元祉)가 수행하여 따라갔다. 이 무렵 이제현은 잠시 귀국했다가 북경에 다시오는 길에서 소식을 듣고 경악했다. 충선왕은 이미 출발하였고 뒤따라가는 박인간을 전송하면서 참담한 심경을 시로 남겼다. 충선왕은 1년 여의 유배생활을 이곳 설산의 언저리에서 견디게 된다. 이제현은 황제에게 상소를 올리며 백방으로 충선왕의 귀환을 위해 동분서주하였다. 그러한 까닭인지 충선왕은 오늘날 청해성의 동쪽에 해당하는 임조부(臨洮府) 근처지역으로 이감(移監)되었다. 북경으로부터 본다면 그나마 조금 가까워진 셈이었다. 이제현은 충선왕을 알현하고자 길을 떠난다.

이제현의 세 번째 장거리 여행은 그렇게 시작되었다. 1323년 4월 토번(吐蕃)의 타사마(朶思麻)라는 곳을 향해 북경을 출발하였다. 원나라에서 마지막으로 겪게 되는 대장정이었다. 그의 나이도 37세가 되었다. 이때 만권당에 출입하며 이제현과 어울리던 주덕윤(朱德潤)이 「익재 이제현선생이 임조로 떠남을 송별하는 시(送李益齋之臨眺)」를 주어 위로했다. 이번의 서행길은 이제현에게 있어서 마음이 괴롭고 씁쓸한 여행이었다. 앞서 사천으로 향할 때처럼 기대와 호기심으로 들뜬 마음도 없어지고 강남을 갈 때처럼 아름다운 경치에 감격할 만한 마음도 식었다. 자신이 모시던 상왕께서 죄를 얻어 귀양살이 하는 천애의 땅으로 가는 길이니 마음이 무거웠을 것이다.

북경을 떠나 탁군(涿郡), 업성(鄴城), 낙양(洛陽), 함곡관(函谷關), 화주(華州)를 지나 장안(長安)으로 들어갔다. 그리고 서북쪽으로 난주(蘭州) 방향으로 가다가 임조(臨洮)에서 하주(河州)로 향하는 지역이 타사마(朶思麻)였다.

원대 후기의 지도에 탈사마로(脫思麻路)의 이름으로 나오니 곧 난주의 서남쪽, 오늘날 청해성의 동쪽 변경이다. 이름의 흔적은 현재 지도에 작은 마을이름 하타마산(下朶麻山)으로 남아있다. 이번 여정에서 지어진 시는 온통 충심과 울분으로 가득한 것이었다. 이 때 쓴 시를 묶은 시집에는 최해(崔瀣)가 이렇게 서문을 썼다.

익재(益齋)선생은 연우(延祐) 초년에 봉명사신으로 아미산에 강향하러 다녀오면서 적은 시를 묶어 『서정록(西征錄)』을 지었는데 초나라 승려 가모옥(可茅屋)이 서문을 썼다. 지치(至治) 말년에는 또 태위왕(太尉王, 상왕)을 맞으러 임조(臨洮)를 지나 하주(河州)까지 갔다오면서 『후서정록(後西征錄)』을 지어 내게 보이고 서문을 써달라고 하였다 (최해[崔瀣], 「후서정록서[後西征錄序]」, 최해의 문집 『졸고천백[拙稿千百]』에 수록).

타사마의 여정은 약 4,500km가 되며 1323년 5월 25일 북경을 떠나 8월경에 도착하였고 12월 초에 상왕의 귀경과 함께 북경으로 돌아왔을 것이다. 1323년 9월 진종(晋宗, 泰定帝)이 즉위하자 충선왕이 유배에서 풀려났기 때문이다. 이제현은 1324년 봄에 개경(開京, 松都)으로 귀국하였고 충선왕은 이듬해인 1325년에 사망하였다.

후에도 이제현은 여러 가지 업무차 북경을 가게 되었지만 이때처럼 장기적으로 체류하는 일은 없었다. 또한 몇 차례의 연행 과정에서 시를 짓기도 했지만 역시 이때처럼 많은 시를 지을 상황은 아니었다. 이제현의 일생에서 충선왕을 모시고 있었던 이 10년의 시기는 매우 소중한 경험과 학습의 시기였으며 또한 문학과 예술의 포부를 한껏 펴볼 수 있는 재기와 의욕이 넘치는 빛나는 청춘의 시기였다.

중국에서 뛰어난 예술가와의 친밀한 교유

이제현이 원나라에서 체류하는 10년 동안 가장 많은 교류를 하였던 인물들은 모두 시서화(詩書畫)에 뛰어난 시인과 예술가들이었다. 이제현은 그들과 시를 주고받았으며 또한 글씨와 그림을 주고받았다. 지금 우리나라에 남아있는 그림으로는 원나라의 최고 화가가 그려준 「이제현초상화」와 이제현 자신의 그림으로 보이는 「기마도강도」이다.

이제현의 초상화에 얽힌 사연은 그 자신이 그림의 우측 상단에 남긴 기록을 통해서 잘 알 수 있다.

기미년(1319)에 나는 충선왕을 모시고 강남 보타산으로 강향하러 가시는 길을 수행하였다. 임금께서는 고항(항주)사람 진감여를 불러내어 초상을 그리도록 하셨다. 그리고 북촌 탕병룡선생이 찬을 써넣었다. 북으로 돌아오다 어떤 이가 보겠다고 빌려가서는 그만 잃어버리게 되었다. 그뒤 삼십 이년이 지나(1349) 국표를 받들어 경사(대도)로 갔다가 이를 다시 찾게 되었다. 늙어있는 지금의 모습과 젊었던 당시의 모습이 크게 다름에 놀라면서 헤어지고 만남이 때가 있음을 알고 느끼는 바가 있어서 여기 오언율시 마흔 글자를 적어 남긴다(延祐己未, 予從於忠宣王降香江南之寶陁屈. 王召古杭陳鑑如令寫陋容, 以北村湯先生之贊; 北歸爲人借觀, 因失其所在. 其後三十二年, 余奉國表如京師, 復得之. 驚老壯之異貌, 感離合之有時, 題四十字爲識).

이어서 기록한 시에서 이제현은 지나간 청춘의 모습을 보면서 감회어린 느낌을 드러낸다. 오늘날도 삼십 년 전 사진을 다시 찾아 문득 마주하면 깊은 감회가 느껴질 것이거늘 지난 세월의 모습을 일일이 그림으로 남겨두지 못하는 옛날에야 그 마음이 어떠하였겠는가. "아이들이 알아보지 못하여 어떤 분이냐고 내게 묻는다(兒孫渾不識, 相問是何人)"의 마지막 구절에 마음이 먹먹해진다.

탕병룡(湯炳龍)은 이제현 초상화의 왼쪽 상단에 찬(贊)을 써주었는데 이때 79세의 고령이었다. 충선왕의 부탁으로 글을 쓴 것이긴 하나 젊은 이제현에게도 존경과 칭송의 마음을 담고 있었기 때문일 것이다. 찬은 모두 사언(四言)으로 3구씩 짝을 지어서 7단으로 되었으니 총 84자에 이른다. 끝에 북촌노민(北村老民) 탕병룡이 전당(錢塘)의 보화독역재(保和讀易齋)에서 적었다고 썼다. 좌측 상단의 탕병룡 찬이 먼저 쓰인 것이고, 우측 상단의 이제현 제사(題詞)와 시가 30여 년이나 뒤에 쓰인 것이니 그 사연이 과연 기이하다. 『익재집』에 인용된 글에서는 화가의 이름이 오수산(吳壽山)으로 나오는데 어떻게 혼선이 생긴 것인지는 알 수 없지만 대체로 그림에 직접 적힌 진감여(陳鑑如)를 화가로 본다. 그림은 가로 93cm, 세로 177cm에 이르는 거작인데 지금 국보 제110호가 되어 있다. 화가 진감여는 원나라 최고의 초상화 전문가로서 이외에도 「죽림대사출산도(竹林大士出山圖)」와 「문회도(文會圖)」 등의 그림을 남겼다.

또 한 장의 그림은 맑은 설경 속에 호복 차림의 인물들이 말을 타고 얼어붙은 강을 건너는 모습이 생동감 있게 표현된 「기마도강도(騎馬渡江圖)」다. 그림의 우측 상단에 '익재(益齋)'라고 서명하였고 '이제현인(李齊賢印)'의 인장이 찍혀 있다. 비록 이제현의 원작이라고 단정하지는 못하지만 원나라 수렵도나 고려 말의 화풍에 근접하여 이제현의 그림일 가능성이 많다고 본다. 특히 말의 묘사가 뛰어난데

이제현의 「기마도강도」, (© 국립중앙박물관 소장)

이는 대도의 만권당을 중심으로 말 그림을 잘 그렸던 조맹부와의 밀접한 교유 사실과도 관련이 있을 것으로 추정된다. 그림의 이름은 현대에 만들어진 것이며 혹은 수렵도로 보는 경우도 있다.

한편 화가인 주덕윤(朱德潤)은 조맹부가 충선왕에게 추천하여 대도로 불러들인 인물이다. 이제현도 함께 만나 친밀하게 교류하였다. 이제현이 타사마(朶思麻)로 이감된 충선왕을 찾아가기 위해 떠날 때 송별시도 써 주었는데 지금 그의 문집 『존복재집(存復齋集)』에도 실려있다. 이제현이 평소 그의 그림을 좋아하자 주덕윤은 그림 「연산효설도(燕山曉雪圖)」를 그려주었다. 이제현은 그림을 보고 「눈(雪)」이란 시에서 "그대는 보지 못했는가! 오중사람 주생의 그림 기막히게 뛰어나니, 짧은 폭에 연산의 눈 몽땅 쓸어 넣었다네(君不見吳中朱生畫稱絶, 短幅曾掃燕山雪)"라고 읊었다. 지금 그림은 확인할 수 없지만 남겨진 시를 통해서 그때의 상황을 짐작한다. 주덕윤도 원나라의 대표적인 화가로서 「임하청금도(林下聽琴圖)」 등의 저명한 작품을 남기고 있다. 그의 에피소드는 원나라 시인이나 화가들과의 깊은 교류를 진행한 이제현의 모습을 여실히 보여준다.

18세기 박지원(朴趾源)은 『열하일기(熱河日記)』에서 이덕무(李德懋)의 말을 인용하여 "삼한인으로서 중국 각지를 다녀본 사람 중에 익재만한 사람은 없다(三韓人遍踏中土者, 無如李益齋)"고 하고, 또 자신의 말로 "우리나라 사람이 시에서 쓴 전고는 거의 모두 차용한 것인데 진짜로 눈으로 보고 발로 답사한 사람은 오직 익재 한 사람일 뿐이다(我東詩人用事, 率皆借用. 而眞能目覩足踏者, 惟益齋一人)"이라고 갈파하였다.

이제현은 고려시대 중원에서 실제로 지나갔던 멀고 먼 여행길의 노정과 감상을 모두 시로 남겼다. 십수 년 전 원로 중문학자 지영재(池榮在) 교수는 그가 갔던 길을 더듬어 따라 나섰다. 7백 년 전보다 훨씬 편리해진 교통과 정보가 있었지만 어쩐지 훨씬 더 어렵게만 느끼지는 대단한 모험이었다. 고된 여행을 마치고 그는 『서정록을 찾아서』(푸른역사, 2003)를 저술하여 우리 앞에 남겼다. 위대한 시인의 길을 추적한 또 하나의 위대한 학자의 업적이었다.

이제현은 고려 후기에 오랫동안 원나라에 머물면서 최고의 시인과 화가들을 직접 만나 교류하였고 광대한 중국을 종횡으로 가로질러 직접 여행하며 중국문화를 체험한 의지의 고려인이었다. 이는 한중간의 실질적인 인적교류와 문화교류의 훌륭한 선례가 된다고 할 수 있을 것이다.

한중연사 07

바닷길, 표해록

최부(崔溥)

장일규(동국대학교)

생사의 갈림길, 바닷길

비행기가 발명되기 전에 이웃 나라로 가려면 걸어서 가거나 배를 타고 가곤 하였다. 한중 두 나라 역시 육로와 해로를 통해서 교류하였다. 특히 해로는 위험하기는 해도 좀더 빨리 많은 사람과 물자를 옮길 수 있는 길이었다. 다만 먼 바다로의 항해는 쉽지 않아서, 같은 시간에 같은 항구에서 여러 척의 배가 함께 출항하여도, 바람에 따라, 파도에 따라, 길을 잃고는 애초에 가려고 했던 항구에서 벗어나 다른 항구에 도착하거나 심지어 난파되어 죽는 경우도 많았다. 한 평생 배를 탄 선원이든 잠시 배를 이용하는 선객이든, 누구나 비바람이 불어 파도가 높이 친다면, 죽음의 두려움을 벗어나려고 애썼다. 그들은 목숨을 구하고자 힘껏 신의 도움을 바랐다.

한국과 중국의 바닷가에는 관음보살의 성지(聖地)가 자리하고 있다. 바다를 건너는 사람들이 몰아치는 폭풍우와 거친 파도를 뚫고서 무사히 도착하기 위해서는 관음보살을 수없이 부르며 기도하였기 때문이다. 한국의 관음 성지가 서해의 강화(江華) 보문사(普門寺), 남해의 금산(錦山) 보리암(菩提庵), 동해의 양양(襄陽) 낙산사(洛山寺)라면, 중국의 대표적인 관음 성지는 중국 불교 4대 명산의 하나인 절강성 주산열도(舟山列島)의 보타산(普陀山)이다.

절강성 주산의 『신라초기념비』(© 장일규)

보타산이 관음 성지가 된 데에는 여러 설이 전하지만, 가장 널리 알려진 것은 신라 상인과 관련된 설이다. 서긍(徐兢)의 『선화봉사고려도경(宣和奉使高麗圖經)』에는 "깊은 산기슭에는 소량(蕭梁)이 세운 보타원(普陀院)이 있고, 전각에는 신령스런 관음이 모셔져 있다. 옛날에 신라 상인이 오대산에 갔다가 그 불상을 조각하여 싣고 본국으로 돌아가려고 바다로 나갔지만, 좌초하여 배가 나아가지 못하자, 관음상을 바위 위에 올려 놓고 돌아갔다"고 하여, 보타산과 신라 상인과의 관계를 언급하였다. 또한 『보타산지(寶陀山志)』에는 "상선이 부딪치듯이 나아가 신라초(新羅礁) 위에 이르렀다"고 하여, 배가 좌초한 곳을 '신라초'라고도 불렀다. 그 뒤 보타산에는 '고려도두(高麗道頭)'의 흔적과 함께 고려 사신과 관련된 이야기, 고려 충숙왕(忠肅王)이 이제현(李齊賢)과 함께 양자강과 절강성 일대를 유람하다가 보타도를 찾았다는 전승, 보타도에서 고려 부두가 확인하였다는 발굴 결과 등이 꾸준히 전해져 온다.

바닷길은 교류의 통로였지만, 죽음의 길이기도 하였다. 바람이나 조류에 따라 날아가듯이 원하던 항구에 이를 수 있지만, 때론 좌초하거나 침몰하여 미래를 기약할 수 없었다. 자연히 바닷길을 오고 간 사람들은 그 고난과 희망을 정리하여 기록으로 남겨 놓기도 하였다. 그 중의 하나가 바로 15세기 후반에 최부(崔溥)가 지은 『표해록(漂海錄)』이다.

세계 3대 중국 기행문, 표해록

『표해록』은 9세기 중반에 일본 승려 엔닌(圓仁)이 지은 『입당구법순례행기(入唐求法巡禮行記)』, 13세기 말에 마르코 폴로가 지은 『동방견문록(東方見聞錄)』과 함께 세계 3대 중국 기행문 가운데 하나로 꼽힌다. 그동안 많은 사람들이 주목하였던 탓이다.

『표해록』은 권1 ~ 권3으로 구성되었는데, 성종 19년(1488) 윤정월 초3일에 제주를 떠나 표류한 뒤 6월 초4일 압록강을 건넜던 노정을 날짜별로 실었다. 제1권에는 최부가 1487년 11월 12일에 제주에 추쇄경차관(推刷敬差官)으로 부임한 뒤 부친상을 맞아 이듬해 윤정월 초3일에 서둘러 배를 타고 출발한 다음 풍랑을 만나 표류하다가 16일에 명나라 절동 지역에 도착하고서 2월

4일에 소흥부(紹興府)에 이르렀던 과정을 기록하였다. 최부를 포함한 승선 인원 43명 전원은 해적과 만나고 왜구의 오해를 받아 집중 조사를 받은 뒤 마침내 혐의를 벗고 영해(寧海), 영파(寧波)를 거쳐 소흥부에서 비로소 조선 관인의 대접을 받았다.

제2권은 항주(杭州)에서 마지막 심문을 마치고서, 가흥(嘉興), 소주(蘇州), 무석(無錫), 상주(常州), 진강(鎭江), 양주(揚州), 회안(淮安), 서주(徐州), 연주(兗州), 제녕주(濟寧州), 덕주(德州) 등을 거쳐 3월 25일에 천진위(天津衛)에 이를 때까지의 행적을 담았다. 행적은 양자강(揚子江)을 경계로 강남과 강북을 모두 돌아본 노정인데, 특히 최부는 명나라 관인과 강남 지역에서는 문학을 중심으로 대담을 나누었던 반면, 강북 지역에서는 정치나 사회에 관한 대화를 주로 나누었다.

제3권은 북경(北京)에 도착한 뒤 회동관(會同館)에 머물면서 효종(孝宗)을 알현한 다음 요동을 거쳐 6월 4일에 압록강을 건너 조선의 의주(義州)로 돌아오는 노정을 담았다. 이 길은 조선 사신이 자주 다녔던 길이어서, 그들과의 만남도 특별히 실렸다. 최부가 북경에 도착하기 전에 사신으로 온 하책봉사(賀冊封使) 안처량(安處良)은 최부의 표류 사실을 상세히 알고 귀국하였고, 사은사(謝恩使) 성건(成健) 등도 최부에게 고국의 상황을 전하였으며, 명나라 사신 동월(董越)과 성절사(聖節使) 채수(蔡壽) 일행도 이 길에서 만났다. 특히 최부는 그 동안의 여정으로 피곤이 쌓여 심한 열병을 앓았지만, 만류에도 불구하고 서둘러 귀국길에 올랐던 심정도 담겼다.

최부는 귀국한 뒤 부친상을 치루지 못한 채, 곧바로 국왕의 명령을 받아 그 동안의 여정을 정리하였다. 그런 다음 국왕에게서 포(布) 50필 등을 하사받고 고향인 나주(羅州)로 내려가 부친상을 치렀다. 하지만 이 때의 『표해록』 작성은 뒷날 대간(臺諫)으로부터 부친상을 당한 상주(喪主)가 바로 상례를 치르지 않고 견문기를 썼다는 비난을 받는 이유가 되었다.

최부의 견문기는 원래 『중조문견일기(中朝聞見日記)』라고 불렸지만, 뒤에 『표해록』으로 알려졌다. 처음에는 중종~명종 때 조정에서 동활자(銅活字)를 사용하여 간행하였는데, 부수가 적었기에 유통되지는 못하였다. 1569년(선조 2)에 외손자인 유희춘(柳希春)이 목판본(木版本)으로 간행하였고, 1573년(선조 6)에도 유희춘의 부탁을 받은 호남관찰사 등이 교정한 목판본 3권을 간행하였다. 1662년(현종 3)에는 외손자인 나두춘(羅斗春)이 『금남선생집(錦南先生集)』을 간행하면서 『표해록』을 합하였고, 1724년(경종 4)에도 나두동(羅斗冬)의 문집과 나누어 간행되었다. 1873년에는 지암(止菴) 박씨(朴氏) 부인은 부분 번역하여 언문본 『표희록』을 펴냈고, 1896년(고종 33)에도 다시 『금남집』에 합하여 발간되었다.

이 책은 임진왜란 때 일본에 전해져, 1769년에 기요다 군킨(靑田君錦)이 일본어로 번역하고서 『당토행정기(唐土行程記)』라고 제목을 바꾸어 출간하였다. 1965년에는 미국인 존 메스킬(Meskill)이 『최부의 일기: 표해록』으로 영문 역주본을 발간하였고, 중국에서는 1992년에 갈진가(葛振家)가 『표해록-중국행기』 점주본(点注本)을 간행하였다.

『표해록』은 당시 명나라의 실상을 그대로 담은 것이어서, 명나라 초기의 사회상을 살펴보는 데 도움을 준다. 특히 최부가 산동 황가갑(黃家閘)의 『미산만익비(眉山萬翼碑)』 전문을 그대로 베껴 적었는데, 현재 이 비문은 전하지 않아서 『표해록』으로만 확인할 수 있다. 또한 명나라 영락제 때 북경 천도로 인해 서주에서 북방으로 통하는 운하가 정통(正統, 1436~1449) 연간에 개축(改築)되었다는 내용도 『표해록』에서만 알 수 있다.

무안 몽탄의 최부 묘소

『표해록』은 한국에서는 최근까지 꾸준히 간행되었고, 일본과 미국, 중국에서도 관심을 받았다. 이러한 관심은 15세기 후반 대양(大洋)의 변화는 물론 당시 명나라 절강(浙江)·

산동(山東)·북경 일대의 산천, 토산, 인물, 풍속 등의 실상을 자세히 알 수 있는 중요한 자료로 평가되기 때문이다.

최부, 바다에서 길을 잃다.

최부는 나주 출신으로, 자는 연연(淵淵)이고, 호는 금남(錦南)이다. 1454년(단종 2)에 태어나 1504년(연산군 10)에 세상을 떠났다. 본관은 탐진(耽津)으로, 아버지는 최택(崔澤)이고 어머니는 여양(驪陽) 진씨(陳氏)이다.

그는 조선의 대표적인 유학자인 김종직(金宗直)의 문인으로, 1477년(성종 8)에 진사시에 합격한 뒤 성균관에 들어가 문명(文名)을 떨쳤고, 1482년에는 친시문과 을과에 급제하여 성균관 전적을 역임하였다. 그 뒤에 서거정(徐居正) 등과 함께 『동국통감(東國通鑑)』 편찬에 참여하여 120편 남짓의 사론(史論)을 집필하였고, 연이어 『동국여지승람(東國輿地勝覽)』 편찬 작업의 수정 단계에서 참여하였다. 1486년에는 문과중시 을과에 합격하여 김일손(金馹孫) 등과 교유하면서, 사헌부 감찰, 홍문관 수찬 등을 역임하였다.

1487년에는 홍문관 부교리로 승진하였다가, 11월에 제주·대정(大靜)·정의(旌義) 등 3읍의 추쇄경차관으로 임명되었다. 다음 해에 부친상을 맞아 나주로 돌아오다가 명나라 절강 연해에 표류하였고, 6월 초에 귀국한 뒤 왕명을 받아 견문기를 정리하여 진상하고는 고향으로 돌아와 장례를 치렀다. 하지만 상중에 다시 모친상을 당하여 1492년(성종 23)에 한양으로 돌아올 때까지 연이어 부모상을 겪었다.

그는 성종의 신임을 받아 한양에 오자마자 사헌부 지평에 임명되었는데, 대간이 상중에 견문기를 쓴 것은 명교(名教)에 어긋난다고 비판하여 부임하지 못하였다. 그 뒤 홍문관 교리에 임명되었지만 여전히 비난이 이어지자, 성종은 견문기의 저술은 왕명을 따른 것이고, 부모상을 연이어 치르면서도 여묘살이를 하는 등 효성을 다하였다고 옹호하기도 하였다. 그런 다음에도 성종의 신임은 여전하여 성종이 승하하기 전까지 승문원 교리, 홍문관 부응교, 예문관 응교 등에 올랐다.

연산군이 즉위하자 사림파와 훈구파의 갈등이 격화되면서 정국은 요동쳤다. 최부는 김종직을 스승으로 모시면서 김굉필(金宏弼), 김일손 등 사림파의 주요 인사와 교유하였다. 1498년(연산군 4년)에 훈구파는 연산군을 부추겨 무오사화(戊午史禍)를 일으키면서 사림파를 정계에서 몰아냈다. 이전에 김종직은 성종의 아버지인 세조가 단종에게서 왕위를 빼앗은 일을 비판하여 「조의제문(弔義帝文)」을 썼는데, 김일손이 이를 『성종실록』의 사초에 삽입한 것을 이유로 사림파를 제거하려고 하였다. 이 때 최부는 김굉필 등과 함께 붕당을 이루었다는 죄목으로 함경도 단천(端川)으로 유배되었다. 그 뒤 1504년(연산군 10)에 연산군의 어머니 폐비 윤씨의 복위 문제로 갑자사화(甲子士禍)가 일어났다. 최부는 경상도 거제(巨濟)로 유배되었다가 처형되었다.

최부는 김종직, 김굉필, 김일손 등과 교유하면서 학문을 익혔다. 자연히 성리학을 사상적 기반으로 삼아 유교 경전을 중시하면서 의리와 명분, 절개를 강조하였다. 때문에 훗날 "공렴정직(公廉正直)하고 경서와 역사에 능통하여 문사(文詞)가 풍부하였고, 간관이 되어서는 아는 일을 말하지 않거나 회피하지 않았다"고 하여, 유자(儒者)로서 도리에 충실하고 뛰어난 문재를 가졌다고 평가를 받았다. 이러한 성향은 제주 사람이 산사(山祠)에 제사를 지내지 않은 탓에 표류하였다고 비난한 데 대해서, "오늘 어떤 배가 표류하고 내일 어떤 배가 침몰하는 등 표류하고 침몰하는 배는 서로 끊이지 않는다. 과연 신에게 영험함이 있다고 하겠는가? 제사로 복을 받을 수 있다고 하겠는가?"라고 하여 음사의 헛됨을 지적하거나, 명나라 연안에서 해적인 듯한 사람을 만났을 때 관복을 입어 위엄을 보이면 물리칠 수 있다는 부하의 말에 "상복을 벗고 길복(吉服)을 입는 것은 효도가 아니고, 거짓으로 사람을 속이는 것도 믿음이 아니다"고 질책한 것에서 확인할 수 있다. 이처럼 유자로서의 삶에 충실하고자 한 태도는 『표해록』에도 그대로 반영되었다.

최부, 문헌으로 중국을 읽다.

최부가 제주를 떠날 때, 장례를 치르러 빨리 고향으로 돌아가야 했지만, 비가 내리고 동풍이 불었다. 떠나야 할지 말아야 할지 결정하지 못하는 최부에게 진무(鎭撫) 안의(安義)는 "이 바다를 건넌 사람 중에 사선(私船)이 뒤집혀 침몰한 경우는 이어져 일어났지만, 오직 왕명을 받은 조정의 신하로는 전 정의현감(前旌義縣監) 이섬(李暹) 외에는 표류하여 침몰한 자가 드물었다"고 하면서, 빨리 돛을 펼쳐 나가라고 조언하였다.

최부는 2월 23일에 양주부에 도착하였을 때, 양주위(揚州衛) 백호(百戶) 조감(趙鑑)이 "6년 전에 당신 나라 사람 이섬 역시 표류하여 이곳에 도착하였다가 귀국하였는데 알고 있는가?"라고 묻자, "그렇다"라고 대답하였다. 이섬은 1482년(성종 13)에 육지로 오려고 제주도를 떠났는데, 추자도(楸子島) 근처에서 폭풍을 만나 10일 동안 표류하다가 양주 장사진(長沙鎭)에 도착하였고, 다음해에 천추사(千秋使) 박건선(朴楗先)과 함께 북경에서 귀국하였다. 자연히 최부는 바다를 건너다가 표류하였지만, 이섬의 경우처럼 명나라에 도착하기만 하면 귀국할 것으로 판단하였다. 이러한 판단은 이전부터 익힌 중국 관련 지식에 바탕을 두었다.

최부는 중국 지리에 매우 밝았다. 총독비왜서도지휘첨사(總督備倭署都指揮僉事) 황종(黃宗) 등이 제주와 명나라 해안과의 거리, 조선의 국도부터 황도의 거리 등을 물으면서, "이 지방의 산천을 어찌 그렇게도 상세히 아는가? 혹시 이 지방 사람에게 들어서 아는가?"라고 할 정도였다. 심지어 항주에 머물면서는 "전당강은 절강(浙江)이라고 하는데, 강물이 굽이굽이 흘러 산을 끼고서 돌아가고, 산에 부딪친 물결이 일어날 기세가 있기 때문으로, 절은 제(淛)라고도 한다.…화신(華信)이 축조하여 상하 조수를 막은 당(塘)이 있었는데,…석축은 오히려 완고하여 새로 쌓은 것처럼 보이기 때문에 이 강을 전당강이라고 한다"고 하여, 전당강의 연원은 물론 치수 관리의 이력까지도 상세히 알았다.

특히 최부는 두 나라를 잇는 해로(海路)에 적지 않은 관심을 가졌다. 대양을 표류할 때, 부하에게 방향을 잘 잡도록 명령하면서, "내가 일찍이 지도를 살펴보니, 우리나라 흑산도(黑山島)에서 동북쪽으로 가면 충청도와 황해도의 경계이고, 정북쪽은 평안도와 요동 등지에 이른다. 서북쪽은 옛날 「우공(禹貢)」의 청주(青州)와 연주(兗州)의 경계이고, 정서쪽은 서주(徐州)와 양주 지역이다.

송나라가 고려와 교류하면서 명주(明州)에서 바다를 건넜는데, 명주는 대강(大江) 이남의 땅이다. 서남쪽은 민(閩) 지역으로 복건로(福建路)이고, 서남쪽을 향하여 조금 남쪽으로 가다가 서쪽으로 가면 섬라(暹羅), 점성(占城), 만랄가(滿剌可) 등지에 도착한다. 정남쪽은 대소(大小) 유구국이고, 정남쪽으로 가다가 동쪽으로 가면 여인국(女人國)인데, 일기도(一岐島)이다. 정동쪽은 일본국이며 대마도이다. 지금 풍랑으로 표류하여 5일 밤낮 동안 서쪽으로 항해하였으므로, 생각하건대 중국 땅에 거의 이르게 되었을 것이다. (지금은) 불행히 서북풍을 만나 반대로 동남쪽으로 가니, 만약 유구국(琉球國)이나 여인국에 이르지 못하면 천해(天海) 밖 은하수에 도달할 것이다"고 하여, 조선을 중심으로 동서남북의 해로를 자세히 설명하였다. 또한 표류 중에 군인(軍人) 권산(權山)에게 "고려의 제주가 원나라에 조공할 때 명월포(明月浦)에서 우연히 순풍을 만나면 직항로를 얻어 7일 밤낮만에 백해(白海)를 지나 대양을 건넜다"고 하면서, 제주와 명나라의 해로 거리를 언급하기도 하였다.

절강성 영파 보규항의 고려사관 터(© 장일규)

최부는 조운에 대한 관심을 드러내기도 하였다. 천진위(天津衛)를 지날 때, 이전에 양자강과 회수 이남의 조운이 큰 바다로 나갔다가 다시 천진위성에서 모여 북경으로 간 것을 생각하고는, 중국의 수운에서 발생하는 이익이 천하에 통하는 모습에 흥미를 가졌다. 패현(沛縣)을 지날 때는 강남에서 북경에 이르는 조운로에 대해서 "지금까지 이 뱃길이 아니었다면 험하고 가파른 먼 길을 절뚝거리면서 가는 고통이 더 컸을 것이다. 지금 배 안에서 편안하게 누워 먼 길을 가면서 넘어질 걱정이 없는 것 역시 그 은혜를 입은 것이다"라고 하여 조운로를 포함한 뱃길의 유용을 강조하였다. 나아가 "항주는 동남의 한 도회지로…시장에는 금은이 쌓여 있고 사람들은 수가 놓인 비단옷을 입고 있다. 외국배와 큰 선박이 빗살처럼 늘어서 있으며, 시가(市街)에는 주막과 가루(歌樓)가 가까이 마주보고 있다.…참으로 별천지라고 할 만하다"라고 해로와 조운를 통해 이룬 항주의 번영에 감탄하였다.

이처럼 최부는 중국의 지리와 조운 등에 많은 관심을 가졌고, 조선과의 해로도 상세히 파악하였다. 특히 중국의 해로가 서남쪽으로 복건을 거치면 지금의 타이, 베트남, 말레이시아 등지에 이른다고 언급하였다.

그는 중국과 일본은 물론 인도차이나 반도의 여러 나라에 대한 지식을 충분히 가졌다. 최부는 표류하기 전에 『동국여지승람』 편찬에 참여하였는데, 『동국여지승람』은 조선 각 지역의 역사와 산물, 풍속을 체계적으로 정리한 지리지로, 『대명일통지(大明一統志)』 등을 참고하여 체재를 구성하였다. 이 과정에서 그는 중국 지리와 조운은 물론 주변 국가와의 해로 등을 상세히 알았다. 다만 당시 해로를 통한 명나라 경제 상황을 강조하면서 조선도 해로를 활발히 이용하여야 할 필요는 제시하지 않았다. 이것은 영파에 도착하였을 때, "예부터 왜적이 여러 차례 우리 변경을 약탈하였기에 국가에서는 비왜도지휘(備倭都指揮)와 비왜파총관(備倭把總官)을 두어 방비한다. 만약 왜적을 잡으면 모두 먼저 죽이고 나중에 보고한다"는 명나라 관인의 말에서 알 수 있듯이, 당시에도 왜구의 폐해가 완전히 없어지지 않은 탓이다. 최부의 중국 이해는 문헌을 중심으로 이루어진 것이지, 현실에 적용된 것이거나 되기 위한 것은 아니었다.

최부, 유자로서 명나라 관인과 교유하다.

조선 관인이 문헌을 통해서 중국에 관심을 가졌듯이, 당시 명나라 관인들 역시 조선에 대한 관심이 적지 않았다. 특히 전반적인 사항에 대한 관심이 컸다. 최부가 소흥부에 도착하였을 때나 소주의 석산역(錫山驛)에 도착하였을 때, 명나라 관인은 최부에게 조선의 역대 연혁·도읍·산천·인물·풍속·제례(祭禮)·상제(喪制)·호구·병제(兵制)·전부(田賦)·의관·경전 습업 여부·예제(禮制)·형률(刑律)·책력(冊曆)·연호(年號) 등을 상세히 물었는데, 최부는 매우 상세하게 대답하였다. 이 역시 그가 연혁·관원(官員)·풍속·형승(形勝)·물산·사묘(祀廟)·인물 등을 자세히 정리한 『동국여지승람』 편찬 사업에 참여하였던 경험과 무관하지 않다.

한편 명나라 관인은 당시 활동하던 조선 관인의 동향에도 주목하였다. 최부가 항주에 머물렀을 때, 태감(太監) 장경(張慶)이 관리를 시켜 "정인지(鄭麟趾), 신숙주(申叔舟), 성삼문(成三問), 김완지(金浣之), 조혜(趙惠), 이사철(李思哲), 이변(李邊), 이견(李堅) 등은 모두 조선 사람인데, 무슨 관직을 맡고 있는지 일일이 써서 보고하도록 하라"고 하였다. 당시 정인지, 신숙주, 이사철, 성삼문 등은 정1품 ~ 정3품에 이른 고위 관료였다. 최부가 가흥으로 가기 위해 서수역(西水驛)에 도착하였을 때도, 역승(驛丞) 하영(何榮)이 "우리 조정의 낭중 기순(祁順)과 행인(行人) 장근(張謹)은 예전에 조선에 사신으로 가서 『황화집(皇華集)』을 지었다. 당신 나라 사람들과 시를 주고 받았는데, 서거정이 제일 첫 머리에 나온다"고 하여, 지방의 말단 관인도 서거정을 알았다. 다만 명나라 관인의 조선 관인에 대한 관심은 사행(使行)에 참여한 이들에게 집중되었다.

최부는 부득이 표류한 조선의 관인이었지만, 명나라 관인이나 문인의 관심을 받았다. 항수에서 어떤 사람이 『황화집』을 아느냐고 묻자, 최부는 『황화집』에 수록된 「한강루(漢江樓)」라는 시를 바로 읊었기 때문이다. 다만 그는 문사가 아닌 유자로서 명나라 관인이나 문인들과 교유하였다.

최부가 소주 고소역(姑蘇驛) 예빈관에 머물렀을 때, 왕(王)과 송(宋)이라는 두 대인이 와서 "당신은 시를 지을 줄 아는가?"라고 묻자, 최부는 "우리나라 선비들은 모두 경학(經學)을 궁리하는 것을 업으로 삼고, 풍월을 읊조리는 것은 천시하기에 나 역시 시사(詩詞)는 배우지 않았다"라고 하면서, 시를 지어 답례를 하긴 하였지만, 문사(文詞)보다는 경학을 강조하였다. 심지어 항주에 있을 때 도움을 준 이절(李節)의 친구가 『소학(小學)』 한 권을 주자 완강히 거절하였는데, 이 때 최부는 "그 사람은 책을 기꺼이 주는 것이 아니라 시를 얻는 것에 뜻이 있다"고 하면서 "사람을 사귀는 데 도(道)로써 하지 않고 사람을 접대하는 데 예(禮)로써 하지 않았으니, 내가 만약 한번 받는다면 시를 팔아서 값을 취하게 되는 것이다"고 하여, 경학 습업에 힘쓴 자신의 처지를 강조하였다.

이전에 최부는 『동국통감』 편찬에 참여하면서, 기존 역사서에서 뽑은 178편을 제외한 204편의 사론 가운데 절반이 넘는 118편의 사론을 작성하였다. 사론은 춘추대의에 입각해 명교(名教)를 존중하고, 절의를 숭상하며, 사대의 예를 강조하였는데, 그의 사론은 "그 논지가 분명하면서도 정확하다"는 평가를 받을 정도였다. 최부가 명나라 관인이나 문인과 교유한 데에는 명분론을 철저히 따르는 선비의 입장이 근간을 이루었다.

최부는 성의(誠意)와 정심(正心)을 바탕으로 한 인례(仁禮)의 만남을 중시하였다. 표류가 끝난 뒤 해포(海浦)의 건도소(健跳所)에 이르러 천호(千戶) 이앙(李昂)의 융숭한 대접을 받고 떠날 때, 이앙이 "나와 그대는 멀리 떨어졌음에도 천재일우(千載一遇)로 만났는데, 이제 두 지방으로 헤어지면 또 다시 볼 수 없게 될 것이다"라고 아쉬워하자, 최부는 "마음을 열고 성의를 나타냈으므로 한 번 만나도 오래된 친구와 같다.…회포를 풀 여가를 얻지 못하였지만, 세월이 흐르고 멀리 떨어져 있더라도 이별한 친구를 생각하는 마음이 어찌 다하겠는가?"라고 하면서, 도덕적 순수를 갖춘 벗과의 이별을 아쉬워하였다.

또한 항주를 떠날 때에 자신을 도와 준 고벽(顧壁)에게 선물을 주려고 하였지만 마땅한 물건이 없자, 헤진 옷 2벌 가운데 1벌을 그에게 주면서 "친구 사이에 선물을 주는 것은 비록 거마(車馬)라도 고맙다고 절하지 않는데, 하물며 이것은 누추한 옷에 불과하다. 옛날 한퇴지(韓退之)는 옷을 남겨 두어 대전(大顚)과 작별하였는데, 이별할 때 옷을 남겨두는 것은 옛 사람의 뜻이다"라고 하면서, 가진 것 없는 나그네의 신세이지만 성심을 다하여 후의(厚意)에 감사를 전하고자 하였다. 최부의 교유 역시 도리와 예를 중심으로 이루어진 것이지, 감정이나 인정에 이끌린 것은 아니었다.

『표해록』, 조선의 대표적인 중국 견문기로 평가되다.

최부는 『표해록』에서 5개월 동안 바라본 명나라를 다음과 같이 평가하였다.

> 강남의 주택은 기와집으로 벽돌을 깔았고, 계단은 모두 돌을 다듬어서 사용하거나 세웠는데, 모두 크고 화려하다. 강북은 작은 초가집에 사는 자가 거의 절반에 이르렀다.…강남 사람들은 책을 읽는 것을 업으로 삼아, 어린 아이나 뱃사공, 어부들도 모두 글을 알았다. 내가 그 지방에 이르러 글자를 써서 물어보자 자세하게 알려주었다. 하지만 강북의 사람은 배우지 않은 자가 많아 묻고 싶어도 모두 "나는 글자를 알지 못합니다"고 말하였다.

그는 강남과 강북의 풍속을 구분하면서, 두 지역의 문화적 차이도 나누어 언급하였다. 강북은 경제적으로 빈궁하기에 배운 자가 많지 않은 반면, 강남은 경제적 풍요를 기반으로 누구든지 글을 알아 책을 읽는 것을 업으로 삼을 정도라고 표현하였다. 아마도 그는 성종의 총애를 받던 관인이었기에, 경제 상황과 문예 발전의 함수 관계에 관심을 두었을 것이다.

최부는 정해현(靜海縣)을 지날 때 앞서 소흥부를 지나면서 본 도차(蹈車)의 제작 방법을 물었다. 도차는 논밭에 물을 대려고 발로 밟는 수차(水車)로, 힘은 작게 쓰면서 물은 많이 퍼올릴 수 있었기 때문이다. 당시 강남의 사람들은 도차를 이용하여 수전(水田)에 편리하게 물을 댔다. 그는 조선에서도 가뭄의 피해를 막고 농업 생산력을 유지하려면 도차의 제작과 사용이 필요하다고 생각하였다. 자연히 귀국한 뒤 솜씨 좋은 목공을 통해서 수차를 만들어 보급하는 데 참여하였다.

당시 중국 강남의 풍경은 조선 사람에게 낯설었다. 최부가 조선으로 돌아올 때 광녕역(廣寧驛)에서 성절사 채수 일행을 만났는데, 채수는 최부에게 "우리나라 사람으로 양자강 이남을 직접 본 사람이 근래에 없었는데, 그대만이 두루 보았으니 어찌 다행한 일이 아니겠는가?"라고 하여, 최부의 강남 견문을 칭찬하면서 은근히 부러워하였다. 최부 역시 "내가 두루 관람한 것은 천년에 다시 만나기 어려운 기회였다"라면서 강북은 물론 강남 견문의 의미를 강조하였다.

최부는 귀국한 뒤 곧바로 왕명을 받아 불과 14일만에 『표해록』을 엮었다. 그는 "배리 4명에게 날마다 표지를 보고, 그 지방을 묻게 하였지만…대략만을 기록할 뿐이다"고 하였으나, 이전부터 알고 있는 지식을 바탕으로 특별한 호기심을 가지고 강북뿐만 아니라 강남의 실상을 상세히 바라보았다.

『표해록』은 고려 말 이후에 전하지 않은, 중국 강남의 모습을 담은 견문기이다. 강남은 백제 이래 우리나라와 매우 밀접한 연고를 가졌다. 특히 경제적 번영과 함께 해로의 활발한 운용으로 새로운 문물이 수용되는 통로였다. 자연히 『표해록』은 조선의 관인과 문인에게 강남에 대한 새로운 지식을 알려주는, 중국 강남 사람에게는 이전부터 관련을 가졌던 우리나라의 상황을 알 수 있는 길잡이가 되었다. 다만 최부나 명나라 사람들의 현실 인식 때문에 '신라초'로 상징되는 이전의 경제적·문화적 교류가 당시의 상황 속에서도 지속되거나 증대되는 계기로 작용하기에는 한계가 있었다.

중국인과 소통한 조선 실학자

박지원(朴趾源)

최용철(고려대학교)

자유로운 영혼 박지원에게 주어진 자유 여행

18세기 조선에서는 연행의 경험을 통해 실질적으로 청나라의 우수한 문화를 인정하고 새로운 학문을 배우자는 실용주의적 북학파 지식인들이 역사의 전면에 드러났다. 그 중심에 연암 박지원(朴趾源, 1737~1805)이 있다.

박지원은 경화세족의 후예로 서울에서 태어나 탑골을 무대로 활동하던 이덕무, 유득공 등을 만나 학문을 닦으며 어울렸다. 그는 친구들을 정말 좋아하였고 또 좌중의 리더 역할을 하였다. 20대의 연암파 인물들이 형성되었던 것이다. 어려서 촉망받는 천재로서 과거 공부에도 잠시 매진하였으나 첫 도전에 실패한 이후 곧 벼슬에 뜻을 두지 않고 학문과 저술에만 전념하게 되었다. 먼저 북경을 다녀온 홍대용으로부터 새로운 학문에 눈을 떴고 그에 자극받아 연행사절단의 일원으로 참가하기를 학수고대하였다. 마흔 살 무렵에는 당시 권력을 장악한 홍국영으로부터 벽파로 몰려 신변에 위협을 느끼자 황해도 연암골로 피신하여 독서에 전념하게 되었는데 그의 해박한 지식과 날카로운 관찰력, 비판적이고 풍자적인 시각은 이즈음에 더욱 강화되었을 것이다.

그러다가 1780년(정조 4) 천만다행으로 그에게도 천재일우의 기회가 왔다. 그의 친족형인 박명원(朴明源)이 진하사겸사은사(進賀使兼謝恩使)의 정사로 임명되었기 때문이다. 영조의 부마였던 박명원은 사행단의 정사로 세 번이나 연행을 한 바 있는데 두 번째 사행에서 박지원의 참가를 권유하고 적극 후원하였다.

마흔이 넘도록 야인으로 살면서 자유로운 영혼을 즐겨온 박지원에게 그보다 더 적절한 기회는 없었다. 우선 사행단의 일원이었지만 실제로 그에게 주어진 역할이나 임무는 하나도 없었다. 그저 제 한 몸 잘 챙기면서 사행길에서 중원의 산천경개를 실컷 구경하고 틈나는 대로 중국인과 만나 신나게 필담을 하는 것만이 그의 계획이었다. 때로는 금지된 외출을 감행하였고 상대가 껄끄럽게 생각하는 질문도 서슴치 않으면서 중국의 속내를 꼼꼼하게 들여다보려고 했다.

박지원은 사행단을 따라 1780년 6월 압록강을 건너 책문을 지나고 봉황산과 요양의 백탑을 구경하고 심양에 들어갔다. 심양에서 만난 장사꾼들과 뜻밖의 의기투합으로 야간에 숙소를 몰래 빠져나와 밤새 필담으로 호기심을 풀었고 북진묘와 산해관을 거쳐 8월 1일 북경에 도착했다. 황제의 알현을 기다리고 있던 사행단 일행은 황제가 열하의 행궁에 있다는 말과 함께 그곳으로 시급히 오라는 황제의 명을 받고 일행은 곧바로 열하로 출발하였다. 이 고난에 찬 긴박한 여정을 기록한 『야출고북구기(夜出古北口記)』와 『일야구도하기(一夜九渡河記)』 등이 실감나게 당시 상황을 보여주고 있다.

열하에서 체류하는 7일 동안은 사행단은 물론 박지원에게는 더할 나위없는 일생일대의 신선한 경험이었다. 신기한 구경과 함께 여기서 만난 중국의 재야문인들과 신나는 필담은 『망양록(亡羊錄)』과 『혹정필담(鵠汀筆談)』 등으로 남겨졌으며 티벳 불교 지도자 판첸라마와의 만남으로 인한 특별한 경험을 기록한 『반선시말(班禪始末)』은 조선시대 유일한 티벳 관련 문헌이 되었다.

북경으로 귀환한 이후에는 유리창과 천주당을 방문하는 등 앞서 다녀간 친구들의 경험을 직접 재확인하였다. 9월 17일 북경을 떠나 10월 27일 귀국하여 복명하고 이후 그 동안의 필담자료와 경험을 모두 정리하여 『열하일기』의 저술에 매진하였다. 연행할 때나 저술할 때에 모두 족형이었던 박명원의 후원이 지대하였다. 50세에 음관으로 출사를 시작하여 50대 중반에 안의(安義, 지금의 경남 함양) 현감이 되었고 60대 초반에 면천(沔川, 지금의 충남 당진) 군수를 지냈다. 국왕 정조는 그의 재주를 아깝게 여기고 문체를 고치도록 특히 권면하여 「서이방익사(書李邦翼事)」를 짓도록 하였다. 1805년(순조 5) 69세에 가회동 자택에서 서거하였고 경기도 장단의 선영에 묻혔다. 그의 차남 박종채가 부친의 언행을 기록한 『과정록(過庭錄)』을 완성하였고 손자 박규수는 대제학과 평안감사, 우의정까지 지냈으나 문단의 비난을 의식하여 조부의 『열하일기』 등을 간행하지 못했다. 1900년에 김택영에 의해 『연암집』이 간행되었고 1911년 최남선에 의해 『열하일기』 전본이 간행되었다.

조선에서 중국을 다녀온 기록으로는 명나라 때는 '조천록(朝天錄)'이란 용어를 많이 썼고, 청나라 때는 대체로 '연행록(燕行錄)'이라고 이름을 붙였다. 만주족의 청나라가 되었을 때 조선인들은 천자를 알현하러 간다는 의미를 지우고자 하였다. 하지만 앞서 남겨진 수많은 연행록 중에서 박지원의 『열하일기』만큼 파격적인 내용과 문체로 기록된 중국탐방기는 거의 없었다.

박지원이 남긴 『열하일기』는 분명히 조선 사회에 새로운 기운을 불러일으키고 있었다. 마침내 이들 북학을 주장하는 인물들은 '연암파'라는 이름을 얻게 되었다. 박제가, 이덕무, 유득공 등이 모두 서얼(庶孼) 출신이라는 신분적인 굴레 속에서 조선의 정통문단에서는 그다지 환영받지 못하는 자유로운 사상과 문체를 구비하고 있었지만, 연행에서 만난 중국 문인들로부터 학문과 덕망을 인정받게 되자 모두들 크게 고무되었다. 박지원은 이들을 지도하고 옹호하는 혁신적인 그룹의 핵심인물로서 연암파를 이끌어 나가고 있었던 것이다.

『열하일기』의 파격적 주제와 소설적 문체

박지원의 『열하일기』는 그의 유일한 연행기록이지만 또한 북경뿐만 아니라 황제의 여름별장이 있는 열하(熱河, 지금의 승덕[承德])를 직접 방문하였다는 의미에서는 모든 연행록 중에서도 가장 특별한 기록이라고 할 수 있다.

앞서 연행을 다녀온 홍대용(洪大容), 이덕무(李德懋), 박제가(朴齊家) 등으로부터 다양한 정보를 받아서 이미 짐작하고 있었던 모든 것을 재확인하고 또 끝없이 솟아오르는 호기심과 장난기를 최대한 발동하여 지난 수 백년 동안 거의 일어난 적이 없었던 새로운 형태의 중국탐방이 시작된 것이다. 그 과정에서 그의 일거수일투족과 그의 번득이는 지혜와 기발한 순발력은 세밀한 필치로 모두 기록되었다. 문체는 상관하지 않았다. 그냥 생각나는 대로, 떠오르는 대로 기록하고 옮겨 적었다. 그것은 명말청초 이후 중국문인이 즐겨 사용하던 소품체의 것을 닮았지만 그의 글은 그것에만 애오라지 얽매인 것도 결코 아니었다.

박지원 초상(© 실학박물관)

박지원이 주장하는 이용후생의 개혁은 중국으로부터 일상생활에 관련된 문화를 과감하게 수용하여 우리의 생활을 편리하게 바꾸어보자는 것이다. 그래서 성곽이나 집을 지을 때 벽돌을 사용하여 능률을 높이고 물자의 유통을 편리하게 하도록 일정한 바퀴 넓이의 수레를 통용할 수 있도록 하고 물산이 풍부한 중국과의 무역을 공식적으로 개시하고 조선의 말(馬)을 개량하여 기동력을 높이고 활동하기에 불편한 조선의 소매 넓은 의복을 개량하자는 것이었다.

조선의 양반과 선비들이 몸에 돈을 지니고 물건을 직접 고르며 흥정하는 것이 마치 고상한 체면을 깎는 것으로 오인하는 행태에 대해서도 함께 신랄하게 풍자하고 있다. 중국에서는 고위관리라고 하더라도 직접 물건을 골라 돈을 치루는 경우가 많았기 때문이었다.

연행과정에서 다양한 경험을 세밀하게 묘사하고 또 이를 인생살이에 빗대는 박지원의 문체는 가히 독보적이다. 산해관에 이르기 직전 만리장성의 초소인 장대(將臺)에 오른 박지원은 가파르게 쌓은 성곽에서 내려올 때 순간적으로 현기증을 일으키자 이 순간의 느낌과 의미를 놓치지 않고 다음과 같이 기록에 남겼다.

대개 오를 때는 앞만 보고 층계를 밟으니 위태로운 줄을 모르다가 내려올 때는 눈을 들어 아래를 내려다보니 절로 어지러우니 그 잘못은 눈에 있는 것이다. 벼슬살이도 이와 같아서 위로만 갈 때는 남에 뒤질세라 앞 다투어 올라가는데 일단 높은 곳에 이르면 그제야 두려운 마음에 외롭고 위태로워 한 발자국 나아가길 주저한다. 뒤로는 천길 절벽이라 오르지도 못하고 내려가지도 못하여 벌벌 떨기만 한다. 고금의 일이 모두 이러하니라(蓋上臺時, 拾級而登, 故不知其危. 欲還下則一擧目而臨不測, 所以生眩, 其祟在目也. 仕宦者亦若是也. 方其推遷也, 一階半級, 恐後於人, 或擠排爭先, 及致身崇高, 攝心孤危, 進無一步退有千仞, 望絶攀援, 欲下不能. 千古皆然).

당시 연행사절단은 한국특산물로 담배와 담뱃대, 청심환, 접는 부채, 종이와 먹 등을 가지고 갔다. 그것은 언제나 중국인들에게 인기였다. 서로 도우며 고마운 일이 있으면 간단한 마음의 표시로 담뱃대나 청심환을 한 알 선물로 건네곤 하였다.

타국에서 처음 만난 중국인일지라도 서로의 믿음이 생겨서 일단 의기투합이 되면 박지원은 일탈을 감행하였다. 1780년 7월 11일 심양에서 낮에 만난 장사꾼들과의 의기투합이 이뤄지자 밤중에 따로 만나기로 약속하고 첫날밤 야간탈출에 성공한다. 일단 기가 오른 박지원은 이튿날 밤에 기회를 틈타 위험한 잠행을 다시 시도하는데 보는 이로 하여금 손에 땀을 쥐게 하는 스릴 넘치는 소설과 같다. 새벽까지 술을 마시고 필담을 나누며 시간을 보낸다. 여행길에서의 일탈은 항상 위기에 노출될 수도 있지만 그의 호기심과 모험심을 막을 수는 없었던 것이다. 『성경잡지(盛京雜識)』에 들어있는 『속재(粟齋)필담』, 『상루(商樓)필담』 등은 장사차 나온 사천과 항주 등지의 사람 십여 명과 더불어 밤새 술 마시며 필담으로 온갖 사연을 나눈 대화록이다.

박지원은 마침 상대방 일행 중에 오복(吳復)이란 사람이 항주 출신임을 알고 여러 가지 대화하던 중에 홍대용이 북경 유리창에서 만나 천애의 지기가 된 세 사람에 대해서 묻기도 하였다. 그가 기회를 유효적절하게 활용하고 있다는 증좌가 된다.

나는 또 "해원(解元) 육비(陸飛)와 철교(鐵橋) 엄성(嚴誠)과 향조(香祖) 반정균(潘庭筠)은 모두 서호(西湖)의 이름 높은 선비들인데 노형이 혹시 잘 아시나요"한즉, 오생은 "모두들 서로 이름을 통한 적도 없습니다. 제가 고향을 떠난 지 오래되었으니까요. 다만 육비가 그린 모란을 본 기억은 납니다. 그는 호주(湖州) 사람이더군요"한다(余曰: 陸解元飛, 嚴鐵橋誠, 潘香祖庭筠, 俱西湖高人, 君知之乎. 吳生曰: 都未嘗與他聞名, 俺離鄉久, 但一見陸飛手畫牡丹, 他是湖州人).

뿐만 아니라, 박지원은 반정균(潘庭筠)이 당시 홍대용과 함께 연행하였던 김재행(金在行)에게 써 주었던 칠언절구 한 수(首)를 외워내어 박지원의 필적을 갖고 싶어하는 목춘(穆春)에게 써주기도 하였다. 그들의 필담 중에는 또 우리나라에 대한 이러한 내용도 들어 있다.

비생(費生)이 말하기를, 『입옹소사(笠翁笑史)』에 용자유(龍子猶)가 쓴 고려 승려의 술내기 이야기가 있습니다. 중국 사신이 고려에 가니 고려에서는 중을 내보내 접대를 하는데 그 중이 초나라 항우(項羽)와 장량(張良)이 우산을 놓고 제 것이라고 다투는데 항우는 우산(雨傘)이니 제 것이라 하고 장량은 양산(涼傘)이니 제 것이라 했다고 문제를 내자, 중국 사신은 창졸간에 허유(許由)와 조조(鼂錯)가 호리병 하나를 각각 제 것이라 하는데 허유는 기름(油) 호리병이라 하고 조조는 식초(醋) 호리병이라 했답니다. 그 고려 중의 이름은 무엇인가요? (費生曰: 『笠翁笑史』錄, 龍子猶高麗僧令云, 朝使出高麗, 高麗使一僧陪宴, 行一令曰, '項羽, 張良爭一傘, 羽曰雨傘, 良曰涼傘', 朝使倉卒對曰, '許由, 鼂錯爭一葫蘆, 由曰油葫蘆, 錯曰醋葫蘆', 麗僧何名? 余曰'此令全沒理致, 僧名無傳也').

박지원은 조선 후기의 유생인데 고려 때 스님의 황당한 말 놀음으로 물으니 그 말이 이치에도 맞지도 않고 스님의 이름도 모른다고 대답하고 말았다. 하지만 당시 중국인 사이에서는 한중교류에 얽힌 다양한 이야기들이 민간에 이처럼 여러 가지 전해지고 있음을 여실하게 보여주고 있다.

박지원은 의무려산(醫巫閭山)의 아래 있는 북진묘(北鎮廟)와 산해관(山海關)을 지나 관내로 들어온다. 1780년 7월 27일 백이와 숙제를 모시는 이제묘(夷齊廟)에서 전날 겪은 우스개를 세밀하게 기록하고 있다.

이제묘에서 고사리 넣은 닭찜을 먹은 것이 소나기를 만나 온몸이 젖게 되자 뱃속에서 체하게 되었다. 그래서 이 가을철에 어디서 고사리를 구했는가 하고 하인에게 물었더니 하인은 그간의 사연을 말했다. 이제묘에서는 점심에 고사리를 넣어 접대하는 것이 상례가 되었는데 십여 년 전 건량청(乾糧廳)에서 잠시 이를 잊고 미처 고사리 음식을 대접하지 못하자 건량관이 사행단 서장관(書狀官)으로부터 매를 맞게 되었다고 한다. 매를 맞은 그는 물가에 앉아 푸념하면서 "백이(伯夷) 숙제(叔齊)야, 백이 숙제야, 너는 나하고 무슨 원수더냐(伯夷叔齊, 伯夷叔齊, 與我何讐, 與我何讐)"라고 울부짖었다 한다. 말을 마치고 나서 하인이 덧붙이기를 "백이 숙제는 고사리를 먹다가 굶어 죽었다는데 그러면 고사리는 사람 죽이는 독초인 모양이네요"라고 너스레를 떨었다. 그 바람에 사람들이 허리를 잡고 웃었다. 한편 사행단을 따라간 한 마두(馬頭, 말잡이)가 담박에 넘어진 대추나무의 덜 익은 풋대추를 따먹고 배앓이로 설사가 멎지 않아 고생하는 중에 고사리가 사람 죽인다는 말을 듣고는 "아이고! 백이 숙채가 사람을 죽이네(伯夷熟菜殺人, 伯夷熟菜殺人)"라고 몸부림을 치는 바람에 또 한 차례 사람들의 폭소를 자아냈다. 숙제(叔齊)를 숙채(熟菜, 삶은 나물)로 잘못 알아듣고 한 말이라 더욱 우스웠던 것이다.

이제묘에서 겪은 이러한 해프닝은 역대 문인들이 사적으로는 늘 주고받던 농담이었을 수도 있는데 막상 이처럼 형상화시켜서 기록으로 남긴 사람은 많지 않았다. 이처럼 박지원의 글은 그대로 소설의 한 장면을 그려내어 묘사한 기이한 글이었다. 곧이어 도착한 진자점(榛子店)에서 창기(娼妓)의 노래를 듣는 장면은 『금병매』나 『홍루몽』에서 기녀의 구성진 노래를 듣는 대목에 끼워 넣어도 손색이 없지 않을까 싶다. 그 기발한 구성과 절절한 묘사는 천재적인 문장가의 수법이다.

『열하일기』는 파격적이고 신선한 문체와 내용으로 인해 당시부터 필사본으로 널리 전해지며 문단의 화제가 되었다. 정통문단으로부터 정중하지 못한 소품체로 비판받으면서 정조의 문체반정 운동을 야기하는 계기가 되었다. 그러나 정조는 박지원에게 직접 벌을 가하지는 않았다. 그의 재주를 아낀 것이다.

한중 지식인의 민간 교류

한중 지식인의 만남은 박지원에 앞서 연행한 홍대용의 경우에 이미 상징적으로 이루어졌다. 그는 북경의 유리창에서 절강의 항주에서 온 엄성(嚴誠), 반정균(潘庭筠), 육비(陸飛) 등을 만나 금방 천애(天涯)의 지기(知己)가 되었다. 이들의 한중 대화는 곧바로 솔직하고 진지하게 지속되었다. 홍대용과 엄성은 한 달 사이에 일곱 번이나 만나서 의기투합하였다. 아무리 이국인 사이였지만 서로에게 얼마나 끌리고 있었는가를 단적으로 보여준다.

이들 사이의 끈질긴 인연이 대를 이어서 바다를 오고가며 진행되었다는 점을 감안하면 오늘날에 보기 드문 한중우호의 진면목을 보여준다고 할 수 있다. 그들의 필담은 모아져서 『회우록(會友錄)』이라 이름 짓고 박지원의 서문을 받아서 펴냈는데 바로 북경의 건정동(乾淨衕, 지금의 감정호동[甘井胡同])에서 주고받은 필담이라 하여 『건정동필담』이라고 불렸다. 이 책으로 인해 연행에 따라가는 조선의 지식인들은 중국 선비들과의 교류를 더욱 적극적으로 추진하게 되었다. 조선후기 문단에서 북학파의 거대한 태풍이 이렇게 시작된 것이다. 박지원이 심양에서 만난 항주출신에게 곧바로 이 세 사람에 대해서 물어보았던 것만 보아도 중국문인과의 교류에 깊은 관심을 갖고 있었음으로 보여준다.

박지원이 애지중지 아끼는 문인 박제가는 무려 네 번이나 연행을 하면서 앞서 홍대용이 닦아놓은 기반을 바탕으로 중국 최고의 문사들과 직접 교류를 진행시켰다. 기윤(紀昀)과 옹방강(翁方綱), 장문도(張問陶) 같은 사람은 당대의 최고 석학들이었기 때문이다. 이러한 분위기는 훗날 추사(秋史) 김정희(金正喜)에게로 이어져서 중국 석학과의 교류는 더욱 거대하게 펼쳐진다.

박지원은 북학파의 좌장이지만 그가 만난 중국인은 재야의 문사들이어서 딱히 드러낼 만큼 유명인사는 없다. 그런데 그게 바로 박지원이 중국인들과의 교류 특징이 된다. 그는 중국인을 만나는 데 있어서 특별히 가리는 법이 없었다. 자연스러운 기회에 자연스러운 화제를 이끌고 간다. 인물도 화제도 가리지 않고 무엇이든 강력한 호기심을 가지고 적극적으로 필담을 이어갔다. 그리고 가장 인간적인 모습으로 흉금을 털어놓는 대화를 진행했다. 상대에 따라서 다양한 주제를 다루면서도 그 깊이를 달리하며 적절하게 대응하는 그의 실력은 도대체 어디서 오는가. 그것은 박지원 자신의 해박한 지식과 더불어 신분의 귀천을 따지지 않고 연민과 동정의 따뜻한 마음에서 우러나오는 여유라고 할 수 있다.

『망양록』에서는 열하에서 만난 윤가전(尹嘉銓, 호는 향산[亨山])과 왕민호(王民皡, 호는 곡정[鵠汀])와 함께 필담 삼매경에 빠져서 주문한 삶은 양 한 마리를 까맣게 잊었다는 내용을 담고 있다.

두 사람은 고금의 음악에 얽힌 수많은 이야기를 했다. 『악경(樂經)』이 조선에 전해졌느냐고도 물었고, 기자(箕子)에 의해 전해졌다고 하는 『서경(書經)』의 기자조선본이 있느냐고도 물었다. 박지원은 자신이 심양에 갔을 때 중국의 수재들이 조선에 『고문상서(古文尚書)』가 전해지고 있느냐고 물었다고 하면서 중국인들이 조선에 전해지고 있을 것으로 생각하는 일서에 관심이 많음을 지적하고, 자신은 그러한 책이 전해진다는 말은 듣지 못했노라고

답하였다. 그리고 또 송나라 소동파(蘇東坡)가 고려를 미워했다는 점을 상기시키면서 당시 고려에서는 소동파를 사모하고 존경하여 김부식(金富軾)과 김부철(金富轍) 형제는 모두 소동파 형제(蘇軾, 蘇轍)의 이름을 따서 지었을 정도인데 소동파는 오히려 고려에 책이 전해지는 것을 반대하였으니 안타깝다고 지적했다. 이어서 조선의 음악에 대한 질문을 받고 한국적 특징을 가진 거문고와 가야금에 대해서도 말했다.

우리나라 금슬은 중국과 다르고 금을 타는 방법 역시 다릅니다. 옛날 신라 때 거문고를 만들었더니 현학(玄鶴)이 와서 춤을 추었다하여 이름을 현금(玄琴)이라고도 합니다. 또 가야금(伽倻琴)이란 것이 있어서 큰 슬(瑟)을 반 쪼갠 것이 되고 열 두 줄인데 타는 법은 중국의 고금을 타는 모양과 비슷합니다(敝邦琴瑟制異中國, 彈弄之法亦殊, 古新羅時制此琴, 有玄鶴來舞故號玄琴, 又有伽倻琴, 剖大瑟之半, 爲十二絃, 其彈弄類中國彈琴之狀).

이들의 필담은 이처럼 종횡무진으로 내달리고 있었다. 마침내 박지원은 공자가 순임금 때의 음악인 소(韶)를 듣다가 고기 맛을 잃었다고 했는데 자신은 대아(大雅)의 말씀을 듣다가 양 한 마리를 잊었다고 말하여 서로 크게 웃었다고 하고 이들의 필담을 『망양록』이라고 명명한다고 밝혔다.

박지원은 한중간의 문화교류와 인적교류에 대해서 다양한 정보를 확보하고 있었으며 이를 연행 중에 여러 경로를 통해 확인하고 또 구체적으로 언급하고 있다. 그가 열하에 갔을 때 사절단을 접대하는 예부시랑 김간(金簡)은 조선인으로서 건륭황제의 황비 김씨의 오라비였는데 옹정제의 신임을 받았던 김상명(金尙明)의 손자라는 내력을 고증하고 있다. 즉, 그의 조상은 정묘호란 무렵에 청나라에 잡혀갔다가 무공을 세워 권세를 누린 김남해(金南海)라는 것이며, 그 후손이 황비에 오르자 건륭제는 의주 남산에 있는 김상명의 선영에 신도비와 석인, 석수를 세우라는 칙령을 내린 바도 있다는 것이다. 오늘날 해외 한국인의 뿌리찾기에 하나의 사례가 될 만한 사연이다.

박지원이 시종일관 주목한 것은 중국사회와 중국인의 깊숙한 속내였다. 위정자는 어떻게 정치를 하고 지식인은 어떻게 역사를 바라보는가 궁금하였으며, 또 백성들의 통속적인 삶의 모습을 세밀하게 관찰하고자 하였다. 정통문인들로서는 감히 엄두도 내지 않을 일용후생을 위한 생활의 지혜에 대한 고찰과 민간인들과 허심탐회한 교류를 박지원은 서슴없이 해냈다. 상인들과의 오붓한 만남을 위해 규칙을 어기면서 숙소를 빠져나와 달밤에 술집으로 향하는 그의 행동은 이미 체면만 차리는 조선 양반의 모습에서 벗어난 것이었다. 위험을 무릅쓰며 호기심을 채우고 새로운 경험과 이야기를 창출하고야 마는 탐험적 정신, 소설적 낭만이 그에게는 있었다.

박지원은 이야기의 천재였다. 언제 어디서나 한번 이야기 판을 벌이면 끊임없이 화제를 이어갔고 새로운 이야기를 보면 반드시 채집하였다. 고려보(高麗堡)를 지나 옥전(玉田)에 이르러 도사의 집안 벽에 걸린 기문(奇文)을 보고 옮겨 적었으니 바로 『호질(虎叱)』이었다. 계주(薊州)의 장에서 사왔다는 이 글에 장문의 평어(評語)를 달았다. 호랑이를 통해 고상한 선비 북곽(北郭) 선생과 정절녀 동리자(東里子)의 이중적 모습을 신랄하게 비판했다. 그것은 곧 중국의 선비들이 만주족 위정자의 압박 속에서 곡학아세하면서 비굴하게 살아가는 모습을 풍자하는 것이라고 덧붙였다. 이야기 자체를 옮겨온 것처럼 처리하는 것이 또 하나의 소설적 장치라고도 할 수 있다.

박지원은 젊어서 이미 『방경각외전(放璚閣外傳)』에 실려 있는 9편의 작품을 썼고 또 연행길에서도 소설가적인 기질을 살려 명작을 탄생시켰던 것이다.

명차 용단승설로 맺어진 한중연(韓中緣)

김정희(金正喜)

최준호(광주대학교)

머리말

사람은 태어나면서부터 연(緣)이 시작된다. 부모·형제·친지와의 연이 그것이다. 연은 주변으로 계속 확대된다. 연을 잇기 위한 기본적인 요건이 이름이다. 사람 또는 세상과 교류하고 소통하기 위한 고유 부호인 것이다. 이름으로 부족하면 별명을 쓰기도 한다. 별명을 동양에서는 호(號), 서양에서는 닉네임(nickname)이라 한다.

동양 한문화권에서는 아이가 태어나면 집안 항렬에 따라 이름을 짓고, 대략 15세에서 20세 즈음 집안 어른들이 자(字)를 지어주며, 성인이 되면 스스로 호를 짓거나 주변 친지들이 지어주기도 한다. 이것이 이름, 자, 호 관련 통례인데 호보다 넓은 의미가 명호(名號)이다. 필자는 명호를 '어떤 사람(또는 사물)에게 주어지는 성명과 별호 등을 포함하여 이르는 모든 칭호'로 정의한다.

사람이 어느 하나에 몰두하면 '벽(癖)이 있다'고 한다. 무언가에 지나치게 집착하는 병(?)적인 버릇이나 습관이다. 명호를 다른 사람보다 지나치게 많이 쓰면 명호벽(名號癖)이다. 명호로 한중연(韓中緣, 한중 간 문예교류)을 맺은 사람이 있다. 조선의 완당(阮堂)과 중국의 완원(阮元)이다. 두 사람은 자신을 알리고 상대방을 이해하는 수단, 자신의 심정과 주변 정황을 나타내고 상대방과 소통하는 도구, 즉 커뮤니케이션 도구로 명호를 썼다. 당시 중국 문인들은 명호가 필요하면 지어 쓰곤 했다. 결국 조선의 완당이 343개, 중국의 완원이 53개의 명호를 썼다. 참고로 중국의 제백석(齊白石, 1863~1957)은 43개의 명호를 썼다. 말 그대로 명호벽에 걸린 사람들이다.

그러면 완당과 완원 두 사람이 어떻게 만났는지, 어떤 식으로 교류했는지, 두 사람 간 한중연의 의미는 무엇인지를 고찰해 보기로 한다.

한중연이 시작되다.

김정희 초상(보물 제547-1호, © 국립중앙박물관 소장)

완당 김정희(金正喜, 1786~1856)는 조선 영조의 둘째딸 화순옹주와 결혼한 김한신(金漢藎, 1720~1758)의 증손자이다. 1809년(순조 9) 김정희는 동지겸사은부사(冬至兼謝恩副使)인 아버지 김노경(金魯敬, 1766~1837)을 따라 청나라 연경에 갔다. 연경에 도착한 김정희는 먼저 보안사가(保安寺街) 석묵서루(石墨書樓)에서 옹방강(翁方綱, 1733~1818)을 만났다. 그 자리에서 명호 '보담재(寶覃齋)'를 써달라고 부탁했다. '담계(覃溪, 옹방강의 명호)를 보배롭게 여기는 서재'란 의미이다.

귀국 즈음, 연성공저(衍聖公邸) 태화쌍비지관(泰華雙碑之館)으로 완원(阮元, 1764~1849)을 찾아갔다. 드디어 김정희는 꿈에 그리던 청나라의 거유(巨儒) 완원을 만났다. 당대 최고 명차 용단승설(龍團勝雪)도 대접받았다. 그곳에는 진귀한 탁본과 금석관련 서적들로 꽉 차 있었다. 그때 태화쌍비지관의 의미가 '태산과 화산의 유명 비석 탁본을 다수 소장한 뒤 지은 당호'라는 말을 들었다. 완원이 수많은 명호를 사용한다는 사실과 연유가 있을 때마다 명호를 지어 쓴다는 사실을 알게 되면서 명호 사용법에 대해 새롭게 인식하였다.

사실 연경에 가기 전 김정희가 사용한 명호는 현란(玄蘭) 뿐이었다. '검고 깊으며 심오한 난초(같은 사람)'라는 의미이다. 현란으로는 무언가 부족하다고 생각한 김정희는 연경에서 쓸 명호를 준비했다. 바로 추사(秋史)였다. '추상(秋霜)같이 엄정한 금석서화가(金石書畫家)가 되겠다'란 의미로 지었다.

나름대로 금석학 연구에 대한 만반의 준비를 한 것이다.

조선의 젊은 선비 김정희를 극진히 대했던 완원은 청나라 강소성 양주 사람으로 경학·금석·천문·지리·수학 등 다방면에 출중한 학자, 서법가, 행정가였다. 저서로 『황청경해(皇淸經解)』와 『연경실집(揅經室集)』 등이 있다.

당시 완원은 운대(云臺, 芸臺), 영주선객(瀛舟仙客), 팔전음관(八磚吟館), 연경실(揅經室) 등 53개의 명호를 사용하고 있었다. 운대는 중국식 발음이 같은 한자로 바꾼 경우이고, 영주선객은 자신을 신선에 비유한 명호이고, 팔전음관은 한(漢)·진(晉)나라 벽돌 여덟 개를 모은 것을 기념하여 지은 당호이며, 연경실은 경서를 연마하는 서재란 의미이다. 이런 완원의 명호 사용법은 훗날 완당의 명호벽을 자극하는 동기가 되었다. 두 사람은 소통의 도구로 명호를 사용하며 차원 높은 한중연을 이어 갔다.

일본의 후지츠카 치카시(藤塚鄰, 1879~1948)는 완당의 명호 사용에 대해 다음과 같이 말했다.

김정희는 귀국 후 연경에서 맺은 인연을 애틋하게 생각하며 그리워했다. 그중에서도 담계(覃溪)와 운대(芸臺) 두 스승의 덕망과 인품에 대해 존경하고 흠모하는 생각을 금할 길이 없었다. 그래서 작품과 편지를 주고받으며 두 스승과 맺은 한중연의 정을 이어 갔다. 결국 옹방강의 명호 담계에서 '담(覃)'자를 취해 보담재(寶覃齋)라는 호를 지었고, 완원에서 '완(阮)'자를 취해 완당(阮堂)이라는 호를 지었다. 이것도 모자라 옹방강 명호 담계의 '담(覃)'자와 완원의 서재 연경실(揅經室)의 '연(揅)'자를 합해 담연재(覃揅齋)라는 호를 지었다. 마치 두 스승 가까이에서 가르침을 받는 기분이 들게 하기 위함이었다.

이른바 스승 맞춤형 명호 보담재, 완당, 담연재를 지어 쓰면서 완당의 명호벽은 시작되었다. 결국 세계에서 가장 많고 호화찬란한 명호를 쓰게 되었고, 해박한 금석학적 문자향과 서권기적 안목을 지니게 되었다.

스승을 좇다.

완당은 어떤 식으로 완원과의 인연을 이어 갔을까? 완당은 완원 서재 태화쌍비지관에서 마셨던 용단승설 차향을 평생 잊지 못했다. 그 차향을 영원히 간직하기 위해 명호 승설(勝雪)을 썼다. 차를 마시고 고요한 마음으로 사물이나 현상을 관찰하면서 품다(品茶)와 관조(觀照)의 세계로 빠져들었다. 그럴수록 스승 완원에 대한 연민의 정은 점점 깊어갔다.

완당은 서화 품평도 같이 하며 절친하게 지낸 권돈인(權敦仁, 1783~ 1859)에게 보낸 편지에 이렇게 썼다.

다품(茶品)은 역시 승설의 향기입니다. 내가 일찍이 태화쌍비지관에서 이와 같은 것을 맛보았는데, 귀국 후 40년 동안 이런 것을 다시 보지 못했습니다.

담긴 내용인즉, 완당이 진정 잊지 못하는 것은 40년 전 용단승설 차향이 아니라 스승 완원이란 사실이다. 얼마나 그립고 보고 싶은 마음이 절절했으면 저리 표현했을까!

당시 완당이 마셨던 용단승설은 중국 황제나 마시는 최상급 명차였다. 중국 송나라 정가간(鄭可簡)이 용단승설을 만들어 황제에게 바쳤고 그 덕으로 높은 벼슬에 올랐다.

용단승설은 어떻게 만들어졌을까? 먼저 작은 찻잎만을 골라 찐 후 맑은 물에 담근 뒤, 윤이 나면서 은실처럼 가는 찻잎만을 고른다. 이것이 은선수아(銀線水芽)의 방법이다. 이렇게 특별히 선별하여 찐 찻잎을 사방 일 인치 크기의 고형틀에 넣어 눌러 단차를 만드는데, 상단 고형틀 안쪽에 용 모양이 조각되어 있어서 단차에 용 모양이 새겨지게 된다. 마치 살아서 꿈틀거리는 것 같은 용의 빛깔이 눈보다 더 하얗게 빛났으므로 사람들은 이 단차를 용단승설이라고 불렀다.

귀한 차를 대접받은 완당이 어찌 완원을 잊을 수가 있겠는가! 용단승설로 맺어진 한중연은 지속될 수밖에 없었다.

한중연은 지속되다.

완당은 스승 완원의 인품뿐 아니라 사상과 학문 세계를 존경하고 따르고자 했다. 그렇다면 줄곧 완원을 좇기만 했을까? 그렇지 않았다.

완원은 자신을 신선에 비유하기도 했고 신선들이 사는 선경(仙境)을 동경하기도 했다. 명호 낭환선관(琅嬛僊館), 소낭환선관(小琅嬛僊館)이 그것이다. 낭환선관은 '선경의 신선이 사는 집'이고, 소낭환선관은 소(小)를 덧붙인 것이다. 역시 신선이 되고 싶었고 선경에 살고 싶어 했던 완당은 명호 낭환(琅嬛)과 낭경인(琅嬛人)을 썼다. 두 명호를 비교해 보자.

먼저, 낭환은 선경에 빗대어 자신을 이른 명호이다. 완원 명호 낭환선관의 낭환을 그대로 쓴 예로, 완원을 좇고 동경하고자 하는 마음이 담겨 있다. 다음, 낭경인은 같은 의미인 낭환인(琅嬛人, 선경 사람)을 자신의 처지에 맞게 고쳐 쓴 예이다.

동기창(董其昌, 1556~1637)의 작품에 완당이 쓴 제발에 명호 '낭경인(琅睘人)'을 썼다. 이를 분석해 보도록 하자. '睘'의 음가는 '경'이고 '외롭다'는 의미가 있어서, 당시 완당 자신의 처지를 표현하는 데 적합하고, 금석학적 연구 결과 경(睘)과 환(嬛), 두 글자는 비록 다르지만 같은 의미로 쓰인 예가 있으므로, 낭경인으로 낭환인을 대신할 수 있다.

완당은 명호 낭경인을 1854년(철종 5) 2월에 썼다. 두 번의 귀양살이를 마친 뒤라 몸은 쇠약해졌고 정신은 피폐해졌으며 마음은 외로웠다. 하지만 금석학자로서의 자긍심은 살아 있었다. 그래서 낭환인 대신 현재 자신의 처지를 반영한 낭경인으로 바꿔 자신의 자존감을 나타내고자 했다. 정리해 보면, 낭환은 스승을 좇은 명호이고 낭경인은 자긍심을 표현한 명호이다. 따라서 스승을 좇기도 했지만 자긍심과 자존감을 드러내기도 했다.

이외 조선을 의미하는 동해(東海), 해동(海東), 동국(東國) 계열의 명호도 썼다. '조선의 선경(사람)'이란 의미의 동해랑환(東海琅嬛), '조선의 젊은 선비'란 의미의 동국유자(東國孺子), '조선의 모범 관리'란 의미의 동해순리(東海循吏), '조선의 추사 김정희'란 의미의 해동추사김정희(海東秋史金正喜) 등이다.

명호 해동추사 김정희를 쓴 작품 하나를 예로 들어본다. 완당은 연경에서 유학자 고순(顧莼, 1765~1832)을 만났다. 그는 황제에게 직언을 곧잘 했기에 결국 관직을 그만 두었다. 완당은 그의 올곧음을 높이 사서 대련 '直聲留闕下 秀句滿天東'을 써 보냈다. 내용은 '곧은 명성은 대궐 아래 머무르나 빼어난 구절은 하늘 동쪽에 가득하네'이다. 대련 좌우에 고순의 곧음과 맺은 인연 관련 내용을 쓴 뒤 '海東秋史金正喜具草'라고 마무리했다. 즉 '조선의 추사 김정희가 초고(草稿)를 작성합니다'이다.

명호에 '해동'을 써 조선에 대한 자긍심을 나타냈고, '초고를 작성합니다'라며 겸손을 표시해 스승 완원이 볼 것에도 대비했다. 완당은 이렇듯 빈틈없는 계산으로 작품에 임했다.

신의 한 글자 '오(唐)'

1829년 완원은 중국 섭지선(葉志詵, 1779~1863)을 통해 『연경실집(揅經室集)』과 『문필고(文筆考)』를, 1831년 조선 이상적(李尙迪, 1804~1865)을 통해 『황청경해(皇清經解)』를 완당에게 전달했다. 완당은 이런 서적과 자료에서 얻은 금석학적 정보를 바로 작품에 응용했다. 완당의 문자향과 서권기적 안목은 날로 발전했고, 바야흐로 세계적 금석서화가로 우뚝 섰다.

1844년(헌종 10) 제주도 유배시절 완당은 제자 이상적에게 「세한도(歲寒圖)」를 그려주었다. 역관 이상적이 중국을 자주 왕래하며 금석관련 서적과 자료를 가져다 준 보답이었다. 화제로 '歲寒圖 藕船是賞 阮堂'이라고 썼다. '우선(이상적의 명호), 이 세한도를 감상해 보시게. 완당'이란 의미이다. 명호 완당을 써 스승 완원을 잊지 못함을 표했다. 1845년 이상적이 청나라에 「세한도」를 들고 가 청나라 문인 16명의 발문을 받아온 일화는 유명하다.

완당과 완원 사이 한중연의 결과로 얻어진 신의 한 글자가 있다. 바로 '㢈'이다. 그동안 완당이 쓴 '㢈'에 대한 명확한 언급이나 탈초가 이루어지지 않았었다. 수년간 필자의 공력 끝에 완원의 저서 『연경실집』에서 '㢈'를 찾아 그 연원을 정리했다. 그 과정을 살펴보기로 한다.

두 번의 귀양살이 후 완당은 과천(果川)의 과지초당(瓜地草堂)에서 지냈다. 아버지 김노경(金魯敬)이 과천 옥녀봉(玉女峰) 기슭에 마련한 별서이다. 과지초당이란 명칭은 주변에 오이 밭이 있어 붙여졌다. 과지초당에 머물던 시절을 과천시절이라 한다.

완당은 과천집을 ① 과우(果寓), ② 과우(果庽), ③ 과오(果㢈)라 했다. ①의 '寓'와 ②의 '庽'는 많이 쓰이는 한자이다. 그런데 문제는 ③의 '㢈'이다. '㢈'는 흔히 볼 수 없었을 뿐 아니라 음가도 없었다.

우리나라 『한한대사전』 「㢈」 편에 '음 미상. 사람 이름에 쓰는 글자'라고만 기록되어 있다. 1988년에 발간된 중국 『한어대자전(漢語大字典)』이나 인터넷을 검색하면 '㢈'가 나온다. 하지만 우리나라 사전 내용과 대동소이하게 등재되어 있다. '㢈'에 대한 정확한 정보가 없음을 방증한다.

세한도(歲寒圖) 부분(23.7×1,389㎝, © 국립중앙박물관 소장)

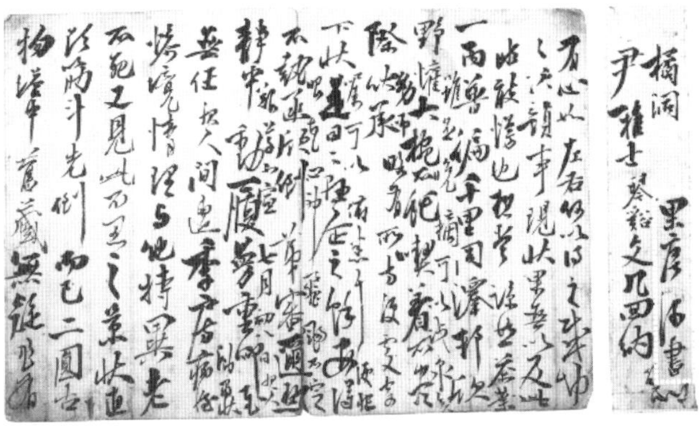

「추사간찰첩」 속 윤종진에게 보낸 어느 편지 봉투
(23×32.6㎝, 개인 소장)

완당이 쓴 과오(果庴)

사실 필자는 『연경실집』에서 '庴'를 찾기 전 『설문해자(說文解字)』나 『강희자전(康熙字典)』 등 오래된 자전을 거의 다 찾아보았다. 아울러 우리나라, 중국, 대만의 저명 한학자, 서예가, 스님, 한의사들에게 문의도 해 보았지만 '庴'에 대한 해답은 얻지 못했다. 아울러 필자가 '庴'를 연구하던 당시는 지금처럼 인터넷 검색이 용이하지 않았다. 필자 역시 완원이나 완당처럼 수 년간 실사구시로 '庴'를 연구했다. 그 결과를 다음과 같이 『설문해자』 방식으로 표기했다.

庴. 寄也. 从广吾聲.
庴. 붙어산다는 의미이다.
　　엄(广)으로 구성되었고 오(吾)가 발음을 나타낸다.

'庴'의 음가를 '오'라 한 것은 우리나라에서 '吾'가 들어간 한자를 대부분 '오'로 읽기 때문이다.

실제 작품에서 오(庴)가 쓰인 예를 살펴보도록 하자. 완당이 정약용(丁若鏞, 1762~1836)의 제자 윤종진(尹鍾軫, 1803~1879)에게 보낸 편지 봉투 우측하단에 '과오사서(果庴謝書)'라고 쓰여 있다. '과천 집(사람이 보내는) 회답 편지'란 의미이다. 과오는 '과천집' 또는 '과천집 사람'으로 풀이된다.

완당이 쓴 과오(果庴)는 많다. 필자가 '庴'로 표기하기 전 학계에서는 '庴'가 아닌 '寓' 또는 '庽'로 표기하고 있었다. 의미는 같을지라도 정확한 표기는 아니었다.

실사구시로 오(庴)를 찾다.

이제 필자가 오(庴)의 연원을 찾은 과정을 살펴보자. 첫 번째, 완원의 저서 『연경실집』「형부시랑오산완공전(刑部侍郞庴山阮公傳)」편에 '阮公諱葵生字寶誠號庴山淮安山陽人'이라고 기록되어 있다. '완규생의 자는 보성(寶誠)이고 호는 오산(庴山)이며 회안산양 사람'이란 의미이다. 완원은 완규생의 명호를 오산(庴山)으로 표기했다. 완당이 쓴 오(庴)가 여기에 있었다.

두 번째, 『중국역대인명대사전』「완규생」편에서는 '淸江蘇山陽人字寶誠號吾山亦作㖦山'이라고 소개하고 있다. '청나라 강소산양 사람으로 자는 보성(寶誠)이고, 호는 오산(吾山) 또는 오산(㖦山)을 쓰기도 한다'는 의미이다. 여기서는 완규생의 명호를 오산(吾山) 또는 오산(㖦山)으로 표기하고 있다.

『연경실집』과 『중국역대인명대사전』의 내용을 종합하면 완규생의 명호는 '吾山', '㖦山', '庴山'으로 썼음을 알 수 있다. 완규생은 금석학적 지식을 바탕으로 때에 따라 쓰임새에 따라 자신의 명호를 바꿔 쓴 것이다.

여기에서 우리는 완원이 확실한 고증을 거친 후 완규생의 명호를 오산(庴山)으로 기록했다는 사실을 주목해야 한다. 완원은 철저하게 실사구시(實事求是)를 주창했기 때문이다. 스승처럼 실사구시로 학문에 임했던 완당 역시 『연경실집』에서 '庴'의 쓰임새를 확인한 뒤 과천집을 과오(果庴)로 표기했으리라!

맺음말

중국 연행은 완당에게 일생일대 전환과 모색의 계기가 되었다. 두 스승을 만난 뒤 금석학의 기틀을 다지게 되었고 세계 최다 명호를 쓰며 소통의 달인이 되었기 때문이다. 스승이 생각나거나 그때 마신 용단승설 차향이 생각나면, 그에 어울리는 맞춤형 명호를 써가며 연민의 정을 달랬다. 그러면서 스승을 존경하고 보배롭게 여겼다. 이렇게 맺은 한중연으로 중국 문인들과 교류하며 유학자로서 관리로서 탄탄한 길을 걸었다. 말년 사회적·정치적 상황에 따라 제주도(濟州島)와 북청(北靑) 두 번의 귀양살이를 가기도 했다. 그때마다 카멜레온 같은 명호를 쓰면서, 해박한 금석학적 안목으로 대처하면서 처한 위기를 극복했고 자신을 달랬다.

완원이 추구한 실사구시는 완당의 학문 탐구에 절대적인 영향을 끼쳤다. 완당은 실사구시로 고증하여 완원의 『연경실집』 속 '𡧛'를 썼다. 『설문해자』와 『강희자전』에도 없는 '𡧛', 명차 용단승설로 맺어진 한중연의 결과로 얻은 신의 한 글자이다. 그렇다면 완당과 완원 간 한중연의 의미는 무엇일까?

– 완원으로 시작한 명호벽은 완당에게 있어 궁극적으로 세상과의 소통 수단이 되었다.

– 완원이 제공한 자료와 정보로 완당의 금석학적 안목은 해박해졌고 문자향과 서권기의 끼가 넘쳤다.

– 완원의 학문적 사상에 따라 완당은 철저하게 실사구시에 의거 고증했다.

– 평생 보배롭게 여기고 흠모하며 스승 완원을 좇았지만 한편으론 조국에 대한 자긍심과 선비로서의 자존감도 표현했다.

– 완원이 도가의 이상향을 동경했던 것처럼 완당 역시 세상을 관조하며 차원 높고 선문답이 가미된 작품 세계를 구축했다.

결과적으로 완원의 영향을 받은 완당, 세계 최고 금석서화가의 반열에 올랐고, 세계 최대 343개의 명호를 쓰면서 명실 공히 소통의 달인이 되었으며, 세계적으로 독특한 추사체(秋史體)를 완성했다. 이 보다 좋은 결과를 가져온 한중 문예교류가 어디 있을까!

동아시아 정신문명을 이끈 철학자

전병훈(全秉薰)

김성환(군산대학교)

전병훈의 생애

전병훈(全秉薰, 1857~1927)은 동아시아 근대의 여명기에 한국과 중국을 무대로 활동했던 국제적인 철학자였다. 그는 1857년(철종 9) 평안남도 삼등현에서 태어나, 71세가 되던 1927년 중국 북경에서 세상을 떠났다. 호는 '온누리의 새벽빛'을 뜻하는 서우(曙宇)이며, 경우에 따라 정신철학사(精神哲學士) 혹은 현빈도인(玄牝道人) 등을 썼다.

전병훈은 젊어서 유학자로 이름을 떨쳤다. 관직은 30대 중반에 의금부 도사로 시작해서 40대 중반에 정3품 통정대부까지 올랐다. 이 무렵 그는 쇠락하는 조선의 국정을 바로잡고자 노력했다. 폐정개혁을 위해 『동강야설(東岡野說)』과 『백선미근(百選美芹)』(1898) 등을 저술하기도 했다. 그러나 뿌리부터 썩은 나라는 맥없이 무너졌고, 역사의 수레바퀴를 되돌릴 수는 없었다. 오히려 그는 무능하고 부패한 조정 관료들에게 배척받아 함경도 벽지의 지방관으로 밀려났다. 그리고 거기서 을사조약이 체결되고, 고종이 폐위되는 국난을 지켜 보았다.

조선은 패망했고 학문적으로나 정치적으로 뜻을 같이했던 인사들이 연이어 자결했다. 북방의 변경에서나마 백성을 돌보려던 전병훈의 열망은 열강의 각축장이 된 국경의 엄혹한 현실에서 여지없이 무너졌다. 그는 마침내 고국을 떠나 중국으로 망명하기로 결심한다. 이때 그의 나이가 이미 50세였다.

1907년 10월 전병훈은 먼저 일본 동경으로 건너갔다. 그리고 늦어도 1908년 2월 전에 중국 상해에 도착했으며, 다시 지금의 남경인 금릉(金陵)으로 이주했다. 거기서 강남 일대를 주름잡던 통제사 쉬샤오전(徐紹楨), 양광총독 장런쥔(張人駿) 등의 명사들과 친교를 맺었다. 하지만 얼마 뒤 도교 내단학에 심취해서 다시 광동으로 건너간다. 그는 1910년 봄 광동의 나부산에서 도사 고공섬(古空蟾)을 만나 본격적으로 내단학을 연마한다. 이후 1913년 북경으로 이주했으며, '정신철학사'로 명명한 학관을 건립해 운영했다.

기록에 따르면, 전병훈은 내단학에 입문한 지 10년 만에 '신이 현관에 응결하고 도가 성취되는' 증험을 얻었다. 하지만 그는 신비한 체험과 능력을 내세워 명성이나 구하는 속된 수련가나 도사가 아니었다. 그런 술사는 어느 시대나 세간에 널렸지만, 전병훈은 자신의 득도를 보편적인 학문으로 승화시켰다. 그 과정에서 도교의 내단학뿐만 아니라, 유교와 불교 그리고 당시 중국에 막 소개된 서양철학까지 망라하는 철학의 융합을 시도했다. 그리고 마침내 『도진수언(道眞粹言)』(1919)과 『정신철학통편(精神哲學通編)』(1920) 등을 편찬해 자신의 철학을 체계화했다. 이 시기에 그가 '정신철학'으로 부른 독창적인 철학을 건립했다.

그는 단지 이론적으로 뛰어났을 뿐만 아니라, 자신의 철학을 실천하고 사회적으로 구현하는 데도 헌신했다. 전병훈은 누차에 걸쳐 중국 정부에 개혁안을 제안했으며, 그로 인해 조야에서 명망이 높았다. 위안스카이(袁世凱)를 위시한 북양정부의 역대 총통들이 그를 환대했다. 또한 정·관·학계의 기라성 같은 인사들이 그와 친교를 맺거나 문하에 들었다.

캉유웨이(康有爲)·옌푸(嚴復)·왕슈난(王樹枏) 등 당대 최고의 학자들이 그의 정신철학을 칭송했다. 국무총리였던 장샤오증(張紹曾)과 총통대리였던 황푸(黃郛) 등은 전병훈 문하의 제자였다. 조선 출신의 이 철학적 기인(奇人)은 중국 현지에서 급기야 절세의 성현(聖賢)으로까지 추앙 받았다. 그러나 그는 끝내 고국 땅을 다시 밟지 못했고, 망명지였던 북경에서 71세를 일기로 1927년 파란만장한 일생을 마쳤다.

나부산 충허관의 전병훈 각석

전병훈은 나부산의 충허관(沖虛觀)에서 고공섬을 만나 현관타좌식을 얻었다고 『정신철학통편』에서 말했다. 충허관은 본래 동진(東晋)의 포박자 갈홍(葛洪, 283~343/364)이 수련했던 도관이다. 충허관 인근에는 갈홍이 나부산에서 채취한 약초를 씻었다는 세약지(洗藥池), 금단을 제조했다는 연단조(煉丹竈, 연단 아궁이)를 비롯해, 그가 우화등선하면서 남겨둔 옷가지로 무덤을 조성했었다는 의관총(衣冠塚)까지 있어 그 일대가 온통 갈홍의 성역으로 조성돼 있다. 이 권역의 중심부에 전병훈이 쓴 글을 새긴 각석(刻石)이 남아 있다(이하 '전병훈 각석'으로 칭한다).

필자가 나부산에서 전병훈 각석을 발견해 학계에 처음 보고했다. 2011년 10월 말에 각석을 발견했으며, 2012년과 2013년에 각각 중국과 한국의 학술대회에서 그 내용을 보고한 바 있다. '내단(丹)으로 세상 사람들이 장수하기를 기원한다'는 의미를 담은 '단이기수세(丹以祈壽世)'라는 각자(刻字) 좌측에 전병훈의 이름이 작지만 또렷하게 새겨져 있다. 또한 '공자 후 마흔한 번째 경술년에 한인 전병훈이 쓰다(孔子後四十一庚戌冬, 韓人全秉薰題)'라는 글귀가 분명하다. 41번째 갑자(甲子)라면 2,460년이다. 공자가 기원전 551년(내지 552년)에 태어났다고 알려졌는데, 1910년에 550년을 더하니 정확히 2,460년이다. 이로써 1910년 경술년 겨울에 전병훈이 각석을 쓴 게 확실해졌다.

전병훈 각석이 함축하는 의의를 다음 몇 가지로 정리할 수 있다. 첫째, 각석은 전병훈이 나부산에 머물며 내단학을 연마했다는 것을 밝히는 움직일 수 없는 증거다. 즉, 경술년이었던 1910년 겨울에 전병훈이 나부산 충허관에 머물렀던 것이 분명하다. 이로써 그해 봄에 그가 나부산에서 고공섬을 만나 내단학을 연마했다는 『정신철학통편』의 기록을 입증할 수 있게 되었다.

나부산의 전병훈 '단이기수세(丹以祈壽世)' 석각(石刻)

둘째, 각석은 1910년 당시 전병훈이 나부산 현지에서 어떤 대우를 받았고 어떤 위상을 지녔는지를 단적으로 보여준다. 앞서 살폈듯 충허관 권역은 포박자 갈홍의 성역이나 진배없다. 특히 세약지와 연단조는 근 1,700년 동안 전해진 유서 깊은 상징물들이다. 이런 조형물과 나란히 배치된 각석의 주인공이 전병훈이라는 사실은 실로 시사하는 바가 크다. 백 년 전 서우가 이런 특별한 성역의 중심부에 커다란 규모의 석각을 남길 수 있었던 것은 당시 이곳에서 그가 받았던 대우와 위상을 가늠할 수 있는 지표이기 때문이다.

셋째, 각석에 새겨진 글귀에서 전병훈의 사상이 형성되는 계기를 엿볼 수 있다. 전병훈은 1907년 조선을 떠나 일본을 거쳐 거의 1908년부터 중국에서 망명생활을 시작했다. 게다가 1910년은 전병훈이 내단학에 입문한 지 얼마 지나지 않은 시점으로, 그가 도를 이뤘다고 자타가 공인하고 『정신철학통편』을 출간하기 거의 10년 전에 해당한다.

그런데 이 시기에 그가 이미 개인적인 성선(成仙)을 목표로 한 게 아니라, '내단으로 세상 사람들이 장수하기를 기원한다(丹以祈壽世)'는 서원을 세웠다는 사실을 이번에 발견한 각석을 통해 확인할 수 있었다. 훗날 그의 '정신철학'이 만인에게 도움을 주는 '공용(公用)의 학술'을 표방하고, 또한 겸성(兼聖)을 강조하게 된 사상적 단초가 이 시기에 벌써 싹트고 있었던 것이다.

북경의 정신철학사

전병훈은 1910년부터 나부산에서 대략 3년 남짓 내단학을 연마했다. 하지만 신해혁명이 일어나고 중화민국정부가 수립된 다음 해인 1913년 무렵 북경으로 이주했다. 전병훈은 북경으로 이주한 뒤에도 내단학의 연마를 게을리하지 않았다. 그는 북경의 유서 깊은 도관인 백운관(白雲觀)에서 수 년 간 『도장』 2천 권을 빌려 읽으며 연구에 몰두했다. 하지만 그게 전부는 아니었다. 그는 이 시기에 현실정치에 적극적으로 간여하는 면모를 보인다.

전병훈은 그리고 위안스카이의 사촌인 위안스쉰(袁世勳) 등의 소개로 여러 차례 총통을 만날 기회가 있었으나 모두 사양한다. 대신 북양정부에 일곱 가지 사안에 관한 규정(章程)의 개혁을 제안하고 그 반응을 기다린다. 당시 그가 작성한 이른바 『칠장정(七章程)』의 개혁안은 모두 만(萬)여 자로 이뤄졌다. 내용은 정부의 예복·예서·예치·조례에 관한 제안, 그리고 토지제도 개혁안으로 추정되는 구정량법(丘井量法), 동쪽 성의 한인교포(韓僑)를 보호하는 일 등을 포함했다.

전병훈의 개혁안을 접한 뒤로 위안스카이가 현자를 모시는 양현(養賢)의 예로 그를 대우했다. 전병훈은 이후에도 북경에서 정세의 추이를 관찰하고 지속적으로 정부에 조언을 했다. 하지만 당시 북양정부는 군벌의 지배하에 있었고 국정의 난맥이 거듭됐다. 1916년 위안스카이가 죽자 리위안훙(黎元洪, 재임 1916~1917), 펑궈장(馮國璋, 재임 1917~1918), 쉬스창(徐世昌, 재임 1918~ 1922) 등으로 총통이 바뀌며 혼란이 이어졌다. 전병훈은 이들 모두에게 교사(郊祀)의 예치를 권했다고 한다. 이 시기에 중국의 정치체제가 군주제에서 공화정으로 넘어가는 격변을 겪었고, 그런 가운데 전병훈의 정치사상도 함께 다듬어졌다. 그것이 주로 『정신철학통편』의 '정치철학' 편에 반영되었다. 그가 북양정부에 제안한 개혁안의 흔적도 거기서 함께 발견할 수 있다.

전병훈은 북경에 정신철학사를 세워 내단학을 연마하고 제자들을 양성하며 중국과 한국의 명사들과 교류했다. 정신철학사의 건립시기가 불확실하지만 늦어도 1917년 전에 세워진 것은 분명하다. 전병훈은 1917년 응신(凝神)하고 출신(出神)하며 도가 이뤄지는 징험을 본다. 하지만 그 이전부터 『정신철학통편』을 구상하고 저술하기 시작했으며, 동시에 『도진수언』도 편찬했다. 이런 저술활동과 함께, 전병훈은 북경의 정신철학사를 기반으로 후진을 양성하고 사회활동을 펼쳤다.

그의 철학체계에서 볼 때, 이는 '참나를 완성하고 성스러움을 겸비한다(成眞兼聖)'는 사상을 구현하는 실천행의 일환이었다. 특히 장상(將相)급의 제자들이 그의 문하에 모여들어 그의 학설을 현실에 구현코자 했다. 이와 관련해, 1923년 리위안훙이 다시 총통에 올랐을 때 국무총리 겸 육군총장을 역임했던 장샤오증(張紹曾, 1879~1928)이 이렇게 말했다.

제자인 전 총리 장샤오증이 찬상해 말했다. "선생이 중국에 거주한 지 20년에, 겸성(兼聖)의 대도를 선양하고, 문하에 장상이 즐비하여, 이름을 중화의 역사에 올렸다. 누차 예치의 정책을 진술해 조야가 흠모해 공경한다. 정신철학을 창조해 밝히니 전 지구에서 전해 외운다. 또 『겸성합편(兼聖合編)』을 저술해 진리를 더욱 밝히니, 사람들이 다퉈서 '39성철(聖哲)'이라 지칭하고 또한 '26도진(道眞)'으로 찬양하며 겸성의 사표로 삼는다. 그러나 선생이 겸양하여 이에 응하지 않으셨다. 대총통 리위안훙이 이를 전해 듣고, 그 조부를 기려 '은일고진(隱逸高眞)'이라 하고, 부친을 '자선태가(慈善太家)'라고 하니, 끝내 그 효성스런 뜻을 이뤘다고 말할 수 있다"

전병훈의 문하에 장상급의 인사들이 즐비했다는 위의 이야기가 단지 허언은 아니다. 장샤오증이 다시 말한다. "우리 선생의 제자들은 장상으로 나가는 인재들이다. 황푸(黃郛, 1880~1936)가 대총통의 직권을 총괄해 대리하니 사람들이 동문의 경사로 여겼다" 또한 "사람들이 선생을 세계의 한 구성요소로 여긴다"고 칭송하기도 했다.

정관계의 고위인사들만 전병훈을 극찬한 것이 아니다. 학계와 지식인도 그에게 주목했다. 서우와 교류하거나 그의 문하에 있던 당대의 기라성 같은 학자와 지식인들이 '정신철학'을 칭송했다. 캉유웨이가 『정신철학통편』의 제호를 직접 썼으며, 옌푸(嚴復), 국사관(國史館) 총재(總裁)였던 역사학자 왕슈난, 북경대학 총장을 역임한 리위잉(李煜瀛), 청말의 개혁가이자 학자였던 마오즈전(茅子貞), 강남의 저명한 교육자 마오치엔(茅謙), 훗날 북경도서관 관장을 지낸 장한(江翰) 등의 찬사가 이어졌다.

중화민국의 제3대 총통이었던 쉬스창이 전병훈의 제자를 자처했고, 제2대를 비롯해 두 차례 총통을 역임했던 리위안훙은 전병훈의 조부와 부친을 '은일고진(隱逸高眞)'과 '자선태가(慈善太家)'로 추존하기도 했다. 그리고 이 두 총통 모두 『제평집』 첫머리에 '제가제평(諸家題評)'의 표제를 달았다. 당시 중국에서 활동하던 단재(丹齋) 신채호(申采浩, 1880~1936)가 "한번 세계를 통일하여 만세토록 불변하는 대총통이 선생이 아니라면 다시 누가 있겠는가!"라고 찬탄했는데, 이를 결코 과장으로만 볼 수 없다.

하지만 일제는 그를 요주의 인물로 지목해 계속 사찰하고 감시했다. 당시 일본 외무성과 육·해군의 비밀 해외사찰 여러 문건에서 불령선인(不逞鮮人)으로 분류된 그의 이름을 볼 수 있다. 조선총독부 경무국(警務局)이 펴낸 『용의조선인명부(容疑朝鮮人名簿)』는 전병훈을 "한일합방에 분개해 중국으로 도항(渡航)"했으며 "배일(排日)사상을 가지고 조선독립을 열망하고 있는 자"로 뚜렷이 적시하고 있다.

그리하여 전병훈은 한번 망명을 떠난 뒤로, 다시는 고국 땅에 발을 디디지 못했다. 그는 말년에 중국에서 현지인들로부터 거의 성인으로 추앙받으며 한 시대를 풍미했으나, 끝내 나라 잃은 유민의 한을 안고 1927년 9월 14일 71세를 일기로 북경에서 세상을 떠났다. 그리고 작고해서야 비로소 시신이 고향에 돌아와, 평안남도 평원군 순안면 북창리의 간좌원(艮坐原)에 안치됐다.

디아스포라 전병훈

지식인에게, 어쩌면 그의 인생역정보다 더 정직한 학문의 기록은 없다. 글과 말로 자기를 포장할 수 있어도, 인생 전부를 손바닥으로 가릴 수는 없기 때문이다. 그런 점에서, 격동의 시대를 살면서 이론과 실천궁행의 일치를 추구한 전병훈의 파란만장했던 삶이야말로 그의 학문과 사상을 여실히 보여준다. 특히 중국으로 건너가 지낸 20년이 그의 인생에서 가장 극적이고도 빛나는 시기였다.

우승열패의 사회진화론이 번성하고, 동양과 서양이 원한을 맺고, 국가와 민족이 반목하는 시대였다. 더구나 그 세계 어디에도, 서우의 나라 조선은 더 이상 없었다. 그런 근대세계의 온갖 모순과 신산한 운명을 뚫고, 디아스포라 전병훈은 실로 광대한 우주적 정신의 바다로 나아갔다. 전병훈이 이런 철학적 성취를 이룬 데는 여러 요인이 복합적으로 작용했다.

우선 전병훈은 젊어서 한학을 수학하고 성리학을 연구했다. 성리학으로 국한하면 당시 조선의 학문수준이 매우 높았으므로, 전병훈은 중국 지식인에 뒤지지 않는 유교의 정수를 습득하고 있었다. 하지만 조선에서의 지적 활동만으로 그가 세계철학의 전망을 가지기는 어려웠다. 전병훈의 학문과 사상이 확장된 것은 그가 중국으로 망명한 뒤의 일이다.

전병훈이 망명한 1907년은 양무(洋務)와 변법(變法)운동의 연이은 실패로 중국 지성계가 큰 고민에 빠져 있을 때였다. 그 뒤 전병훈이 사망하는 1927년까지 20년 동안, 중국에서는 전통과의 결별을 선언하는 신문화운동이 일어나고, 현대신유학 태동의 계기가 되는 과현(科玄)논쟁이 벌어지는 등 격렬한 문화변동과 담론이 펼쳐졌다. 제국주의의 침탈이 격화되고 정치적 혼란이 계속됐지만, 문화와 철학적 담론의 수준과 열기는 그 어느 때보다 고조되었다.

전병훈은 이런 분위기에서 중국 최고의 지식인들과 교유하며, 서양철학과 과학에 대한 지식은 물론 동서양문화에 대한 비교철학적 시각의 폭을 넓혔다. 그는 특히 '변법'을 주창한 인사들과 밀접하게 교유했다. 그의 저서에 극찬의 서평을 남긴 캉유웨이와 옌푸 등이 대표적이다. 그들은 서구의 입헌군주제와 자유민권사상을 따르는 변혁을 주장하는 동시에 이를 전통사상과 접맥했는데, 이는 전병훈의 사상경향과도 일맥상통했다.

하지만 중국 지식인들이 주로 유교와 고대 제자(諸子)사상에서 서구 근대사상과의 접점을 찾은 데 반해, 전병훈은 도교의 내단사상을 골간으로 전통사상의 현대화를 시도했다. 조선성리학이 오랫동안 도교를 이단으로 배척했던 것은 주지의 사실이다. 따라서 10년간 도장(道藏)을 연구하며 내단 수련에 몰두한 것은 성리학자로서의 자기정체성을 폐기하는 일이었다고 해도 과언이 아니다. 젊지 않은 50대의 노학자가 한평생 쌓아온 사상과 지식을 허물고 새로운 사상과 경험을 받아들인 것이다. 바로 이 지점에서 전병훈의 철학적 저력을 엿볼 수 있다.

전병훈의 정신철학은 새로운 것에 대한 불안과 거부감을 넘어선 사상적 개방과 지적 모험의 결실이었다. 그는 정통 성리학자에서 출발했지만 도교연구와 수련을 통해 유학의 틀을 벗어났고, 동서양 문화와 철학에 대한 담론이 고조되던 중국 지성계의 논의와 지식을 수용하면서 전통지식인의 고루함을 넘어섰다. 하지만 그것은 어느 하나를 선택하면서 다른 하나를 버리는 양자택일의 행로가 아니었다.

대신 그는 사상적 개방의 단계를 지나 통섭과 회통의 차원으로 나아갔다. 전병훈이 언명했다. "(도에) 합치되어 원만한 덕을 이루고자 한다면 반드시 유·불·도와 철학 및 신구(新舊)의 과학을 함께 취해 하나의 용광로에 녹여야 한다. 그런 뒤에야 하늘의 도를 체득하고 성스러움에 통하게 되어, 만세의 근본적 가르침으로 삼을 만하며 폐단이 없을 것이다" 우리는 여기서 동서고금을 통섭해 하나의 철학체계에 이르기를 꿈꿨던 한 철학적 모험가의 원융(圓融)한 기풍과 만나게 된다.

오회정중(午會正中)의 문명진화

쇠망한 나라의 일개 망명객이 자존심 강한 중국 지성계에서 그처럼 큰 성취를 이룬 것은 이례적인 사건이었다. 더구나 당시 세계의 지식지형도에서 조선은 변방 중의 변방으로 밀려나 있었다. 그런 나라의 지식인이 동서고금의 철학을 창조적으로 재해석해 자신의 독창적인 철학체계를 건립하고, 중국의 수도 한복판에서 수많은 정신적 추종자를 이끌었다는 것은 놀라운 일이었다.

전병훈에게 있어서, 그의 철학은 투철한 자기부정과 부단한 갱신의 결과였다. 조선에서 성리학자로 인생전반기를 보냈지만 끝내 유교의 굴레를 벗어났고, 내단의 도를 성취했으나 세상을 등지고 우화등선만 구하는 도교의 폐단을 질책했다. 하지만 그 모두를 뿌리째 부정한 것이 아니라, 마침내 양자의 벽을 허물어 새롭게 조제(調劑)하려는 조탁의 과정이었다. 더 나아가 그는 동양과 서양을 횡단하며 모든 정신의 대륙을 자유로이 탐험했고, 『도진수언』(1919, 亡失)과 『정신철학통편』(1920) 등을 편찬해 그의 철학을 체계화했다.

유교에 정통했던 조선의 지식인이 도교 내단학을 연마했다. 하지만 그는 신비한 체험이나 도력을 앞세우는 속된 수련가가 아니었다. 대신 자신의 득도를 보편적인 학문으로 승화했고, 그 과정에서 도교뿐만 아니라 유교와 불교 그리고 당시 중국에 막 소개된 서양철학까지 망라하는 철학의 융합을 시도한다. 소크라테스, 플라톤, 아리스토텔레스부터 칸트를 비롯한 근대의 수많은 철학자와 20세기 초의 사회과학자들까지 서우의 철학적 용광로 안에 들어간다.

전병훈은 20세기 초에 서양철학을 처음 접하고 수용한 조선 지식인의 한 사람이었다. 그렇다고 해서, 그가 근대의 이념을 그대로 받아들인 것은 아니다. 서구 근대의 합리주의는 육체에서 분리된 이성을 옹호했고, 그것은 물질과 정신의 이항대립에 뿌리를 두었다. 따지고 보면, 이성이 과학의 진보를 찬미하고 또한 극단적인 물질주의와 공존했던 것도 이런 이분법의 귀결이었다. 다시 말해 물질과 정신의 이분법에서 이성주의와 물질만능주의라는 이란성 쌍생아가 태어나 자랐다.

그러나 전병훈은 서구 근대철학과 현격한 간극을 두고 '정신'을 이해했다. 그는 우주와 생명을 이루는 정·기·신을 '정신'으로 통칭했다. 그것은 서구 근대의 이성처럼 몸(생명)을 떠나 추상화하고 관념화된 형이상학적 실체가 아니다. 사람의 '정신'은 천지에서 비롯돼 몸 안에 응결된 정미하고 신묘한 영성의 에너지다. 그것은 몸을 가진 생명의 본질이며, 정신의 강조는 곧 생명가치의 존귀함을 선포하는 명언에 다름 아니다.

서우는 크게 정신, 심리, 도덕, 정치의 네 방면에서 철학을 전개한다. 그의 정신철학은 중세 성리학과 근대 이성주의를 모두 넘어서고, 마침내 신체성을 회복한 인간 정신의 근원으로 들어간다. 심리철학은 정신과 마음의 관계를 해명하고, 급기야 뇌신경이 심리의 장소적 기반이 되는 이치를 논한다. 도덕철학은 선험적이고 추상적인 도덕형이상학의 이념을 걷고, 개별자에게 잠재된 정신과 양심이 밖으로 드러나는 것이 곧 도덕임을 밝힌다. 정치철학은 동서양의 전제정치를 혹렬히 비판하고, 민의에 따르는 민주와 공화가 인류 역사상 모든 정치의 기원이자 본질임을 설파한다.

그리하여 전병훈은 끝내 민족이나 국가, 동서양의 모든 분열을 넘어선 드높은 정신의 고원에 오른다. 또한 그는 근대세계가 비록 "물질을 숭상하지만 물질로 인해 장차 반드시 정신을 중시하게 될 것"이라고 예언 아닌 예언을 했다. 우주적인 주기에서 자연법적 시간대가 흐른다. 그리고 근대 물질문명의 극치에서, 다시 그것을 넘어서는 새로운 문명의 새벽이 밝아온다. 인간에게 내재된 정신, 심리, 도덕의 잠재적인 측면들이 드러나고 그 역량이 최고도로 진화한다. 인류가 형제가 되는 사해동포(四海同胞)의 박애정신이 되살아나고, 민주적인 세계통일공화정부를 건립해 영구평화를 실현하는 대동과 태평의 정치적 이상이 실현된다.

전병훈은 그것을 오회정중(午會正中)의 시간으로 불렀다. 이를테면 '우주의 정오'다. 이런 문맥에서, 전병훈이 '근대 이후'를 전망하고 준비한 미래사상가였다고 한다면 지나친 비약일까? 그의 예견처럼 '정신철학'이 인류문명의 미래를 밝힐지의 여부는 아직 알지 못한다. 하지만 21세기 지구촌에서, 생명·평화·영성(정신) 재건이야말로 탈근대의 현저한 철학적 징후이고, 인류가 열망하는 미래의 보편적인 비전이다. 그리고 전병훈의 철학은 20세기 초의 한국인이 중국의 지적 토양에서 얻은 탁월한 결실이다. 동아시아의 정신문명이 인류의 미래를 다시 밝힌다면, 그 문명의 새벽 어딘가에서 전병훈의 철학이 시금석으로 찬란히 빛날 것이다.

유교와 불교 경전을 들고 신라승과 교유한

관시우

관휴(貫休)

유병례(성신여자대학교)

가사를 입은 강직한 지식인

우리 마음 속의 스님 이미지는 심산유곡 선방에서 면벽 수행을 하거나 만물이 깨어나기 전에 어둠을 목탁으로 깨며 염불하는 고행의 형상이다. 세상 민중들의 고된 삶과는 동떨어진 채 수행에만 몰두하는 그런 스님 말이다.

10세기 전후 만당 오대십국 시기를 살았던 승려 관휴는 유, 불, 도 삼교가 융합하였던 시대를 살았던 스님답게 유교 사상과 불교 사상을 함께 구현한 것으로 유명하다. 시승이요, 화승이요, 서승으로 다재다능한 기량을 지녔던 관휴, 그를 만나 대화를 나누고 정을 나눈 사람은 참 복도 많은 사람이었을 것이다. 그와 교류를 나누었던 당시 신라 사람들의 발자취를 지금도 희미하게나마 살펴 볼 수 있는데, 바로 『전당시(全唐詩)』에 수록된 관휴의 시를 통해서 이다. 관휴가 신라의 어떤 사람들을 만나서 교류하였는지 알아보기 전에 우선 관휴의 생애를 소개하고자 한다.

관휴(832~912), 자는 덕은(德隱) 혹은 덕원(德遠), 속세에서의 성은 강(姜)씨, 절강성 사람이다. 문헌의 기록에 의하면 관휴는 7살 때 어머니가 그 마을에 있는 화안사(和安寺)의 원정선사(圓貞禪師)에게 보내어 시동이 되었다. 매일 원정선사에게 『법화경』 천 자를 배우고 외었는데 워낙 기억력이 좋고 재능이 뛰어나 한번 들은 건 절대 잊지 않았고, 불경을 외고 불법을 배우는 것 이외에 시 쓰는 법도 배워 이때 이미 시를 잘 썼다고 한다.

유가의 인애와 불가의 자비를 현실에 구현하여 고통 받는 백성들을 구하려는 포부를 지닌 관휴는 젊은 시절부터 승려의 신분으로 세속 정치에도 적극 참여하였으나 환갑이 넘도록 뜻을 이루지 못했다.

그의 나이 62세 즈음, 당시 오월국왕(吳越國王) 전류(錢鏐)를 만나 유세하려 하였다. 당시에는 권력자를 만나려면 우선 시를 바쳐 그 재능을 인정받아야 하는 것이 관례였다. 관휴는 전류의 패업을 칭송하고, 자신도 전류처럼 국가를 위해 위대한 업적을 이루고 싶다는 뜻을 기탁한 시를 지었다. 그 중 '서릿발 같은 검 하나로 십사주를 평정했네(一劍霜寒十四州)' 라는 구절이 있었는데, 이는 전류가 패업을 달성한 것을 칭송한 것이다. 그런데 전류는 이 시구의 '십사주(十四州)'를 '사십주(四十州)'로 고쳐주기를 바랐다. '십사주'라고 하면 자기의 통치 영역이 너무 작다는 느낌을 준다면서 말이다. 그러면서 시구를 고쳐주지 않으면 관휴를 만나주지 않겠다고 하였다고 하였다. 그 소식을 전해들은 관휴는 절대로 시구를 고칠 수 없다면서, 외로운 구름과 들판의 학이 어느 하늘인들 날아가지 못하겠냐면서 가버렸다. 전류는 관휴의 재능을 아껴서 후한 선물을 보냈고 훗날 공을 세운 신하의 비를 세울 때 관휴의 시를 비석 뒷면에 새겼다고 한다.

불가의 자비를 유가의 애민으로 실천하다.

그가 생존했던 당말 오대십국 시기는 세기말적인 현상이 곳곳에서 야기되었다. 사회질서는 혼란하여 민생의 기반이 붕괴되다시피 하였고 군벌들 간의 혼전이 거듭되어 백성들의 삶은 피폐하고 고되기 짝이 없었다.

관휴는 현실을 초탈하거나 외면하려 하지 않고 세력 있는 군벌의 힘을 빌려 백성들의 삶을 개선시키려는 포부를 품었다. 한번은 형남절도사 고계흥(高季興)을 만나러 갔다. 고계흥이 문학에 능한 선비를 중시한다는 소문을 들었기 때문이다. 고계흥은 관휴를 용흥사(龍興寺)에 묵게 하였다. 관휴는 그곳에서 고계흥의 치하에서 백성이 신음하고 있다는 사실을 알게 되었다. 그리하여 「혹리사(酷吏辭)」라는 정치 비판 시 한 수를 지었다.

霰雨灂灂, 風吼如劚.
우박은 후두둑 떨어지고 바람은 칼로 베듯 울부짖는다.
有叟有叟, 暮投我宿.
한 늙은이 늙은이가 저녁에 내 처소로 와

吁嘆自語, 云太守酷.

탄식하며 중얼거린다. 태수님 너무 가혹하다고.

如何如何, 掠脂斡肉.

어찌하여 어찌하여 이렇듯 가혹하게 착취하는가?

吳姬唱一曲, 等閑破紅束.

오 땅 기생 노래 한 곡에 붉은 비단 한 묶음 쓰고

韓娥唱一曲, 錦段鮮照屋.

한 땅 기생 노래 한 곡에 아름다운 비단 찬란하게 방안을 비춘다.

寧知一曲兩曲歌, 曾使千人萬人哭.

어찌 알랴. 한 두 곡 노래가 백성들을 울게 하는 것을!

不惟哭, 亦白其頭, 饑其族.

울게 만 한 게 아니라 머리도 하얗게 새게 만들고 식구들 굶주리게 만들었지.

所以祥祥不來, 和氣不復.

상서로운 바람 불어오지 않고 온화한 기운 회복되지 않는 까닭은

蝗乎蟹乎, 東西南北.

메뚜기 떼 동서남북에 가득하기 때문이라네.

귀족의 사치와 환락은 백성들의 통곡과 맞바꾼, 그 굶주림과 고통의 대가라는 것을 선명하게 부각시켰다. 하늘을 가득 메우고 날아다니며 농작물을 깡그리 갉아먹는 메뚜기 떼는 백성들의 고혈을 빨아먹는 부패한 관리의 환유이다. 이 시의 시인은 세속과 거리를 두고 색즉시공 공즉시색을 종용하는 승려가 아니라 정치혁신을 염원하는 우환의식으로 가득한 열혈 유가 지식인의 모습으로 독자들에게 다가온다. 사실 관휴가 부패한 관리들을 향해 직격탄을 날린 것은 고계흥의 주목을 끌어 관리들을 잘 단속하기를 바라는 뜻을 기탁한 것인데, 그의 생각과 달리 시를 읽고 진노한 고계흥은 도리어 그를 멀리하였다. 능력 있는 통치자를 만나 현실 정치에 참여하고자 하는 그의 꿈이 또 좌

절된 것이다.

자신의 고달픈 신세를 벼루에 비유해 쓴 시 「연와(硯瓦)」에는 '입갑신시안(入匣身始安)'이란 구절이 있다. '상자 속에 들어가야 비로소 몸이 편안해진다'는 것이다. 즉, 바닥에 구멍이 날 정도로 수없이 먹에 시달리는 벼루는 상자 속에 들어가야 편안해질 것이라는 뜻이다. 이 시구를 본 친구가 "자네는 성도(成都)에서 입신안명(立身安命)할 곳을 얻을 거네"라고 하였다 한다.

관휴의 『나한도』

상자를 나타내는 갑(匣)과 촉(蜀)을 나타내는 협(峽)의 음이 중국어로 같다. 혼란한 사회에서 소망을 이루는 게 쉽지 않다는 것을 거듭 깨닫게 된 관휴는 그런 자신의 모습을 병든 학에 비유하여 '너의 병은 어디에서 얻었느냐'면서 병의 근원이 사회와 시대에 있다고 시사하기도 하였다.

촉나라 군주 왕건을 만나 떠돌이 삶을 마감하고 입신양명하다.

그런 그에게 드디어 기회가 왔다. 촉나라 군주 왕건을 만난 것이다. 성도에 도착한 관휴는 왕건에게 송가 한 수를 바쳤는데 제목은 「진정송(陳情頌)」이다. 이 시에서 관휴는 촉나라 땅의 비옥함과 인걸의 훌륭함을 찬미하면서 이런 땅에서 패업을 이룬 왕건이 당나라 왕조의 봉건통치를 회복하는 데 큰 공을 세우기를 기원하였다. 아울러 시 한수를 더 바쳤는데 그 가운데 "호리병 하나 바리때 하나로 늙어가면서, 천 만 개의 산수를 담아왔노라(一瓶一鉢垂垂老, 萬水千山得得來)"라는 구절이 있다. 왕건은 관휴의 시를 읽고 득득화상(得得和尙)이라 부르며 동선원(東禪院)에 머물게 하고 후한 상을 내리면서 따로 용화도량(龍華道場)을 지어서 머물도록 하였다.

관휴는 이로부터 떠돌이 운수(雲水) 행각을 마감하고 전촉(前蜀)에서 융숭한 대접을 받았다. 친구가 예언한 대로 촉에서 입신을 하게 된 셈이다. 용서시조(龍栖侍詔), 명인변과공덕대사(明因辨果功德大師), 상린전인가내공봉(翔麟殿引駕內供奉), 경률론도문선사교수(經律論道門選使教授), 삼교원일대사(三教元逸大師) 등의 직함을 수여받았으며, 식읍 삼천호를 받고 자대사문(紫大沙門)을 하사 받았다. 81세에 입적하였고, 이듬해에 성도 북문 밖에서 다비되었다.

관휴는 왕건으로부터 융숭한 대접을 받고 조정 고관들과 교류했지만, 가난하고 힘없는 백성을 동정하고 악을 원수처럼 여기는 강직한 성격은 시종 변하지 않았다. 한번은 왕건이 조정대신을 이끌고 용화선원을 찾았다. 왕건은 관휴에게 차와 비단을 주면서 근래 지은 시를 읊어달라고 했다. 이에 관휴는 함께 자리한 귀족들을 풍자하는 「공자행(公子行)」이라는 시를 읊었다.

錦衣鮮華手擎鶻, 곱고 화려한 비단옷 입고 손에는 송골매 높이 떠받치고
閑行氣貌多輕忽. 한가롭게 거니는 기세와 모습 거만하기 짝이 없어라.
稼穡艱難總不知, 농사짓기 힘든 건 아예 모르니
五帝三皇爲何物. 오제와 삼황을 알기나 할까!

단지 사냥 놀이나 할 줄 알 뿐 농민의 고통스런 삶을 알지 못하는 귀족자제들에게 일침을 가한 작품이다. '오제와 삼황을 알기나 할까!'는 귀족자제들이 치국의 기본 도리도 알지 못한다는 것을 의미한다. 이 시로 해서 관휴는 그들의 원망을 샀다고 한다.

신라승을 만나 정담을 나누다.

주지하다시피 삼국 중에서 불교를 가장 먼저 받아들인 나라는 고구려였다. 소수림왕 때인 372년에 전진의 화상 순도가 불상과 불경을 가지고 오면서부터 우리나라에 불교가 전래되었고, 백제는 침류왕 때인 384년에 동진의 인도 화상 마라난타가 건너와 불교를 전파하였다. 신라는 백제를 통해 불교를 받아들였으며 법흥왕 때인 527년에 이차돈의 순교를 계기로 불교를 정식으로 인정하였다. 이때의 불교는 주로 이타적 세계관을 지향하는 대승불교이다. 신라 말기에 이르러서는 선종이 유행하기 시작하였는데 이는 지방 호족이 대두되던 사회현상과 밀접한 연관을 지닌다.

불립문자(不立文字), 교외별전(教外別傳), 직지인심(直指人心), 견성성불(見性成佛) 등은 선종의 특징을 함축한다. 경전에 의거하지 않고 자기 안에 존재하는 불성(佛性)을 깨우치려는 선종은 밖으로부터의 모든 인연을 끊고 산 속에서 수행을 주로 하면서 불타(佛陀)에 귀의하려는 것이 아니라 각자가 가진 불성의 계발을 중요시하였다. 이러한 선종사상은 개인주의 성향을 지녀, 중앙정부의 간섭을 배제하면서 지방에 웅거하여 독자 세력을 구축하려는 지방호족의 의식구조와 부합하였다. 따라서 신라 말기 선종의 유행은 지방호족이 대두되던 사회상과 떼어놓고 생각할 수 없다.

신라 승려 가운데 당나라에 유학하여 큰 족적을 남겨 불교의 발전에 크게 이바지한 사람으로 원광(圓光), 자장(慈藏) , 원측(圓測) , 의상(義湘) , 혜초(慧超) , 지장(地藏) , 무상(无相) 등을 꼽을 수 있을 것이다. 그 중 지장은 절강성 항주 영은사의 선재동자 53인 조각상에 들어있다. 당에서 지장의 영향력은 대단하였다. 개원 연간에 장안에서 현종을 만났고 안사(安史)의 난 때 피난지 촉에서도 현종을 만났으며 현종은 지장에게 사찰을 창건하게 하였다. 그러나 신라에 선종을 전한 승려는 신행(神行)과 도의(道義)이다. 신행(704~779)은 북선종(北禪宗)을, 784년에 당나라에 유학하여 821년에 귀국한 도의는 남선종(南禪宗)을 각각 전수하였다.

관휴는 위에서 거론한 신라 승려보다 훨씬 뒤에 태어나 활약한 사람이기에 그들과 교류하지 못하였다. 그럼 관휴와 교류했던 승려는 누구일까? 아쉽게도 문헌의 부족으로 그 이름을 알 수 없어 크게 유감스럽다. 관휴가 신라인에 관련하여 쓴 시는 도합 4수인데 승려에게 준 시가 2수이다.

「신라 스님이 본국에 돌아가는 것을 전송하며(送羅新僧歸本國)」

忘身求至教, 위험도 잊고 불도를 구하더니
求得却東歸. 도를 얻어 고향으로 돌아가시는구나.
離岸乘空去, 해안을 떠나 허공을 타고 가노라면
終年無所依. 한해가 다가도록 의지할 데 없으리라.
月冲陰火出, 달님은 도깨비 불 뚫고 나오고
帆拶大鵬飛. 돛은 붕새를 끼고 날아가리니
想得還鄉後, 생각컨대 고향에 돌아가고 나면
多應著紫衣. 임금님께 자색 가사 하사받으시리라.

관휴는 첫 구절에서 먼저 신라승이 머나먼 이국에 와서 만난을 무릅쓰고 불도에 용맹정진한 모습을 개괄하였다. 둘째 구절에서는 드디어 불도를 터득하고 고향으로 돌아가려는 신라승의 모습을 현재 시점에서 그리고 있는데 어조는 담담하지만 그 성취를 크게 평가하는 의미가 함축되어 있다.

셋째 구절부터 여섯째 구절까지는 배를 타고 해로로 귀국하는 신라승의 안위를 걱정하는 심정을 드러내고 있다. 셋째 구절에서 신라승이 건너야 할 바다를 '공(空)'으로 은유하여 아득하고 막막한 바다의 속성을 극적으로 형상화하였으며, 넷째 구절에서는 신라까지 항해하는 뱃길의 험난한 여정을 헤아리는 차원에서 '종년(終年)'이라 하였다. 다섯째와 여섯째 구절에서는 그런 황량한 항해에서 음산한 밤일수록 달이 솟아올라 주위를 비추고 돛은 붕새가

끼고 날 듯 바람을 갈라 쾌속 항해를 도울 것이라고 덕담을 한다. 끝 두 구절에서는 큰 수행을 이루고 돌아가는 신라승이 신라의 임금에게 발탁되어 신라의 중생을 제도하기를 기원했다. 현실 정치에 적극 참여하여 중생을 구제하고자 하였던 관휴다운 축원이라고 하겠다.

「신라승을 전송하며(送新羅衲僧)」

扶桑枝西眞氣奇, 일본 서쪽 신라국의 기이한 기운
古人呼爲師子兒. 옛사람들 그것을 사자(獅子)라고 불렀네.
六環金錫輕擺撼, 여섯 고리 주장자(拄杖子)를 가볍게 다루시니
萬仞雪嶠空參差. 눈 덮인 만 길 산 부질없이 뾰죽하여라.
枕上已无鄉國夢, 주무실 때 고향 꿈을 이미 꾸지 않으시나
囊中猶挈石頭碑. 행낭 속엔 석두대사의 비문이 들어있네.
多慙不便隨高步, 귀한 걸음 전송 못해 참으로 미안하나
正是風淸無事時. 지금이 바로 바람 맑고 일없는 때라오.

이 시 역시 신라로 돌아가는 승려를 전송하며 쓴 시이다. 이 시의 신라승도 누군지 문헌 부족으로 알 길이 없다. 첫째 둘째 구절에서 신라가 기이한 기운으로 가득한 불교의 나라라고 찬미하였다. 사자(獅子)는 뒷날의 표기이고 원래는 사자(師子)라고 썼다. 사자는 부처를 의미하는데 두려움이 없고 법력이 무한하기 때문이다. 이 시의 신라승은 관휴와 작별하려고 관휴가 거처하고 있는 촉의 선원으로 찾아간 듯하다. 넷째 구절, '눈 덮인 만길 산 부질없이 뾰족하여라'가 이를 짐작케 해준다. 또 그렇게 험준한 산이지만 신라승은 수행이 뛰어나 가볍게 그 산을 넘어 자신이 있는 곳에 왔다고 칭송하였다. 여섯 고리 주장자를 가볍게 다룬다는 앞 셋째 구절에 그럴 수 있는 신라승의 공력이 함축되어 있다.

다섯째 구절, '주무실 때 고향 꿈을 이미 꾸지 않으시나'는 신라승이 오랫동

안 타국살이를 하며 구법에 몰두하였으며 또 귀향에 연연하며 자신의 성취를 자처하지도 않았으나, 이미 귀향해도 충분한 법력을 온축하였다고 칭송하였다. 남악석두선사(南岳石頭禪師, 700~790)의 비문이 이미 그의 행낭에 있다는 여섯째 구절은 그도 석두선사처럼 스승을 능가한 위대한 선승이라는 평가를 함축하고 있다. 마지막 구절은 가는 길 함께 하지 못하지만 바람 맑고 시절도 편안하기에 무사히 귀국하리라는 기대를 나타낸 것인데 '바람 맑고 일없는 때'의 진정한 속뜻은 신라승이 성취한 위대한 덕이라 할 수 있다.

관휴의 신라승 전별시는 대체로 동정과 유대를 바탕으로 이국 유학의 성취를 칭송하고 장래를 축원하는 내용이 담겨있다. 표현이 다소 과장되어 있지만 진솔한 기운이 잔잔히 감돌고 있다. 이러한 정서는 그 신라승의 내면에 깊이 스며들었을 것이며 신라로 돌아온 그 신라승의 금도(襟度)와 활약에 자양분이 되었으리라.

시종 현실 정치에 참여하여 귀족 관료의 수탈과 전쟁의 참혹함에 시달리던 민중을 구제하고자했던 관휴는 왕건으로부터 선월대사(禪月大師)에 봉해지고 자색 가사를 하사 받았다. 그의 시집을 선월집(禪月集)이라고 명명한 것도 여기서 유래되었다. 자색은 고귀한 신분을 나타내며, 자색가사를 받았다는 것은 왕의 인정과 극진한 예우를 받았음을 의미한다.

그의 전송을 받고 귀국한 신라승들도 관휴처럼 신라의 현실 정치에 참여하여 부조리한 현실을 개혁하고자 노력하였을까? 관휴가 염원했던 것처럼 신라왕으로부터 자색가사를 받았을까? 천여 년이 지난 오늘, 중국과 우리의 오늘을 문득 되돌아보며 그들과 관휴가 나누었을 따스한 정과 고담준론이 간절히 그리워지는 건 무엇 때문일까?

고려를 기록한 『선화봉사고려도경』

쉬징

서긍(徐兢)

야오다용(상해교통대학교)

머리말

송 휘종(徽宗) 선화(宣和) 5년(1123)에 북송의 조정이 해동 고려에 사신을 파견하였다. 당시로서는 보기 드물 정도로 파견된 사신의 수가 많았고, 사신단의 규모가 상당히 컸다.

송나라 사신은 파견기간 동안 조정의 파견 의무를 다하였을 뿐 아니라 송나라와 고려의 우호관계를 돈독히 했다. 또한 이번 사신을 통해 고려의 역사, 자연환경, 세시풍속과 제도 및 송나라 사신의 경험, 견문 등을 체계적으로 소개하는 『선화봉사고려도경(宣和奉使高麗圖經)』이 출현하였다. 이것은 한중 양국의 교류 역사상 지금까지 완전하게 보존되어온 한국에 대한 중국인의 체계적인 기록인데, 작가는 바로 사신단에서 국신소제할인선예물관(國信所提轄人船禮物官)을 맡은 서긍이었다.

서긍의 됨됨이

서긍(徐兢, 1091~1153)은 자가 명숙(明叔)이고 호는 자신거사(自信居士)이다. 송나라 초기의 명신 서현(徐鉉)의 자손으로 전해지며 그 역시 스스로 '보대기성세가(保大騎省世家)'라고 썼다. 관료 집안 출신으로 증조부 때부터 조정에 재직하였다. 증조부 서상(徐爽)은 관직이 비서성 교서랑(祕書省校書郎)에 이르렀으며 조부 서사회(徐師回)는 조의대부(朝儀大夫)를, 부친인 서굉중(徐閎中) 또한 여러 관직을 거쳐 조청대부(朝請大夫)와 직비각(直祕閣)에 이르렀다.

서씨의 본은 건주 구녕(建州甌寧, 지금의 복건[福建] 소속) 사람이며, 그 조부와 함께 화주(和州) 역양(歷陽, 지금의 안휘[安徽] 소속)으로 이주하였다. 서긍은 부친이 악주법조(鄂州法曹)로 재직 중에 태어났다. 당시 호우가 내려 홍수가 나 부친이 가족을 이끌고 황학루(黃鶴樓)로 피난갔는데 서긍은 이 황학루에서 태어났다.

서긍은 어려서부터 범상치 않은 재능을 나타냈다. 전해져 내려오는 바에 따르면 태어난 후 몇 개월이 지나지 않았을 때 서화를 보면 좋아서 펄쩍 뛰었으며, 10대가 되자 더욱 비범한 재능을 보여 그가 지은 과거 문장(科學文章)은 재기가 발랄하고 문채가 화려해 사람들의 칭찬을 받았다.

18세 때에 정식으로 태학(太學)에 입학하여 공부하였는데 태학에서 여러 번 우수한 성적을 거두었다. 그러나 시운이 순탄치 않아 향시(鄉詩)만 보면 성적이 좋지 않았다. 휘종 정화 4년(1114)이 되어서야 전례를 따라 아버지 덕으로 관직에 나가게 되어 장사랑(將侍郎)에 보결된 다음 통주 사형조사 상서랑(通州司刑曹事尚書郎)에 제수되고 뒤에 또 지방에서 재직하게 되었다

바로 지방에서 재직할 당시 서긍은 국정운영에 탁월한 재능을 보였다. 서인(徐禋)이 왕명을 받들어 동남9로(東南九路)의 광물과 보화에 대해 조치할 때, 서긍을 불러 간판공사(幹辦公事)로 삼았다. 당시 정강(靜江, 지금의 광서[廣西] 소속)의 토호 황린(黃麟)이 대리국(大理國)의 사신을 이끌고 와서 조공하겠다고 장담하였다. 조정은 이를 의아하게 여겨 서인을 파견하여 진위를 조사하게 하였다.

황린은 조정의 세도가와 결탁하여 권세가 오령(五嶺)을 휘어잡았으므로 지방의 관리들도 그를 두려워하여 많은 사람들이 이 일을 맡기를 꺼려했다. 하지만 서인이 이렇게 껄끄러운 일을 서긍에게 넘기자 서긍은 오히려 "간단한 일입니다!"라고 했다. 그가 대리국의 사신이라는 자의 부하들을 소환하여 대리국이 건국한 때, 자연환경, 풍속 등에 대해 묻자 부하들은 전혀 대답하지 못하였다. 서긍이 이러한 방식으로 시험하자 대리국이 조공한다는 것은 허위임이 단시간 내에 드러났다. 오래지 않아 서긍은 옹구(雍丘, 지금의 하남성 기현[杞縣])에 파견되어 섭현사(攝縣事)로 재직했다. 그 곳에 한 형제가 서로를 고소한 일이 있었는데 오랫동안 해결되지 않았다.

서긍은 도착한 후 자리 하나를 마련하게 하고는 형제가 매일 같이 앉고 누

우며 밥도 한 그릇에 같이 먹으라고 했다. 오래 지나지 않아 두 형제는 크게 깨닫고는 서로를 붙들고 울면서 "장관께서 우리를 가르치려고 애를 쓰시는데 우리도 잘못을 계속 고집할 수 없으니 뉘우치고 스스로 새롭게 되기를 원합니다. 예전의 시비야 모두 아무것도 아닌 일인데 따질 것이 어디 있겠습니까" 라고 하였다. 그 후 이 형제 두 사람은 부모님께 효도하고 형제간에 우애롭기로 이름이 났고, 그 지역 사람들이 서긍의 교화를 받아 소송이 점차 줄었다.

서긍은 백성을 아꼈을 뿐 아니라 세력이 있고 간사한 자들을 두려워하지 않았으며 불법적인 일을 엄히 다스렸다. 경성 서부(京城西部)에 한 토호가 있었는데 권세가에게 빌붙어 도주범을 거두어 키우고 읍내에서 불법적인 행동을 거리낌 없이 자행하여 백성들에게 해를 끼쳤다. 서긍이 도주범을 체포한 후 이 토호가 또 수하를 교사하여 탈옥시켰다. 위기 상황에서도 서긍은 두려워하지 않으며 "지위고하를 막론하고 모든 백성은 천자의 법령을 따라야 한다. 법을 집행함에 있어서 차별 없이 대해야 하는데 그렇지 않으면 임금을 속이는 것이 된다. 나는 절대로 임금을 속이고 소인에게 아첨할 수 없다!"라고 하였다. 그는 주저 없이 결단을 내리고 관아의 문을 다시 닫고 탈옥한 자들을 다시 잡아들여 죄에 따라 법으로 다스렸다. 백성이 이 소식을 듣고 모두 쾌재를 불렀다.

오래지 않아 서긍은 또 조정에 의해 정주 원무(鄭州原武, 지금의 호남 소속)의 섭현사로 파견되었다. 그는 명을 받은 후 소문을 내지 않고 간소하게 홀로 파견지로 향했다. 당시 조정을 위해 석탄 일을 관리하는 관리가 있었는데 동생의 권세를 등에 업고 조정의 이름을 빌려 백성을 가혹하게 착취하고 걸핏하면 체포하여 체포된 사람들이 길에 가득하였다. 또한 격문을 보내어 서긍이 서긍 치하의 백성을 벌해야 한다고 주장했다.

서긍은 백성이 이 같은 고초를 당하는 것을 참지 못하여 조정에 상소하였다. 석탄 일을 관리하는 관리의 갖가지 불법행위를 열거하고 자신이 무고한 백성들의 죄를 대속하기를 원한다고 했다. 서긍이 용감하게 나서 정의를 위해 공정한 말을 하였기 때문에 폭정이 사라졌으며 백성도 편안한 삶을 누리게 되었다. 서긍은 지방통치에 능하기로 명성이 자자하였다. 당시 연국(燕國)의 정공(鄭公)이 서긍의 업적을 듣고 감탄하며 "지방관리가 모두 서긍 같다면 천하가 잘 다스려지지 않을 것을 어찌 근심하겠는가"라고 말할 정도였다.

선화 5년에 서긍은 또다시 국신소제할인선예물관(國信所提轄人船禮物官)의 신분으로 국신사 노윤적(路允迪), 부사 부묵경(傅墨卿)과 함께 고려 사신으로 파견되었으며, 돌아온 후 『선화봉사고려도경』 40권을 저술하여 진상하였다. 휘종은 이 책을 보고 매우 기뻐하며 서긍에게 동진사출신(同進士出身)을 내리고 지대종정승사(知大宗正丞事)로 발탁하였다.

남쪽으로 건너간 후, 서긍은 연강제치사 참모관(沿江制置司參謀官)을 지내고 오래지 않아 벼슬에서 은퇴하였다. 금나라가 남으로 침범하자 그는 가족과 함께 신주(信州)의 익양(弋陽, 지금의 강서[江西] 소속)으로 이주하고 익수(弋水)에 집을 짓고 원포(園圃) 10여 무(畝)를 가꾸었는데, 그 가운데 '세연지(洗硯池)'라는 연못은 경치가 고즈넉하고 아름다워 강남(江南)에서 유명하였다. 서긍은 소흥(紹興) 23년(1153) 5월에 향년 63세의 나이로 작고하였다. 후에 익양 옥정향 구봉(弋陽玉亭鄉龜峰)의 길원(吉原)에 묻혔다.

부모님께 효도하고 형제를 아끼는 마음은 서긍의 천성이었다. 황혼에 산속에 20년을 은둔하며 편안하고 한가로이 지냈으니 아마도 그의 마음을 상하게 하는 것이 없었을 것이다. 다만 산 속에 가로막혀 가족들의 무덤을 찾아보지 못함이 못내 아쉬웠을 뿐이다. 덕흥현(德興縣, 지금의 강서 소속) 청운불사(靑雲佛寺)에 조부의 사당을 모시고 자주 찾아뵙고 제사 지냄을 게을리하지 않았다. 소흥 21년(1151)에 마침내 역양(歷陽)으로 돌아가 조상의 묘소에 성묘할 수 있었다.

그의 형 부문각직학사(敷文閣直學士) 서림(徐林)은 당시 간신 진회(秦檜)의 진노를 사 남쪽지방 포양(蒲陽, 지금의 복건 소속)으로 좌천되었다. 그는 천리를 마다하지 않고 찾아와 오랫동안 머물며 돌아가기를 원치 않았다. 사람들이 돌아가기를 권하자 그는 이렇게 말했다. "수족같은 형제가 해를 입었는데 어찌 처자식을 돌볼 수가 있겠는가?" 서긍은 또한 선행과 베푸는 것을 좋아했고 재물을 하찮게 여겼다. 남의 어려움을 자신의 어려움보다 더 중하게 여겼다.

하남소윤(河南少尹) 허방(許滂)이 서긍과 함께 배를 타고 팽택호(彭澤湖)를 건넜는데 도중에 허방이 탄 배가 뒤집혔다. 서긍은 허방의 가족 200여 명을 구하고 많은 선물을 주었다. 허방이 후에 사람을 보내어 예물로 감사의 뜻을 표하려 했지만 서긍은 완곡하게 거절하고 아무것도 취하지 않았다.

서긍은 옛 친구인 송포(宋浦)의 관채(官債)를 갚고 감옥에서 나오도록 적극적으로 도왔다. 누구든지 그를 찾아오면 예를 갖추어 정성껏 대하고, 남이 구하는 바가 있으면 경중을 따지지 않고 모두 응해주었고 늘 가난을 구제해 주었다. 남의 우환을 도와주고 선을 베풀기를 스스로 기뻐하였다. 따라서 가는 곳마다 백성들이 모두 그를 따랐다.

서긍은 학식이 깊고 넓었으며 독서를 좋아하여 고금의 책을 모두 섭렵하였다. 위로는 불교와 도교, 고전 및 역사책부터, 아래로는 산해경(山海經)과 지리지(地理志), 방언(方言), 소설(小說)까지 두루 읽어 연구하여 꿰뚫지 않은 것이 없었다. 늘 훤히 아는 상태에서 일을 논하니 그 절묘함에 자리에 있던 모든 사람들이 탄복하였다. 그는 재기가 있고 민첩하며 붓을 들어 글을 쓰면 일필휘지하고 쉬지 않고 써 내려갔다. 특히 가시(歌詩)에 능하였다.

화주(和州)의 서초(西楚) 패왕 항우(項羽)의 묘를 지난 적이 있는데 다음과 같이 시를 지었다. "진나라와 한나라가 서로 싸우나 모두 뜻을 이루지 못하는데, 서초패왕의 형세가 먼저 북두성을 따라 기우네. 깊은 한(恨)만이 깊은 밤 오강(烏江)에 서리어 있어 지금까지도 초가(楚歌)를 지어 부르네" 당시 저명한 시인 중서사인(中書舍人) 한국(韓駒)은 이 시를 보고 감탄하며 "후인들이 아마도 붓을 들고 시를 쓰지 못할 것 같다"라고 말하였다.

그는 회화에 능하고 산수나 인물 그림에 모두 뛰어났다. 또한 음악에 정통하고 휘파람을 잘 불었는데, 한가할 때 피리 소리에 맞춰 휘파람을 불게 하면 그 소리가 피리 소리보다 더 울리면서 숲을 진동하는 것이 마치 난새와 봉황이 함께 있는 듯하여 사람들이 감탄을 금치 못했다. 늘 객과 대작을 하였는데 거나하게 술에 취해 이야기꽃을 피우거나 서화를 함께 하기도 하고 퉁소를 불고 거문고를 연주하니 마치 신선과 같았다.

서긍은 서예에 조예가 깊었다. 각 서체에 능했고 특히 전서에 뛰어났다. 진서(眞書)와 행서(行書)가 힘이 있고 아름다우며 소탈하기까지 하여 저수량(褚遂良), 설직(薛稷), 안진경(顔眞卿), 유공권(劉公權) 등 대가들의 오묘함을 모두 가지고 있었다. 말년에는 초서를 좋아하여 자유자재로 거침이 없었으며, 회소(懷素)에 버금갔다. 그의 서예는 휘종의 사랑을 받아 선화 4년(1122)에 조정에 특별히 서학(書學)을 개설하고 당계(唐稽), 미원휘(米元暉), 서긍 등을 박사로 추대하였는데, 선화삼박사(宣和三博士)라고 불리었다.

휘종이 서긍을 궐 안으로 불러들여 '진덕수업(進德脩業)'이라는 4자를 쓰게 하였는데 글자의 크기가 매우 컸다. '업'자를 쓸 때는 특별히 운필 순서를 바꾸었고 중간의 1획을 남겨 두었다가 마지막에 최후의 1획을 내리그었는데, 둥근 돌이 천인(千仞) 벼랑에서 떨어진 듯 글자가 혼후하면서도 굳세었다. 휘종은 그 자리에서 놀라움을 금치 못하며 칭찬했으며 주변 사람들은 자기도 모르게 소리지르며 갈채를 보냈다

서긍은 특히 전서에 정진했는데 한결같이 진나라 이사(李斯)를 숭상했다. 휘종 대관 연간(大觀, 1107~1110)에 하간(河間)의 유기(劉跂)가 태산에 올라 이사의 소전각석(小篆刻石)을 두루 찾아 이를 탁본하여 세상에 전했다. 서긍은 이 탁본을 얻은 후 이를 보물 다루듯이 아끼고 감상하면서 이사의 필법을 모두 간파하였다. 여기에 삼대(三代)의 박종(鎛鍾)과 정이(鼎彝)에 새겨진 문자를 살피고 대전(大篆)과 소전(小篆)의 서법을 살폈다. 그가 쓴 전서는 필력이 예스러워 투박하고 힘이 느껴지는 곳은 종이 위에 쓴 것이 아니라 금석에 새겨진 듯하였다. 그 당시 사람들은 서긍을 서예의 대종(大宗)이라 여겼으며,

서긍이 쓴 작은 작품도 신주단지를 모시는 듯 아꼈다.

저작 과정

송나라 조정과 고려의 관계는 우여곡절이 많았다. 고려는 태조 왕건(王建)이 918년에 건국한 후 사자를 중국에 파견하여 당나라 왕조의 책봉을 받았다. 후에 고려와 중국의 중원왕조는 계속 좋은 관계를 유지해 왔다.

송나라 때에는 태조 조광윤(趙匡胤)이 960년에 정식으로 건국한 이래로 건륭(建隆) 3년(962) 10월에 고려 사신을 파견하여 조공을 바쳤으며 이듬해 봄에는 북송 조정이 조서를 내려 광종에게 추성순화보의공신(推誠順化保義功臣)을 하사하였다.

광종이 세상을 떠난 뒤, 경종이 임시로 나라를 다스리면서 사신을 파견하자 송나라는 또 개보(開寶) 9년(976)에 경종을 고려 국왕으로 책봉하였다. 그 후 송나라와 고려는 계속 왕래가 있었는데 송나라 조정은 고려에 당시 막 출간한 『대장경(大藏經)』(개보장[開寶藏])까지 하사하였고 후에 고려도 이를 모방하여 『고려대장경(高麗大藏經)』을 새겼다.

그러나 고려가 중국 북방 거란의 핍박을 받고 송나라 조정이 고려를 오해하고 의심하게 되면서 인종(仁宗) 천성(天聖) 8년(1030)에 고려가 송나라에 사신을 파견하고 이듬해 송나라가 고려 사자를 호송하여 돌려보낸 후 양국은 40여 년 동안 정식 교류가 없었다.

그 후 신종(神宗) 희령(熙寧) 3년(1070)에야 비로소 송나라와 고려는 또다시 정식으로 교류하기 시작했다. 그 해 고려 문종은 송나라에 사신을 보냈다. 신종 원풍(元豐) 원년(1078)에 송나라 왕조는 또다시 고려에 사신을 정식으로 파견하고 고려인들의 환영을 받았으며 송과 고려의 왕래가 전성기를 맞게 된다. 휘종 때 송과 고려는 계속 우호관계를 유지하였고 양국의 관계가 지속적으로 발전했다.

정강의 변(靖康之變) 이후, 고려에 대한 송나라 왕조의 시기 질투가 또다시 심해졌다. 남송 초기에 양국 관계는 이미 더 이상 이전의 전성기로 돌아가지 못했으며 효종(孝宗) 융흥(隆興) 2년(1164) 이후에 양국의 공식 왕래가 또다시 단절되었다. 이때부터 송나라가 망할 때까지 송나라와 고려 사이에는 더 이상 공식 왕래가 없었으며 이는 참으로 유감스러운 역사적 사실이 아닐 수 없다.

서긍이 이번에 사신단에 오른 것은 바로 휘종 선화 연간이었으며 송나라와 고려 관계의 황금기였다. 송나라 조정은 이번 사신 방문을 매우 중시하였다. 『선화봉사고려도경』에 따르면 "선화 4년 임인년 봄 3월에 급사중(給事中) 노윤적(路允迪), 중서사인(中書舍人) 부묵경(傅墨卿)을 국신사(國信使)와 국신부사(國信副使)로 하여 고려에 파견하도록 조서가 내렸다. 가을 9월에 고려 예종이 사망하여 제사와 조문을 겸하여 가도록 명이 내렸는데, 이는 원풍 연간의 고사를 따른 것이다"라고 하였다. 이듬해 봄 2월 18일에 다급히 배를 준비하여 3월 14일에 배를 타고 개봉(開封)을 출발하고 5월 3일에 사명(四明)에 배를 정박하고 16일에 정식으로 명주(明州)를 출발하여 고려로 향했다(『선화봉사고려도경』제3~4권 바닷길, 호두산[虎頭山]). 6월 12일에 고려 예성항(禮成港)에 도착하였다. 고려에서 1개월 남짓 체류하다 7월 13일 순천항을 출발하여 8월 27일에 정해현(定海縣)에 도착하여 방문 임무를 순조롭게 마쳤다.

장효백(張孝伯)은 「송고상서형부원외랑서공행상(宋故尚書刑部員外郎徐公行狀)」 중에서 다음과 같이 말했다. "선화 6년에 고려가 조공을 바치고는 글씨를 잘 쓰는 사람을 얻어 고국에 돌아가고 싶다고 황제에게 청하여 급사중 노윤적을 이어 사신으로 보냈는데 이때 공을 국신소제할인선예물관(國信所提轄人船禮物官)으로 삼았고 이로 인하여 『고려도경(高麗圖經)』 40권을 저술하게 되었다" 이때 '6년'은 '4년'을 잘못 표기한 것이다.

이번에 고려가 "글씨를 잘 쓰는 사람을 얻어 고국에 돌아가고 싶다"고 하여 서긍이 사신과 함께 고려로 갈수 있었으니 당연히 그의 서예 실력과 관계가 있다. 서긍도 확실히 명을 욕되게 하지 않아 임무를 다하였을 뿐 아니라 여정에서 관심을 기울여 성실히 기록하고 귀국한 후에 이를 정리하여 『선화봉사고려도경』 40권을 편찬하여 진상했다.

중국 문사(文士)가 해동 고려에 대해 줄곧 동경의 마음을 품고 고려에 사신으로 가는 여정과 고려의 풍토와 인심을 기록한 저서는 당나라 때 이미 나왔는데, 『구당서(舊唐書)』 경적지(經籍志)에는 작자 미상의 『봉사고려기(奉使高麗記)』 1권과 배구(裴矩)의 『고려풍속(高麗風俗)』 1권이 기재되어 있다.

후에 오대(五代)를 거치고 북송 후기까지 양국의 교류가 활발해지면서 이런 종류의 저서가 다시 등장했다. 『송사(宋史)』 예문지(藝文志)에는 남당 장료(章僚)의 『해외사정광기(海外使程廣記)』 3권과 북송 오식(吳栻)의 『계림기(雞林記)』 20권, 왕운(王雲)의 『계림지(鷄林志)』 30권, 손목(孫穆)의 『계림유사(鷄林類事)』 3권, 서긍의 『선화봉사고려도경』 40권, 작자 미상의 『고려일본전(高麗日本傳)』 1권과 『사고려사찬(使高麗事纂)』 2권이 기재되어 있다. 그 중에서 대표작으로 오늘날까지 전해지고 있는 것은 바로 서긍이 저술한 『선화봉사고려도경』이다. 서긍이 이 책을 쓰기 위해 매우 고심했다고 할 수 있는데 서긍 자신도 『선화봉사고려도경』 자서(自序)에서 다음과 같이 서술하고 있다.

'주위에서 자문을 구한다'라고 시경(詩經)의 황황자화(皇皇者華)에서 노래하였으니 일을 두루 물어보는 것이 바로 사신의 직무입니다. 삼가 눈과 귀로 들은 바로 인하여 여러 설을 두루 수집하여 중국과 같은 것은 버리고 다른 것만 취하였습니다. 총 300여 조를 정리하여 40권으로 편찬하고 사물의 형태를 그리고 설명하였는데 책명을 『선화봉사고려도경(宣和奉使高麗圖經)』이라 하였습니다.

신이 숭녕(崇寧) 연간에 왕운이 쓴 『계림지(鷄林志)』를 보았는데 이 책에서 여러 설을 기록하기 시작하였으나 형태까지 그리지는 않았습니다. 최근 사신으로 갈 때

이 책을 가지고 참고하여 도움이 많이 되었습니다. 지금 신이 저술한 『선화봉사고려도경』은 손으로 펼치면서 보면 이역만리가 모두 눈앞에 펼쳐지니, 한나라 마원(馬援)이 쌀알을 모아 산과 골짜기의 모양을 만들어 놓고 작전을 짜던 것을 모방한 것입니다.

과거 한나라 때에 장건(張騫)이 월저(月氏)에 사신으로 가서 13년이 지난 후에 귀국하였지만 그가 경험한 나라의 지형과 물산을 말했을 뿐입니다. 신은 재주가 장건만 못하며 고려에서 한 달 남짓 체류한 게 고작이고 사신의 관사를 배정받은 후에는 병사가 지켜 사신의 관사를 나선 것이 대여섯 번에 불과합니다. 수레를 달릴 때와 사람들과 술자리를 가질 때 보고 들은 시간이 13년만큼 길지는 않았지만 건국과 정치의 요체와 풍속과 사물의 상황을 대략 알아내어 이것들이 그림과 기록에 모두 반영되게 하였습니다. 감히 해박함을 자랑하고 경박함을 꾸며 황제의 귀를 더럽히려는 것이 아니고, 사실을 수집하여 조정에 보고해 사신의 책임을 조금이나마 다하려는 것입니다.

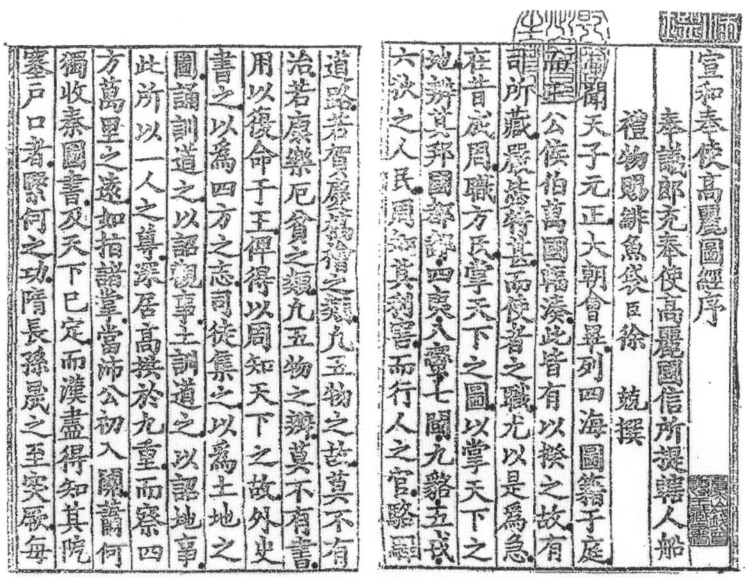
宣和奉使高麗圖經序
奉議郎充奉使高麗國信所提轄人船
禮物賜緋魚袋臣徐 兢撰
臣聞天子元正大朝會畢列四海圖籍于庭
而王公侯伯萬國[illegible]湊此皆有以揆之故有
司所藏歷[illegible]特甚而使者之職尤以是爲急
在昔成周職方氏掌天下之圖以掌天下之
地辨其邦國都鄙四夷八蠻七閩九貉五戎
六狄之人民周知其利害而行人之官[illegible]
道路若[illegible]之類九五物之甚莫不有
治若康樂厄貧之類九五物之辨莫不有書
用以復命于王俾得以周知天下之故外史
書之以爲四方之志司徒集之以爲土地之
圖誦訓道之以詔觀事土訓道之以詔地事
此所以一人之尊深居高拱於九重而察四
方萬里之遠如指諸掌當沛公初入關蕭何
獨收秦圖書及天下已定而漢盡得知其阨
塞戸口者蕭何之功隋長孫晟之至突厥每

『선화봉사고려도경서(宣和奉使高麗圖經序)』

이에 따르면 서긍의 책은 사신 파견 길에서 이역만리의 타향에서 보고들은 견문, 특히 중국과 다른 그곳의 사물이 손으로 펼치면서 보면 쌀알처럼 점점이 나열되게 만들었다. 또한 이러한 자료는 '사물을 단순히 설명'할 뿐 아니라 '사물의 형태를 그림으로 만든 것'으로 그림이 있고 형태가 있다.

이밖에 그는 고의로 과거 숭녕 연간에 왕운이 저술한 『계림지』와 비교 대조했는데, 『계림지』에 비해 그림이 많았다. 또한 이 『선화봉사고려도경』은 "이 책을 가지고 참고하여 도움이 많이 되었습니다"라고 하였으니 내용도 『계림지』보다 풍부하다. 또한 서긍은 『선화봉사고려도경』을 저술할 때의 어려움을 스스로 언급했다.

고려에서 한 달 남짓 체류한 게 고작이고 사신의 관사를 배정받은 후에는 병사가 지켜 사신의 관사를 나선 것이 대여섯 번에 불과합니다. 수레를 달릴 때와 사람들과 술자리를 가질 때 보고 들은 시간이 13년만큼 길지는 않았지만 건국과 정치의 요체와 풍속과 사물의 상황을 대략 알아내어 이것들이 그림과 기록에 모두 반영되게 하였습니다.

서긍이 고려에 머문 시간과 활동한 지역이 한계가 있었지만 곳곳에 관심을 기울이고 늘 기록하여 건국과 정치의 요체와 풍속과 사물의 상황을 대략 알아내었을 뿐만 아니라, 그의 책은 기록에 그림까지 붙였으니 그가 심혈을 기울인 작품이라고 할 수 있을 것이다.

『선화봉사고려도경』이라 하였으니 이 책에는 원래 그림이 있었던 것인데, 이 책의 운명이 파란만장하였다. 서긍의 조카 서천(徐蕆)은 건도(乾道) 3년(1167) 하짓날에 이 책의 발문(跋文)에서 다음과 같이 말했다.

중부(仲父)께서는 책을 어부(御府)에 바치고 그 부본(副本)을 집에 보관하고 있었다. 정강(靖康) 정미년(1127) 봄에 동네 사람 서주빈(徐周賓)이 그것을 빌려다 보았는데 반환되지 않은 채 도적이 쳐들어와 책의 소재를 모르게 되었다. 그 후 10년이 되어 아버님께서 강서(江西)의 조운사(漕運使)로 홍주(洪州) 강서성 남창현(江西省南昌縣)에 주재하고 계셨는데 중부께서 오셨다. 그때 어떤 이가 말하기를 '군아(郡衙)에 북방의 의원 상관생(上官生)이 있는데 그가 이 책을 얻었다' 하기에 급히 찾아가 보았더니, 그 중에 성한 것은 단지 해도(海道) 2권뿐이었다.

중부께서 한번은 나에게, '세상에 전해지는 내 책은 왕왕 그림은 없어지고 기록만 남아 있는데, 내가 옛 기억을 살려 그림을 그려내는 것은 어렵지 않다'라고 한 적이 있었는데 그 일을 하지 못했다. 아아, 관 뚜껑을 덮으면 일은 끝나버리는 것이다. 우선 이것을 판각하여 징강군(徵江郡)의 군재(郡齋)에 남겨 두거니와 뒤에 오는 사람들은 그래도 참고할 수 있을 것이다.

서긍이 이 책을 조정에 헌납한 후 휘종의 인정을 받았지만 정본은 돌려받지 못했다. 후에 변경(汴京)에 전강의 변(靖康之變)이 발생하여 이 책의 정본도 아마 잿더미로 변했을 것이다. 서긍이 정본을 조정에 헌납할 때 부본을 기록하여 집에 보관해 두었다. 전강 2년 정미년(1127) 봄에 마을 사람이 빌려서 본 후 반납하지 않은 상태에서 도적이 쳐들어와 이 책의 행방이 묘연해졌다.

10년이 지나고 서씨 가문이 강서 홍주(江西洪州)에서 다시 한 의원에게서 이 책의 부본을 다시 얻었다. 그러나 완전히 보존된 것은 바닷길을 기록한 2권뿐이었다. 서긍은 "세상이 전해지는 이 책에는 그림은 없고 글만 남아있으니 자신이 옛 기억을 되살려 그림을 그려내는 것은 어렵지 않다"고 하였다. 하지만 그러지 못하고 세상을 떠났다.

서찬이 징강군의 군재에서 이 책을 다시 판각한 것은 분명 문헌을 보존하기 위함이었지만 동시에 후대 사람들이 참고할 수 있도록 하기 위함이었다. 이 책이 그림은 존재하지 않지만 문자는 전해질 수 있어 후세에게 천여 년 전 고려에 관한 사실을 기록으로 남길 수 있던 것은 실로 불행 중 다행이라 할 수 있다.

내용 특색

서긍이 저술한 『선화봉사고려도경』의 내용은 매우 풍부하여 고려 왕실의 세계(世系)와 인물, 역사연혁, 전장제도, 풍속예절, 성읍과 궁궐, 기물과 산물 및 중국에서 고려로 가는 해상 여정, 산천의 거리 등 모두를 기록하였으며 총 300여 조(條)에 달한다.

이 책은 40권으로 나뉘어져 있으며 그 중에는 고려 건국에 관한 1권, 왕실 세계에 관한 1권, 성읍 1권, 대궐의 문 1권, 궁전 2권, 관복 1권, 인물 1권, 의물(儀物) 2권, 장위(仗衛) 2권, 병기 1권, 깃발 1권, 거마(車馬) 1권, 관청 1권, 사당 1권, 불교도교(佛教道教) 1권, 평민 1권, 부인 1권, 하인 1권, 풍속 2권, 절장(節仗) 1권, 받은 조서 1조, 연례(燕禮) 1권, 관사(館舍) 1권, 공장(供張) 2권, 기물 3권, 배 1권, 바닷길 6권, 동문(同文) 1권이 있다. 이 목록에서 이 책이 고려에 대한 전반적인 기록임을 알 수 있는데 예컨대 1권의 건국, 1권의 세계에서 고려의 역사를 엿볼 수 있다.

4권 대궐의 문, 5권과 6권의 궁전에서 당시 고려의 수도 송경(松京)의 옛 제도를 볼 수 있다. 34권부터 39권까지의 바닷길 6권은 중국에서 고려로 가는 해상 여정을 더욱 상세히 기록하여 실록이라 불릴 만하며, 정제된 언어로 묘사하여 기행문의 진품(珍品)이라 할 만하다. 40권 동문은 또 고려와 중국이 정월 초하루, 유학, 음률, 도량형 면에서 같은 것을 기록하여 중국과 고려가 같음을 보였다.

『선화봉사고려도경』은 고려의 모든 방면의 상황을 기록해 당시 고려에 대한 백과사전이라고 할 수 있다. 예를 들면 3권 성읍은 고려와 기타 주변국의 차이점에 대해 아래와 같이 기록했다.

사이(四夷)의 임금들은 흔히 산과 계곡을 의지하거나 물과 풀이 있는 곳을 따라 수시로 옮겨다니기를 편리하게 여겼으므로, 나라에 도읍의 제도를 만들 줄 알지 못하였다. 서역(西域)의 거사(車師) · 선선(鄯善) 등 나라만 겨우 담장을 쌓고 성(城)으로 지을 줄 알았으므로, 사가(史家)들이 그것을 가리켜 '성곽 제국(城郭諸國)'이라 하였으니, 대개 그 특이함을 기록한 것이다.

그러나 고려 같은 나라는 그렇지 아니하여 종묘(宗廟)와 사직(社稷)을 세우고, 고을과 마을을 만들고, 높은 성첩(城堞)을 둘러쌓아 중화(中華)를 모방하였으니, 아마도 이것은 기자(箕子)가 봉작(封爵) 받은 옛땅이라서 중화의 전해 오는 풍속과 습관이 아직도 남아 있는 것이 아닌가 한다. 조정에서 간간이 고려를 위무하기 위하여 사신을 보내어 그들의 땅에 들어가면, 성곽들이 우뚝우뚝하여 실로 쉽사리 업신여길 수 없다.

여기에서 당시 고려의 문명 수준은 기타 주변국들보다 높았고 중국과 비슷한 수준이었다. 3권 무역을 예로 들어보자.

고려의 고사(故事)에, 매양 사신이 이르게 되면 사람들이 모여 큰 저자를 이루고 온갖 물화(物貨)를 나열하는데, 붉고 검은 비단은 모두 화려하고 좋도록 하려고 힘쓴다. 그러나 금과 은으로 만든 기물은 모두 왕부(王府)의 것을 때에 맞추어 진열한 것이지 실제로 그 풍속이 그런 것은 아니다. 숭녕(崇寧)이나 대관(大觀) 연간의 사자는 이런 것을 볼 수 있었는데, 지금은 그렇지 않다.

그 풍속이 거만하거나 방자함이 없이 오직 한낮에 시장을 벌여 남녀 · 노소 · 관리 · 공기(工技)들이 각기 자기가 가진 것으로써 교역하는데, 돈을 사용하는 법이 없이 오직 저포(紵布)나 은병(銀鉼)으로 교역한다. 값이 싼 일용(日用)의 잡동사니들은 쌀로 계산하여 값을 치른다. 그러나 백성들은 오래도록 그런 풍속에 익숙하여 스스로 편하게 여긴다.

여기에는 고려 시장의 무역 풍습을 기록하였다. 한낮부터 장이 서고 돈을 사용하지 않았다. 현지 백성들의 풍습이 소박하다는 것을 알 수 있는 동시에 예전과는 달리 고려 사회의 변화도 엿볼 수 있다. 6권 약국에서는 당시 고려의 의약 제도 상황을 볼 수 있다.

고려의 옛 풍속은 사람이 아파도 약을 먹지 아니하고 오직 귀신을 섬길 줄만 알아, 저주(咀呪)하여 이겨내기를 일삼는다. 왕휘(王徽, 문종) 때 사신을 보내어 입공(入貢)하고 의술(醫術)을 구해 간 뒤로부터 사람들이 점차로 배워 익혔으나 의술에 정통하지는 못했다. 선화(宣化) 무술년(1118)에 사신이 와서 글을 올려, 의관을 보내 가르쳐 주기를 청하므로, 황상이 그 건의를 허락하여 드디어 남줄(藍茁) 등을 고려로 보냈는데, 그런 지 두 해 만에 돌아왔다.

그 뒤부터 의술에 정통한 자가 많아져서, 보제사(普濟寺) 동쪽에 약국을 세우고 3등급의 관원을 두니, 첫째는 태의(太醫), 둘째는 의학(醫學), 셋째는 국생(局生)이라 하였다. 그들은 푸른 옷에 나무 홀(笏) 차림으로 날마다 그 근무하였다. 고려는 다른 물화는 모두 물건으로써 교역(交易)하였으나, 오직 약을 사는 것은 간혹 돈으로 교역하였다.

이 기록에서 고려의 의약 풍습의 변화 및 고려 의약에 대한 중국의 영향을 볼 수 있다. 3권 무역에서는 고려의 무역은 물물교환 형태로 직접적인 거래가 이루어졌으나 약을 구매할 때는 돈으로 의약을 교역했다. 여기에서 당시 고려가 의약을 중시했음을 알 수 있다. 당시 고려인들에게는 약값에 견줄만한 물건이 없었기 때문이다.

23권 토산품에서는 고려의 물산이 매우 풍부하다고 기록되어 있다. "고려는 산을 의지하고 바다를 굽어보며 땅은 척박하고 돌이 많다. 그러나 농사를 짓고 길쌈을 하며, 소와 양을 기르기에 알맞고 맛있는 여러 해물이 있다"고 하였다. 같은 권의 파종법에도 고려의 농사를 기록하였는데 고대 한국의 농업 생산 상황을 엿볼 수 있다.

나라의 강토가 동해에 닿아 있고 큰 산과 깊은 골이 많아 험준하고 평지가 적기 때문에 농토가 산간에 많이 있는데, 그 지형의 높고 낮음에 따라 매우 힘들게 개간하여 멀리서 바라다보면 사다리나 계단과 같다. 그 나라 풍속이 감히 사전(私田)을 가질 수 없고 대략 정전제(井田制)와 같아 관리나 민병(民兵)에게 등급에 따라 나라에서 내려 준다. 국모(國母) · 왕비(王妃) · 세자(世子) · 왕녀(王女) 이하는 다 탕목전(湯沐田)이 있는데, 150보(步)를 1결(結)로 삼았다.

백성이 8세가 되면 관에 문서를 내어 전(田)을 분배받되 결수에 차이가 있고 국관(國官) 이하 병리(兵吏) · 구실아치 · 진사(進士) · 공기(工技)에 이르기까지 일이 없으면 밭일을 하게 하고, 오직 변방의 수자리만은 쌀을 대어 준다. 그 땅에 알맞는 작물로 황량(黃粱) · 흑서(黑黍) · 한속(寒粟) · 참깨(胡麻) · 보리 · 밀 등이 있는데, 쌀은 멥쌀이 있으나 찹쌀은 없고 쌀알이 특히 굵고 맛이 달다. 소로 농사지을 때의 농구는 중국과 대동소이하므로 생략하고 싣지 않는다.

『선화봉사고려도경』은 자연과 사물 뿐 아니라 인간세상의 모습을 기록하였다. 예를 들면 8권 인물은 당시 고려 조정의 관제와 인재 선발의 정황을 기재하였다.

동남쪽의 나라들 중에는 고려의 인재가 가장 왕성하다. 나라에 벼슬하는 자는 귀신(貴臣)만은 족망(族望)이 높아서 되고, 나머지 벼슬은 혹 진사시(進士試)를 통하여 뽑히거나 혹 재물을 바치고 되기도 하는데, 세록(世祿)을 받는 벼슬까지도 등급이 있어 직(職)이 있고 계(階)가 있고 훈(勳)이 있고 사(賜)가 있고 검교(檢校)가 있고 공신(功臣)이 있고 제위(諸衛)가 있다. 이것은 본조(本朝, 송나라)의 관제를 고찰하여 본받되 개원례(開元禮)를 참작하여 만든 것이다.

특히 당시 고려 조정의 중신들에 대하여 수태사상서령(守太師尚書令) 이자겸(李資謙), 형부상서(刑部尚書) 윤언식(尹彥植), 상서예부시랑(尚書禮部

侍郎) 김부식(金富軾) 등은 모두 전문적으로 기술하였다. 김부식의 기록을 예를 들면,

김씨는 대대로 고려의 큰 씨족이 되어 전사(前史)에 이미 실렸는데, 그들이 박씨(朴氏)와 족망(族望)이 서로 비등하기 때문에, 그 자손들 중에는 문학(文學)으로써 진출한 사람이 많다. 김부식은 풍만한 얼굴과 거대한 체구에 낯빛이 검고 눈이 튀어 나왔다. 그러나 널리 배우고 많이 기억하여 글을 잘 짓고 고금 일을 잘 알아, 학사(學士)들이 진심으로 따르는 것이 그보다 앞설 사람이 없다. 그의 아우 김부철(金富轍) 또한 시(詩)를 잘한다는 명성이 있다. 일찍이 그의 형제들의 이름 지은 뜻을 넌지시 물어 보았는데, 사모하는 바가 있었다고 한다.

김씨는 고려의 명문세가이며 김부식도 당시 고려 문단의 맹주였다. 서긍은 "그의 형제들의 이름을 지은 뜻을 넌지시 물어보니 사모하는 바가 있었다고 한다"고 했는데, 사모하는 바는 송(宋)나라의 소식(蘇軾)과 소철(蘇轍) 형제였다. 김씨 형제의 이름을 지은 뜻에서 당시 고려인의 소식 형제에 대한 흠모하는 마음을 엿볼 수 있고, 송과 고려의 문화 교류가 매우 깊이가 있었음을 알 수 있다.

『선화봉사고려도경』은 서긍 일행이 고려에 사신으로 파견되었을 때의 경과와 견문에 대한 진실한 기록일 뿐만 아니라 언어면에서도 매우 특색이 있어 매우 정련되면서도 생동감 있게 사물을 기록하고 묘사하였다.

3권 형세에서는 고려의 수도 개경에 대하여 기록했다. "숭산(崧山) 중턱에서 성안을 내려다보면, 왼쪽에는 시내, 오른쪽에는 산, 뒤는 등성이, 앞에는 고개인데, 수목이 무성하여 형세가 '시냇물을 마시는 푸른 용'과 같았다"고 하였는데, 산과 물로 둘러싸여 있는 고려 경성의 형세가 실로 왕이 나올 기운을 갖추고 있다. 또한 경성의 민가를 묘사하기도 하였다. "왕성(王城)이 비록 크기는 하나, 자갈땅이고 산등성이여서 땅이 평탄하고 넓지 못하기 때문

에, 백성들이 거주하는 형세가 고르지 못하여 벌집이나 개미굴 같다. 띠풀을 베어다 지붕을 이어서 겨우 비바람을 막는다"고 하였다. 이것 역시 당시 고려 사회의 진실한 모습과 민생의 어려움을 보여주고 있다.

고려의 농경 제도에 대한 기록도 있다. "나라의 강토가 동해에 닿아 있고 큰 산과 깊은 골이 많아 험준하고 평지가 적기 때문에 농토가 산간에 많이 있는데, 그 지형의 높고 낮음에 따라 매우 힘들게 개간하여 멀리서 바라다보면 사다리나 계단과 같다"(23권 파종법)고 하였다. 사다리나 계단이라는 비유를 통해 고려 농지의 지형을 드러낼 뿐만 아니라 농사짓는 어려움을 보여준다. 이러한 부분은 말이 간결하면서도 특징을 모두 나타냈다.

이 책의 경물에 대한 묘사는 필력이 웅건하고 다채롭다. 예를 들면 서해(西海)를 다음과 같이 묘사했다. "그 물빛은 물속 깊이까지 어두워 먹처럼 검으니, 어느 순간 그것을 보면 간담이 서늘하다. 성난 파도를 내뿜으면 수많은 산들이 치솟아 있는 듯하다. 밤이 되면 파도 사이가 선명하게 빛나 불빛이 반짝이는 듯하다"(34권 서해)고 하였다. 바다 위의 성난 파도가 용솟음치는 모습을 생동감 있게 묘사하여 읽고 있으면 현기증이 날 정도이다.

또한 "밤에는 밀물이 세차게 쳐올라 눈 같은 파도가 부서진다"(35권 궤점[跪苫]), "밀물이 밀려와 물을 치면 그 소리가 우레와 같다"(36권 횡서[横嶼]), "수세(水勢)가 산협(山峽)에 묶여 놀란 파도가 해안을 치고 구르는 돌이 벼랑에 구멍을 내는데, 요란하기가 우레와 같다"(39권 급수문[急水門])고 하였는데, 이들은 모두 강한 필체로 바다 위에서 부딪히는 파도와 눈같이 흰 물보라가 날리는 장관을 묘사했다.

정지된 사물이라도 작가의 붓 아래서는 매우 생동감 있게 변한다. 고려의 청주(淸州)에 있는 마도(馬島)의 기록은 다음과 같다. "이날 유시(酉時) 후에 바람이 매우 세져 배가 날듯이 나아갔다. 알자전(軋子苫)으로부터 눈 한번 깜짝할 사이에 곧 마도에 정박하였다. 마도는 청주(淸州) 땅이다. 샘물은 달고 풀은 무성한데, 나라 안의 관마(官馬)는 일이 없으면 여기에 몰아다 기르므로 그런 이름을 붙이게 된 것이다. 그 주봉(主峰)은 묵직한데 왼팔로 둥그렇게 껴안고 있다. 앞의 돌부리 하나가 바다로 들어가 있어서 물과 부딪쳐 파도를 돌려보내는데, 물이 놀라 용솟음치는 것이 너무도 기괴하여 말로 형언할 수 없다"(37권 마도[馬島]) 여기에서도 마도의 주봉이 묵직이 우뚝 서 있다고 직접적으로 서술했지만 "왼팔로 둥그렇게 껴안고 있다. 앞의 돌부리 하나가 바다로 들어가 있다"에서는 분명 자연 산수를 의인화 하고 정적인 풍경을 생동감 있게 표현했다.

또한 산기슭에 "물과 부딪쳐 파도를 돌려보내는데, 물이 놀라 용솟음치는 것이 너무도 기괴하여 말로 형언할 수 없다"라는 표현은 바닷물의 일렁임으로 주봉의 장엄함을 역으로 부각시켰고, 동과 정이 서로 맞물려 신(神)과 기(氣)가 넘치는데, 여기에 다시 섬의 역사를 결합시켰다. "샘물은 달고 풀은 무성한데, 나라 안의 관마(官馬)는 일이 없으면 여기에 몰아다 기르므로 그런 이름을 붙이게 된 것이다"라는 기록은 인문과 자연을 융합시켜 마도를 여러 층차에서 더욱 의미심장하게 묘사하였다.

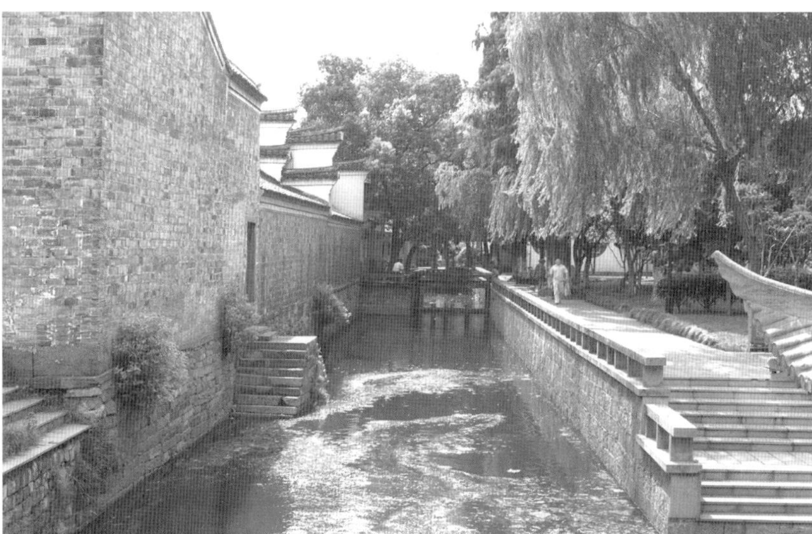

절강성 영파 보규항의 수로(© 장일규)

어떤 곳에서는 바람이 자고 파도가 잠잠하여 또다른 풍경을 자아냈다. 예를 들면, “날이 개어 맑고 바람과 파도가 잠잠하여 물빛을 내려다보면 바닥을 볼 수 있을 정도로 거울처럼 맑고 푸르다”(36권 빈랑초[檳榔焦])라고 하였다. 바다의 경관이 변화무쌍하여 작가의 문장도 풍부하고 다채롭다.

『선화봉사고려도경』에서는 자연경관의 묘사뿐만 아니라 인간 세상의 모습도 묘사되어 있다. 예를 들면 경성의 광화문(廣化門)을 기록할 때 문 위에 붙은 춘첩자(春帖子)의 시도 기록했다. “눈의 흔적이 아직 궁궐 섬돌에 있는데 햇살이 비로소 누각에 오르네”, “신하들이 잔을 올려 장수를 축원하니, 곤룡포 위에는 서광이 서리네”(4권 광화문)라고 하였는데, 이 두 대련에서 광화문의 특징을 알 수 있을 뿐만 아니라 중국 북송 초기에 유행하기 시작한 음력설에 춘련(春聯)을 붙이는 풍습이 이때 한국에 전해졌다는 것을 알 수 있다.

또한 책에 기록된 『연기문(燕紀文)』 1편 (6권 연영각전[延英閣殿])에서 당시 고려의 문교(文教)가 성했고 군신이 서로 화합하여 즐겼음도 알 수 있다. 바다 위의 거칠고 사나운 파도를 맞으며 고려의 예성항에 도착한 후에 사신 일행은 지금까지와는 전혀 다른 광경을 마주하게 된다. “고려인들이 수많은 무기 · 갑마(甲馬) · 기치 · 의장(儀仗)을 가지고 해안가에 늘어서 있고 구경꾼이 담장같이 둘러서 있었다”(39권 예성항) 라고 하였는데, “구경꾼이 담장같이 둘러서 있었다”는 말에서 당시 고려 사람들이 송(宋)나라 사신을 성대히 환영하는 모습을 볼 수 있고 당시 한국인의 중국인에 대한 열정을 느낄 수 있을 뿐 아니라 작가 일행이 타국에 처음 도착하여 열렬히 환영받을 때의 기쁨을 나타내기도 한다.

책에는 고려의 어가(漁歌)에 대한 기록도 있다. “배마다 10여 인이 밤에는 갑판을 울리고 삿대를 두드리며 노래 부르며 서로 화답하는데, 거위와 따오기의 무리가 우는 것 같이 시끄럽기만 할 뿐 조금도 소리의 곡조나 감정이 없으니, 대개 그 풍속이 그러하다”(19권 뱃사람) 뱃사람들이 밤에 갑판을 울리고 삿대를 두드리며 어가를 부르며 서로 화답하는데 그 소리가 시끄럽기는 해도 생활이 즐겁고 안정되며 그곳 풍속이 자연스럽고 순박함을 볼 수 있다.

자연과 인간사가 『선화봉사고려도경』중에 서로 교차되어 그 당시 고려사회의 진실된 풍경을 보여준다. 『선화봉사고려도경』은 실록(實錄)인 동시에 언어 예술의 걸작이다. 책 속 언어에서 작가의 문장의 풍부함과 심오한 언어 능력을 볼 수 있다.

전후 변화

『선화봉사고려도경』이 책으로 편찬된 후 고려에 대한 송인들의 인식에 매우 깊은 영향을 주었다. 남송의 장세남(張世南, 1195~1264)이 그의 저서 『유환기문(游宦紀聞)』에서 송과 고려의 교류를 기록했는데 특별히 이 책을 언급했다.

서긍이 귀국한 후 『고려도경』을 저술하고 건국과 정치의 요체와 풍속과 사물의 상황을 모두 기록하여 올렸다. 휘종이 그 책을 보고 매우 기뻐하며 그를 편전(便殿)으로 불러 동진시출신(同進士出身)을 하사하고 종승(宗丞)으로 발탁하여 서학(書學)을 겸하여 맡게 하였다. 그가 사신이 되었을 때 이자겸(밑줄은 필자)이 태사(太師)이자 상서령(尚書令)이었다. 고려 국왕은 이씨를 많이 받아들여 후비로 삼았으므로 이씨의 가문이 크게 빛났다.

이자득(李資德)은 그의 동생이었다. 김부식은 동접반(同接伴)이었다. 김씨는 큰 씨족이 되어 전사(前史)에 이미 실렸는데, 그들이 박씨(朴氏)와 족망(族望)이 서로 비등하기 때문에, 그 자손들은 문학(文學)으로써 진출하였다. 김부식은 풍만한 얼굴과 거대한 체구에 낯빛이 검고 눈이 튀어 나왔다. 그러나 널리 배우고 많이 기억하여 글을 잘 짓고 고금 일을 잘 알았다. 그의 아우 김부철(金富轍) 또한 당시 명성이 있다. 서긍이 일찍이 그의 형제들의 이름 지은 뜻을 넌지시 물어 보았는데, 사모하는 바가 있었다고 한다. 문장이 고려를 진동하였다는 말은 꾸며낸 말이 아니라고 한다(『유환기문[游宦紀聞]』 6권).

고려의 유명한 문신인 이자겸과 김부식에 대한 이곳의 기록은 『선화봉사고려도경』과 내용과 어구에서 많은 부분이 일치하거나 비슷하다.

고려는 본래부터 족망(族望)을 숭상하지만 국상(國相)은 대부분 훈척(勳戚)을 임용한다. 선종(宣宗)이 이씨(李氏)를 후비로 취한 뒤로 예종도 세자(世子) 때에 또한 이씨의 딸을 비(妃)로 맞았다. 이로 말미암아 이씨의 가문이 크게 빛났다(『선화봉사고려도경』 8권 수태사항서령[守太師尚書令] 이자겸).

김씨는 대대로 고려의 큰 씨족이 되어 전사(前史)에 이미 실렸는데, 그들이 박씨(朴氏)와 족망(族望)이 서로 비등하기 때문에, 그 자손들 중에는 문학(文學)으로써 진출한 사람이 많다. 김부식은 풍만한 얼굴과 거대한 체구에 낯빛이 검고 눈이 튀어 나왔다. 그러나 널리 배우고 많이 기억하여 글을 잘 짓고 고금 일을 잘 알아, 학사(學士)이 진심으로 따르는 것이 그보다 앞설 사람이 없다. 그의 아우 김부철(金富轍) 또한 시(詩)를 잘한다는 명성이 있다. 일찍이 그의 형제들의 이름 지은 뜻을 넌지시 물어 보았는데, 사모하는 바가 있었다고 한다(『선화봉사고려도경』 8권, 동접반 통정대부 상서 예부시랑 상호군 사자금어대 김부식[同接伴通奉大夫尚書禮部侍郎上護軍賜紫金魚袋金富軾]).

두 책을 비교하면 장세남의 이자겸과 김부식 2인에 대한 기록이 『선화봉사고려도경』에서 가져온 것임을 어렵지 않게 알 수 있는데, 여기에서도 이책이 송인들에게 직접적인 영향을 끼쳤음을 볼 수 있다. 서긍은 또 자기가 특별히 김부식과 김부철 형제의 이름을 지은 뜻을 물어본 적이 있는데 확실히 흠모하는 바가 있었다. 그들이 본받으려는 대상은 의심의 여지가 없이 당연히 중국의 소식, 소철 형제로 이소(二蘇)의 문인으로서의 명성이 중국에서 뿐만 아니라 해외로 멀리 전해졌다.

소식, 소철 형제는 문인으로서의 명성이 고려에서 매우 자자했지만 두 사람은 오히려 고려에 대하여 오해하고 있는 부분이 있었고 송나라가 고려와 우호관계를 맺는 것에 대해서는 더욱 부정적인 태도를 취하였다.

원우(元祐) 8년(1093)에 소식이 조정에 글을 올려 고려에 조공을 받는 것은 '다섯가지 해로움'이 있다고 했다. 그 중에 조정이 고려 사신을 오게 하면 송나라의 지방을 어지럽히고 송나라의 재물을 낭비하게 한다고 했는데, "얻은 조공은 모두 감상하는 물건으로 쓸데가 없고 잃은 것은 모두 국고의 물건으로 백성의 피와 땀이다", "이르는 곳마다 인마(人馬)와 기물을 빌려 도시를 어지럽히고 머무는 정자(亭子) 관사(館舍)를 꾸미느라 백성들의 힘이 암암리에 빠진다"라고 하였다. 또한 고려가 송과 우호관계를 맺는 것은 사실 이익 추구를 위해 오는 것이며 송의 재물과 문서를 얻어 송의 적국인 요(遼, 거란)에게 나눠줄 것이라고 하면서 "고려는 흠모하여 온다고 하지만 사실은 이익을 위해서이며 본심을 헤아려 볼 때 반드시 북로(北虜, 거란)를 위해 사용될 것이다", "고려가 얻는 것을 거란에게 나눠 주지 않았다면 거란이 어찌 고려의 조공을 받아들였겠는가, 이는 분명히 적에게 무기를 빌려주고 도둑에게 곡식을 보태주는 것이다"(『소식문집[蘇軾文集]』 35권 「논고려매수이해차자삼수[論高麗買書利害劄子三首]」의 첫 번째)라고 하였다. 그는 국가 안보의 관점에서 고려에 하사하는 것은 결국 적국에게 원조하는 것이며 전형적인 '강도의 군사로 곡식을 훔치는 것'이라고 여겼다.

또 다른 표문(表文)에서 소식은 "희령(熙寧) 이래로 고려인들이 누차 들어와 조공하였는데 원풍 말기까지 16~17년간 관사(館舍)에서 사신을 대접하느라 하사한 비용이 셀 수 없이 많습니다. 양절(兩浙), 회남(淮南), 경동(京東)의 3로(路)에 성을 쌓고 배를 만들며 정자와 관사를 지으며 백성을 징발하고 상인에게 해를 끼쳐 있는 곳마다 소동이 벌어지고 공적으로나 사적으로나 병이 들었습니다. 조정에는 아무런 이익이 없고 오랑캐만 헤아릴 수 없는 이익을 얻었습니다"(『소식문집』 30권 논고려진봉장[論高麗進奉狀]』)라고 하였다.

소식은 고려에 의구심을 품고 고려와 우호관계를 맺는 것은 국가에 불리하다고 여겼고 심지어 고려가 요(遼)와 은밀히 결탁했다고 추측하였다. 소철의 의견은 형과 비슷했고 고려와 관계를 맺는 것은 백해무익하다고 여겨 "그저 회남과 절강 천리가 접대에 필요한 물자를 마련하느라 수고하게 하고 경사(京師)의 모든 관아가 응대하느라 피폐하게 할 뿐이다"라고 하였다.

그는 고려를 여전히 이적(夷狄)으로 대하고 고려 사신이 방문하는 것은 거란을 위해 정보를 수집하기 위함이라고 하면서 "고려인들이 이르는 곳마다 유람하고 살피는 것은 허실을 엿보고 험한 곳의 지세를 그려서 몰래 거란의 눈과 귀가 되기 위함입니다. 혹자는 거란이 심복을 파견하여 고려의 세 사신 가운데에 숨겨두었고 고려는 하사품을 은밀히 나누어 절반이 거란에게 돌아가게 된다고도 말합니다"(『소철집』 46권 「걸재손대고려사건차자[乞裁損待高麗事件劄子]」)라고 하였다. 그 형과 마찬가지로 소철도 고려가 조공하는 것은 결국 요와 결탁한 결과라고 여겼다.

소식 형제의 의견은 당시 여론을 상당 부분 반영하였다. 하지만 조정이 고려와 우호관계를 유지하는 것을 반대한 것이 비록 국가와 백성을 위한 마음에서 나온 것이었더라도 고려에 대한 인식은 오히려 상당히 잘못되었으며 어떤 것은 억측에서 나온 것도 있었다. "소씨 형제처럼 기민한 사람도 이러한데 하물며 다른 사람은 어떠했겠는가" 여기에서 양국이 진정으로 교류하기가 얼마나 어려웠는지 알 수 있다.

그러나 휘종 연간의 여러 차례 교류 이후에 고려에 대한 송인(宋人)의 태도가 상당히 개선되었다. 예를 들어 서긍은 고려에 직접 다녀온 뒤에 고려가 송나라를 섬기는 것은 진심이라고 여겼는데, "내가 고려인들이 중국을 섬기는 것을 살펴보건대, 그들이 존호(尊號)를 내려주고 정삭(正朔)을 나누어 주기를 청하는 것이 공손하고 간절하여 입에서 떠나지 않았다. 강한 오랑캐(契丹, 즉 요[遼]를 말함)에게 핍박받게 되어 얼굴을 바꾸어 그들에게 복종하였지만 우리 조정을 그리워하여 사모하는 마음이 끝내 가슴속에서 떠나지 않았다…… 우리 조정은 고려와는 저토록 멀고 북쪽 오랑캐는 고려와 이토록이나 가깝다. 그러나 북쪽 오랑캐에게 붙은 것은 언제나 병력에 곤욕을 당해서이었으며, 그것이 좀 이완해진 것을 틈타서는 번번이 항거하였다. 지금의 조정을 섬기는 것으로 말하면 시종여일 진심이었는데, 비록 어쩌다 때때로 견제를 받아 소원대로 하지 못한다 하더라도 마음만은 금석처럼 굳었다"(『선화봉사고려도경』 4권)라고 하였다. 서긍은 여기에서 송과의 교류에 대한 고려의 본심, 요와 관계하는 고려의 실질에 대하여 직접적으로 기술하였다. 『선화봉사고려도경』이 책으로 편찬된 후 조정의 표창을 받았는데 송인의 고려에 대한 잘못된 인식을 바로잡는 역할을 하였다.

서긍 이후에 송인은 마음속으로 고려를 더욱 가까이 하였고 나라가 위급할 때에 많은 사람들이 고려를 신뢰할 만한 나라라고 여겼다. 예를 들어 흠종(欽宗) 정강 원년(1126) 7월에 송 조정이 고려에 사신을 파견하여 고려와 연합하여 금전(金田)을 치려 하였다. 이강(李綱)이 대신 초안을 작성한 「여고려국왕조서(與高麗國王詔書)」 중에도 고려 국왕에게 "군사들을 이끌고 안팎으로 협공하여 천벌을 내려야 한다"(이강 『양계집[梁溪集]』 33권)라고 호소하였다.

고종 건염(建炎) 2년(1127)에 절동로 마보군도총관(浙東路馬步軍都總管) 양응성(楊應誠)도 조정에 글을 올려 "고려에서 여진으로 가는 길이 매우 빠르니 신이 고려에 사신으로 가서 계림과 연합하여 이성(二聖, 휘종과 흠종)을 맞이하게 해주십시오"(『송사[宋史]』 487권)라고 하였다. 같은 해 금에 항거한 명장 종택(宗澤)은 고종의 수레를 돌리기를 청하는 상소에서 조정이 동으로 고려와 연합하여 두 개의 강을 정리하고 이성의 귀환을 맞이해야 한다고 청했다(「건염이래계년요록[建炎以來系年要錄]」 15권 참조).

고종 소흥 31년(1161)에 금나라 왕 완안량(完顏亮)이 남침했을 때 금에 항거한 명장 유기(劉錡)와 오린(吳璘)이 함께 발표한 격문에서도 고려 등의 국가가 송나라와 연합하여 금을 정벌하기를 바라면서 "오직 저 변방의 대국만

이 오랫동안 송나라의 우방이었고 우호관계를 맺고 있으며 아직도 전에 했던 맹세를 기억하고 있는데 국경이 막혀서 양국의 관계가 끊어졌습니다. 원컨대 우호관계를 돈독히 하여 함께 금나라를 정벌하소서"(「삼조북맹회편(三朝北盟會編)」 232권)라고 하였다.

남송 후기에 고려가 몽고에 신하로서 복종한 후에도 남송 재상 오잠(吳潛)은 고려가 몽고를 이끌고 송을 공격하러 오지 않을 것이라고 여겨 "오늘날 고려가 비록 몽고에게 복종했지만 늘 몽고를 의심하고 두려워하는 마음이 있어 섬으로 천도하여 몽고의 침략에 대비하고 있으니 결코 몽고를 이끌고 오지 않을 것입니다"(오잠 「허국공주의(許國公奏議)」 3권의 '주효유해구부위양민급관방해도사의[奏曉論海寇復爲良民及關防海道事宜]'라고 하였다. 이러한 의론과 주장은 모두 송나라에 대한 고려의 한결같은 마음을 의심하지 않은 것으로 북송시기의 고려에 대한 '이소(二蘇)'의 태도와는 대조적이다. 그 전환의 관건은 바로 서긍의 『선화봉사고려도경』의 탄생이 대표하는 휘종 시기 송과 고려의 진일보한 교류와 인식이었다.

맺음말

한중 양국은 가까운 이웃나라로 산과 바다가 서로 연결되어 있다. 서긍의 『선화봉사고려도경』은 내용이 풍부하고 기록이 매우 상세하며 사실적이다. 비록 그림이 남아있지 않지만 당시 고려에 사신으로 파견되는 여정과 고려에서 보고 들은 것에 대한 기록을 통하여 고대 한국 사회에 가장 신뢰할 수 있는 자료를 남겼을 뿐 아니라 당시 고려에 대한 중국인의 인식을 보여주었다.

고려에 대한 송나라 사람들의 견해를 더욱 심화시켰을 뿐 아니라 고려에 대한 송나라 사람들의 잘못된 인식을 고쳐주었다. 『선화봉사고려도경』은 역사상 한중 양국문화교류의 산물로 양국의 자연과 역사를 더 빛내주고 양국의 우호관계에 미담을 더하였다. 『선화봉사고려도경』은 송나라와 고려 사이의 산길과 바닷길을 기록한 『산해경(山海經)』이라 할 수 있으며, 고려 사회를 전방위적이고 사실적으로 보여주는 「청명상하도(清明上河圖)」이자 천 년 전 한중 양국의 우호 교류의 산증인이다.

한중 선비의 끈끈한 우정

니치엔

예겸(倪謙)

야오다용(상해교통대학교)

머리말

명나라(1368~1644)와 조선의 관계는 명의 건국시기부터 멸망까지 지속되었다. 특히 명 왕조와 조선 왕조(1392~1910)는 동고동락한 관계라 할 수 있다. 양국의 관계는 기나긴 역사 속에서 우여곡절을 겪었지만 결국 양국 백성의 선혈에 의해 끈끈한 우호관계가 형성되었다. 홍무(洪武) 원년(1368)에 명 왕조가 건국된 후 곧 명 태조 주원장(朱元璋)이 고려에 사신을 파견하여 새서(璽書)를 보냈다. 당시 고려 공민왕이 책봉을 청하자 명 태조는 사신을 파견하여 조서와 금인고문(金印誥文)을 보냈고 공민왕을 고려 국왕에 책봉하였다.

홍무 25년(1392)에 고려 이성계가 새 나라를 건국한 후 사신을 파견하여 국호 변경을 청했다. 명 태조는 옛 국호를 따라 국호를 '조선'으로 하도록 하였고 이때부터 조선 왕조와 2백여 년간의 교류가 시작되었다. 명 성조(成祖)가 등극한 후에도 관리를 파견하여 즉위 사실을 조선에 알렸다. 영락(永樂) 16년(1418)에 사신을 파견하여 세종을 조선 국왕으로 책봉하였다. 이후 명과 조선의 관계가 지속적으로 발전하였고 당시 조선의 지위는 여타 조공 국가들보다 높아서 "황제께서 북도로 천도하여 조선이 더욱 가까워지자 조선은 사대의 예(事大之禮)를 더욱 공경히 하였고 명나라도 조선을 더욱 예우하여 타국이 감히 넘보지 못하였다"라고 할 정도였다.

몽고 와라부(瓦剌部)는 조선이 중국을 배척하도록 유혹하였지만 조선은 단호히 이를 거절하였다. 또한 명나라 조정이 북방 정벌에 나섰을 때 조선은 군사 파견을 수용하고 요동에 군사를 모았다. 명과 조선의 사신 왕래가 끊이지 않았으며 각 방면의 깊이 있는 교류가 빈번하게 이루어져 명나라에서 조선은 "비록 속국이라 불리지만 같은 나라와 다를 바 없다"고 말하는 지경에 이르렀다.

만력(萬曆) 20년(1592)에 일본 권신 도요토미 히데요시(豊臣秀吉)가 군대를 파병해 조선을 침략하여 임진왜란(壬辰倭亂)을 일으켰다. 이 때에도 명나라 조정이 군대를 파견하여 혈전을 벌인 끝에 조선을 도왔고, 그 후 조선과 연합하여 만력 26년(1598) 말에 조선에서 왜적을 몰아냈다. 이를 계기로 조선인들은 명의 도움을 잊지 못하거나, 명나라가 멸망하자 한탄을 금치 못하기도 하였다.

명나라 멸망 이후에도 조선은 오랜 세월 동안 명의 연호로 연대를 기재하였다. 천계(天啓) 원년(1621) 이후에 비록 동북 만주족의 핍박을 받아 육로 왕래가 어려웠지만 조선은 바다를 통해 사신을 보냈는데, 사신은 등주(登州)와 내주(萊州)에 이르러서 육지에 오른 후 수도로 들어갔다. 동시에 조선은 요(遼) 지역이 모두 청에게 점령된 뒤 피도(皮島)에서 청나라에 저항하는 모문룡(毛文龍)에게 군량을 지원했다.

숭정(崇禎) 연간에 모문룡이 피살된 후 명나라 조정의 동북 정세가 날로 위급해졌다. 숭정 10년(1637)에 청나라 황태극(皇太極)이 조선을 정벌하자, 조선은 명나라에 지원을 요청하였고 명 조정은 조선에 수군을 파견하였다. 청나라 황태극은 조선을 정복한 후 군사를 피도로 돌렸고 오래지 않아 피도는 청나라 군대에 함락되어 "조선과 마침내 단절되었고 몇 해 되지 않아 명도 망하였다"(『명사(明史)』 고려전[高麗傳])라고 하였다. 명과 조선의 교류 역사는 서로 의지하는 관계(輔車相依 唇亡齒寒)라는 오랜 이치를 증명해 주었다.

명과 조선의 오랜 교류 속에서 양국의 특수하고 친밀한 관계 수립을 위해 많은 사람들이 공헌하였다. 경태(景泰) 초년에 조선에 파견된 사신 예겸(倪謙)은 비교적 이른 시기에 활동한 사람이었다. 그는 위기에 직면하여 명을 받아 조선의 선비들과 깊은 우의를 맺었고 그의 시문은 이국 친구들의 탄복을 받았다. 또한 청렴하고 신의를 지키는 그의 모습은 조선 군신들의 신임을 얻었고 양국의 우호교류의 기반을 다졌다. 또한 그는 사신의 행적을 기록하는 데 게을리 하지 않았을 뿐만 아니라 조선 선비들과 함께 읊은 시가를 직접 모아 『조선기사(朝鮮紀事)』와 『요해편(遼海編)』을 편찬하였는데 이것이 바로 중국과 조선의 우호 교류 및 문화교류의 역사적인 증거이다.

예겸의 생애

예겸(1415~1479)은 자가 극양(克讓)이고, 호는 정존(靜存)이다. 그의 조상은 변(汴, 지금의 호남성 개봉) 지역 사람이었다. 남송 때 전당(錢塘, 지금의 절강성 항주)으로 이주하였고, 명나라 초기에 수도로 건너가 응천부(應天府) 상원현(上元縣, 지금의 강서성 남경)의 호적을 지니게 되었다. 어려서부터 총명하고 기억력이 뛰어났고 학업에 매진하였다.

명나라 영종(英宗) 정통(正統) 3년(1438)에 응천부의 학생으로 향시(鄕試)에 합격하였고 정통 4년(1439)에 진사시(進士試)에 급제하였으며 중회시(中會試)에서는 제1갑 3등(第一甲第三名)의 성적으로 한림편수(翰林編修)가 되었다. 정통 14년(1449)에 시강(侍講)으로 진급하였다. 명나라 대종(代宗) 경태(景泰) 원년(1450)에 명을 받들고 조선에 사신으로 파견되었다. 경태 3년(1452)에 경연(經筵)에 입시하였고 오래지 않아 좌춘방 좌중윤(左春坊左中允)이 되고 시강(侍講)을 겸했다.

경태 7년(1456)에 『환우통지(寰宇通志)』의 편수에 참여하고 좌춘방대학사(左春坊大學士) 겸 시강이 되었다. 명나라 영종이 복위한 후 천순(天順) 원년(1457)에 통정사 좌참의(通政司左參議)가 된 후에도 시강을 겸임하였고 요형초 삼부(遼荊楚三府)에 제사를 지내기 위해 파견되었다가 수도로 돌아온 후에는 학사로 승진하였다. 천순 2년(1458)에 동궁의 강독관(講讀館)이 되어 태자의 학습을 도왔다. 천순 3년(1459)에 순천(順天)의 향시를 주관하였다. 권문세가의 자녀를 뽑지 않았기 때문에 모함을 당하여 하옥되고 후에 개평(開平, 지금의 하북성 당산[唐山])으로 귀향을 떠났다.

헌종(憲宗)이 즉위한 후 성화(成化) 원년(1465)에 학사로 복직되고 사관에 들어갔다. 그의 아들 예악(倪岳)과 함께 『영묘실록(英廟實錄)』을 편수하였다. 성화 5년(1469)에 정의대부(正議大夫)에 임명되고 남경 예부우시랑(南京禮部右侍郎)이 되었다. 성화 12년(1476)에 남경 예부상서(南京禮部尚書)로 발탁되었고 성화 15년(1479) 3월 18일에 금릉(金陵)에 있는 집에서 사망하였다. 태자소보(太子少保)가 추증되었고 문희(文僖)라는 시호가 내렸다. 『예문희집(倪文僖集)』, 『조선기사』, 『요해편』 등의 저서가 전해진다.

예겸은 갓 태어났을 때부터 남다른 면이 있었다. 두 눈이 번개처럼 번쩍였고 몸에 젖꼭지가 4개였다. 8~9세 때 날마다 수 만 자를 외우고 손으로 필사한 것은 평생 잊지 않아 한때 신동이라 불렸다. "평소에 부지런히 책을 읽어 읽지 않은 책이 없으며 학술에 조예가 깊었으므로 글을 지으면 문장이 자연스러웠으며, 주위에 원하는 사람이 있으면 바로 일필휘지로 써주었는데 말릴 사람이 없었다. 당시의 문장가로 선생을 중시했다"(유후[劉珝], 「문희예공묘지명[文僖倪公墓志銘]」)라고 하였다.

정통(正統) 9년(1444)에 가뭄이 들자 명을 받들고 북악(北岳)에 기도하러 갔는데, 제사를 마치자 큰 비가 내려 당시 사람들이 영험하다고 하여 이를 사당에 기록했다. 경태 연간(1450~1456)에 문화전(文華殿)에 입직하였는데 자문에 응할 때마다 그의 말들이 대부분 당시 시정에 도움이 되었다. 명을 받들어 시를 지으니 눈 깜짝할 사이에 완성하였고 문사가 아름다워 대종의 칭찬을 받았다.

천순 3년(1459)에 순천 향시를 주관할 때 공평하게 인재를 선발하여 세도가의 분노를 샀고, 이로 인해 모함을 당하여 하옥된 후 변경지역으로 귀향을 떠났다. "귀향 4년 동안 여유롭게 시와 술을 즐겼고 그곳 사람들이 그를 아껴 가족처럼 봉양했다. 선비들이 문하생이 되어 그에게 경전을 배워 많은 성과가 있었는데, 지금까지 과거 급제자가 적지 않은 것은 그의 공적이라고 할 수 있다"(진호[陳鎬], 「남경예부상서시문희예공겸전[南京禮部尚書謚文僖倪公謙傳]」)라고 하였다.

예겸의 아들 예악(倪岳)은 진사에 급제하였고, 아버지와 함께 한림에서 벼슬을 하였는데, 같은 날 황제의 명을 받고 사국(史局)에 들어가 『영묘실록』을 수정 편수하여 한 때의 미담이 되었다. 예악은 후에 이부상서(吏部尚書)에 올랐고 또 다른 아들인 예부(倪阜)는 사천 우포정사(四川右布政使)에 올랐는데 청렴하기로 이름이 났다. 이는 가히 가풍을 이어받았다고 할 수 있다.

예겸 형제는 별장을 지어 거주하였고 도시에 들어가지 않았다. 남들에게 동생과 조카가 높은 벼슬에 올랐다는 말을 들으면 귀를 막고 달아났다. 예겸은 형을 공경했고 평생 동안 나쁜 말을 하지 않았다. 형이 죽자 예겸은 형의 외동딸을 자기 아이보다 극진히 보살폈다.

예겸이 남경에서 상서로 재직할 때 마을의 길이 매우 좁고 주변에 철공소가 즐비했다. 예겸이 왕래하고 출입할 때 모든 사람들이 기립하자 예겸은 그들에게 "당신들은 나의 고향 사람들이니, 내가 출입한다고 하여 일에 영향을 받을 필요는 없습니다"고 말했다. 그가 여러 차례 설명한 후 많은 사람들은 그가 진심으로 하는 말임을 깨닫고 더이상 기립하지 않았다(탕빈[汤斌], 「의명사고열전[擬明史稿列傳]」 15권 참조).

예겸이 죽은 후 포정사(布政使) 만안(萬安)은 예겸을 위해 지은 「묘지명(墓志銘)」(『전각사림기[殿閣詞林紀]』 5권 "학사배예부시랑예겸(學士拜禮部侍郎倪謙) 중에서 다음과 같이 말했다. "위대하구나 문희(文僖)여, 자태와 용모가 남다르고 학식이 많은 사람들을 능가하고 문장이 아름다워 세상에 유명하였다. 한림에 벼슬하여 주옥같은 문장을 지어냈고, 외국에 사신으로 나가 오랑캐들을 탄복시켰다. 돌아와서는 경연에서 시강하였고 곧이어 비전(祕殿)에 입직하였다. 황제의 마음에 들어서 누차 총애를 받았다. 동궁을 모시어 세자를 교육하였다. 하늘이 그에게 역경을 준 것은 그의 재능을 발휘하도록 돕고자 해서였다. 황제가 태자 시절에 배울 때를 생각하여 이전의 벼슬에 임명하였다. 소종백(少宗伯)이 되어 벼슬에서 물러나 쉬고 싶다고 간절히 청하였다. 7년을 한가로이 지내다 황제의 명을 받고 재기하였다. 대종백(大宗伯)으로 진급하여 삼례(三禮)를 담당하였다"

이 글은 기본적으로 예겸의 일생과 공적을 개괄하였으며 그 중에서 "외국에 사신으로 나가 오랑캐의 마음을 탄복시켰다"라는 구절은 예겸이 경태 원년(1450)에 조선에 사신으로 나가, 위기 속에서도 명을 받들고 순조롭게 귀국한 일을 나타내는 것으로 한중 우호 관계에 미담을 더하였다.

양국 관계

청나라가 『사고전서(四庫全書)』를 정리할 때 예겸이 이번에 사신으로 파견된 경험을 기록한 『조선기사(朝鮮紀事)』를 사부잡사류(史部雜史類)의 목록에 편입시켰고 『사고전서총목(四庫全書總目)』에서 다음과 같이 말했다. "당시 조선의 국왕과 세자가 병을 핑계로 조서를 받들지 않아 예겸이 쟁론하여도 뜻을 이루지 못하였고 그럼에도 어찌할 도리가 없었다. 토목의 변(土木之變)으로 국세가 위태로울 때였고 명나라가 점차 약해져 가까운 나라조차 명을 받들지 않는 상황을 볼 수 있다"(『사고전서총목』 53권) 과연 상황이 진정 이러하였단 말인가?

확실히 예겸이 사신으로 나갈 당시 명나라는 심각한 군사적·정치적 혼란을 겪었고 심지어 멸망의 위기에 처해 있었다. 명 영종 정통 14년(1449) 6월에 몽고 와라부 태사(太師) 야선(也先)이 군대를 이끌고 남침하였다. 이에 영종이 같은 해 7월에 대군을 이끌고 친히 정벌에 나섰지만 8월 1일 대동(大同)에 이르러서는 싸워보지도 못한 채 전방에서 군대가 패배했다는 소식을 듣고 철군을 결정했다. 철군 도중에 환관 왕진(王振)의 말을 믿고 누차 행군 노선을 변경하여 결국 사병이 죽거나 대단히 지친 상황에 이르게 되었다. 8월13일 토목보(土木堡, 지금의 하북성 장가구 회래[河北張家口懷來]) 경내로 퇴각했을 때 와라군(瓦剌軍)에게 포위되었고, 이튿날 명군의 부적절한 조치로 인해 대패하게 된다. 20여 만 군사와 말을 잃고 영종 본인도 와라군에게 포로로 끌려갔는데, 이것이 바로 세상을 뒤흔든 '토목보의 변(土木堡之變)'이다.

토목보에서 참패하고 영종이 포로로 잡혔다는 소식이 수도 북경에 전해지자, 수도 안팎에서는 사람들이 공포에 떨었고 조정에는 의론이 분분하였다. 그러나 병부시랑(兵部侍郎) 어겸(於謙)을 중심으로 많은 대신들이 위기상황에서도 두려워하지 않고 국면을 만회하려 애썼으며, 황태후에게 영종의 배다른 동생인 성왕(郕王) 주기옥(朱祁鈺)을 황제로 즉위시킬 것을 함께 주청하였는데, 이가 대종(代宗)이다. 또한 영종을 태상황(太上皇)으로 받들어 민심을 안정시켰다. 이와 동시에 어겸은 여러 사람의 의견에도 불구하고 천도를 반대하였으며 새로운 황제에게 각지의 군대를 수도에 집결시킬 것을 명하라고 주청했다.

대종은 어겸에게 전권을 위임하고 수도 방어를 명하였으며, 어겸은 하남(河南), 산동(山東) 등지의 군대를 이끌고 수도로 진입하여 방위하였다. 또한 통주(通州)에 저장되어 있던 식량을 수도로 보내고 수도 방어 대책을 세웠다. 수도에서 군대가 정비되고 식량이 풍족해지면서 민심이 점차 안정되었다. 같은 해 10월 초에 야선은 와라군을 이끌고 자형관(紫荆關)을 함락시킨 후 곧바로 수도를 압박해왔다. 어겸은 직접 진두지휘하며 전투태세를 갖추고 적을 기다렸다. 10월13일 와라군이 덕승문(德勝門)을 공격하였지만 크게 패하고 서직문(西直門)으로 진군하였으나 또다시 패배하였다. 이튿날 장의문(章儀門)을 공격하였으나 역시 패배하였다. 그들은 15일 밤 군사를 거두어 서쪽으로 달아났다. 명나라 조정은 한마음으로 군민과 힘을 합쳐 수도 보위전에서 승리하였고 명나라 정세를 안정시켰다.

당시 상황으로 볼 때 명군은 처음 패배한 후 신속히 2선부대를 이용하여 견고하게 방어하는 동시에 조정에서 신속히 새로운 군왕을 선출하는 등 온 나라가 한마음 한 뜻으로 위기에 대처하였는데, 이러한 사실은 당시 명나라의 정치·군사적인 저력을 보여준다.

대종이 즉위한 후 관례에 따라 연호를 개정하고 다음해의 연호를 경태(景泰)라 선포했다. 대종이 예겸을 경태 원년(1450) 봄에 조선에 파견한 데에는 명나라 황제가 즉위하고 연호를 바꾼 사실을 알리는 동시에 명나라에 대한 조선의 인식을 안정시키고자 하는 뜻도 있었다. 예겸은 위기상황에서도 사명을 다했다고 할 수 있다.

예겸은 외교사절로서 명나라의 이미지와 존엄을 수호하는 것을 잊지 않았다. 예를 들면 정월 26일에 안성관(安成館)에서 "말 500필을 이끌고 북경으로 향하는 공조참판 남우량(工曹参判南佑良)을 만나 그를 불러 명나라의 위엄과 덕을 한바탕 설교하고는 갔다"라고 하였다. 이 때에도 명나라 조정의 위엄과 덕을 알리는 것을 잊지 않았다고 할 수 있다. 이번 사신 방문에서 가장 중요한 것은 명의 위엄을 강조하는 것이었는데, 이것은 조서를 받드는 의식에서 구체적으로 드러난다.

정월 24일에 예겸 일행은 조선 황해도의 관청이 있는 황주(黃州)에 도착했다. 조선 국왕은 예조정랑(禮曹正郎) 안자립(安自立)을 파견하여 명의 조서와 하사물을 받는 의식에 관해 상의하였다. 다만, 국왕이 오랜 병이 있어 세자가 대신 국사를 돌보는데 오늘은 세자 역시 병으로 인해 예를 다하지 못하여 왕자가 대신 예를 행할 것이라고 했다.

조서를 받는 절차, 특히 조서를 누가 받을 것인가의 문제는 명의 위엄과 관계된 일이었다. 예겸은 결코 이를 소홀히 하지 않고 이렇게 물었다. "왕이 오랜 병이 있음은 조정이 모두 아는 일이지만 세자가 병이 있는 것은 몰랐습니다. 그러면 세자는 언제 병이든 것이고 병의 원인은 무엇입니까?" 안자립이 대답했다. "허리 종양이 있으시고 발병한 지 1개월이 되었습니다" 예겸은 "병이 1개월이 되었으면 세자가 병을 앓고 계실 때 윤호조(尹戶曹)가 파견되었을 것인데, 강 위에서 처음 보았을 때 왜 병이 있다고 하지 않았습니까? 병이 있음을 오늘 말하기 시작한 것은 아마도 속임수가 분명합니다. 조정의 일로 인해 두 마음을 품어서야 되겠습니까? 일반적으로 종양은 고름이 터지면 안정되고 괴이한 증상이 없다면 몇 달 동안 지속되지는 않습니다. 만약 종양이 생긴 후 고름이 터졌으면 여기서 낫기를 기다려 예를 행하면 될 것입니다.

열흘에 낫지 않으면 보름을 기다리고 보름 동안 낫지 않으면 한달을 기다릴 것이니, 이렇게 하면 낫지 않을 병이 없을 것입니다. 따라서 그때가 되어도 낫지 않았다고 말한다면 분명 거짓이라는 것을 알 수 있을 것입니다. 그렇게 된다면 즉시 조서를 들고 조정에 돌아가 다음과 같이 아뢸 것입니다. '신이 조선에 가니 국왕과 왕자가 병을 핑계로 나오지 않고 조서를 받드는 이가 없어 조서를 들고 돌아왔습니다. 조정이 스스로 처리해 주십시오'"라고 말했다.

예겸은 조선의 세자 역시 병에 걸렸다는 소식을 듣고 의구심을 갖기 시작했고 조선 군신에게 "조정의 변고로 인해 두 마음을 품어서는 안된다"고 했다. 여기에서 "조정의 변고"라 함은 막 겪은 '토목보의 변(土木堡之變)'을 의미하며, 이로 인해 두 마음을 품고 명나라와 후금 사이에서 우유부단하지 말 것을 알렸다. 또한 예겸은 세자의 병이 나을 때까지 여기에서 기다렸다가 다시 예식을 행하겠다고 했고, 조선이 계속 세자의 병이 낫지 않았다고 하면 그는 직접 조서를 들고 조정으로 돌아가서 조선의 국왕과 세자가 병을 핑계로 나오지 않은 일을 고할 것이라고 했다.

예겸의 이 말은 확실히 엄격했고 어투도 매우 강경하여 협상의 여지도 없어 보였다. 안자립은 이 말을 듣고 예겸에게 여기에서 기다릴 필요 없고 경성으로 들어가라고 권한 후, 밤에 직접 한양으로 달려가 왕께 아뢰었다. 양국 관계는 이때 매우 큰 위기에 직면해 있었고, 사태가 어떻게 진전되고 문제가 어떻게 해결될지는 아무도 예측하지 못했다. 그러나 그 후에 예상치 못한 반전이 펼쳐졌다.

정월 27일 예겸 일행은 개성부(開城府)로 행하였고 조선 국왕은 한성부윤(漢城府尹) 김하(金何)를 파견하여 다시 조서를 받는 예식을 실시하게 하였다. 김하는 "세자는 국본(國本)으로 병에 걸린 뒤로 온 나라가 허둥지둥하면서 산천의 신들에게 낫게 해달라고 기도하였는데 어찌 감히 속였겠습니까? 오늘 고름이 터져 상처가 아직 아물지 않았습니다. 의사에 따르면 피부를 함부로 움직이면 바람이 들어 재발하여 목숨을 위협할 수도 있습니다. 바라건대 사신께서는 불쌍히 여기시어 세자가 교외로 나가 맞이하는 것을 면하게 해 주시고 병든 몸을 이끌고 조서를 맞이하는 예식을 거행하게 해 주신다면 매우 다행일 것입니다"라고 하였다. 예겸은 그 말이 간절함을 보고 세자가 확실히 병이 들었음을 깨달았기 때문에 그 청을 들어주었다. 예정대로 명 사절이 방문했을 때 세자가 교외로 와서 조서를 받는 예식을 생략해 주었고, 조당(朝堂)에서 병든 몸을 이끌고 조서를 받는 것을 허락해 주었으며, 김하와 구체적인 의식을 논하였다. 피하기 어려웠던 외교적 풍파는 양국의 공동 노력을 통해 해결되었다.

이 일을 통해 양국이 서로 진실하게 대하면 우호관계를 유지할 수 있다는 것을 볼 수 있다. 이번 조서 받는 예식을 둘러싼 논쟁 속에서 조선은 사신을 보내 알렸고 예겸은 원칙에 따라 임기응변을 하였다. 이러한 두 나라의 상황 관리 자세는 주목받을 만하다.

이어진 절차와 예식은 모두 사전에 상의된 바에 따라 진행되었다. 윤년 정월 초하루에 예겸 등이 조선의 수도인 한양의 경복궁에 도착하고는 "근정전(勤政殿)에 들어가 조서를 선포하고 칙령을 받들었다. 예식을 마친 후 세자가

경복궁 근정전(© 장일규)

병든 몸으로 궁전의 동쪽 장막에 있으면서 사자를 만나 다과를 나누었고, 예겸은 명나라 조정의 은덕을 설교한 뒤 이별하였다"라고 하였다. 명의 사자가 조서를 선포하고 조선 세자는 칙령을 받았는데, 이는 모두 이미 정해진 예식에 부합된다.

의식이 끝난 후 병중의 세자가 또 예겸 등과 함께 궁의 장막에서 다과를 나눈 후 예겸도 명나라 조정의 은덕을 설교하였다. 당시 조선 국왕은 명성이 자자한 세종(재위 1418~1450)이었고, 그의 뒤를 이은 국왕은 세종의 장자인 문종(재위 1450~1452)이었다. 세종은 경태 원년(1450)에 세상을 떠났는데 당시 몸이 편치 않았던 것은 이미 세상에 알려졌고, 문종은 즉위 후 3년이 못되어 병으로 세상을 떠났으니 건강이 좋지 않다는 것이 결코 허언이 아니었다. 이 사실에서 다음과 같은 것을 알 수 있다. 예겸의 조선 방문기간 동안 조선 국왕과 세자가 모두 핑계를 대고 나타나지 않았고, 명의 호령이 조선에서 통하지 않았다는 청나라 사고관신(四庫館臣)의 말은 순전히 억측이며 역사적 사실에 어긋나는 터무니없는 이야기이다. 청나라 건국 이후 『명사(明史)』와 『사고(四庫)』 등 서적을 정리할 때 명나라를 폄하하였다는 것이 여기에서 입증되었다.

또한 당시 조선의 군신이 명나라 사신을 접대하고 예식을 행할 때에도 매우 주도면밀했다. 예겸 일행이 조선에 도달한 후에 가는 곳 마다 담당 신하의 환대를 받았다. 어떤 곳에서는 접대 예절이 성대하기도 하였다. 정월 23일에 서경(西京)인 평양에 도착했을 때 평안도 관찰사 한확(韓確)이 "사전에 10리 밖으로 악공과 광대를 보내어 이들을 맞이하였다. 근교에 이르러서는 향정(香亭), 용정(龍亭), 의장(儀仗)을 배열하고, 음악 연주를 선보이며 아랫사람을 이끌고 조서를 맞이하였다. 성으로 안내하여 대동관(大同館)에 이르렀다. 문 밖 동쪽과 남쪽에 오산(鼇山)과 천막을 설치하고는 위아래에서 악공, 광대, 기녀들이 죽 늘어섰다"고 하였다. 성의 안팎에서 두 차례 맞이하여 의장과 악기를 늘어놓았고, 오산과 천막을 설치하고는 악공, 광대, 기녀들이 늘어서 있었으니 예식이 매우 성대하였다는 것을 알 수 있다.

그 후 정월 24일에 황해도 황주에 도착하고 27일에 개성에 도달하였다. 조선의 관원들이 수하들을 이끌고 조서를 맞이할 때도 향정, 용정, 황의장을 배열하고 음악과 잡극을 공연하며 오산과 천막을 설치하였다. 정월 초하루에 예겸 일행이 벽제관(碧蹄館)에서 출발하여 모화관(慕華館)에 도착한 후 "종친과 백 명의 관료들이 향정, 용정, 황의장을 구비하고 음악과 잡극을 연주하며 조서를 맞이 하였고 예를 행하며 성으로 안내했다. 경복궁 문의 동쪽과 남쪽에서 오산을 설치하고 무녀들의 공연이 이어졌다"라고 하였다. 당시 조선은 성대한 예식으로 명나라 사자를 맞았던 셈이다.

윤년 정월 초하루에 예겸 등이 조서 선포를 마치고 태평관에 돌아온 후 조선 국왕과 세자는 또 왕자 수양대군(首陽大君)에게 다른 왕자와 백 명의 관리들을 이끌고 사신을 만나도록 하였는데, 여기에서 사자와 명나라 조정에 대한 신뢰를 엿볼 수 있다.

수양대군이 국왕을 대신하여 연회를 베풀어 사자를 접대하였는데, 이때의 좌석 배치순서에서도 손님과 주인이 서로 배려한 것을 볼 수 있다. 연회가 시작되자 수양대군은 "관당설정사(館堂設正使)와 부사(副使)자리를 남쪽을 향하도록 배치하고 주인석을 동쪽에 배치했다"고 하였다. 명나라 사신이 남쪽을 보며 앉게 하고 주인은 동쪽을 향해 서 있으며 존경의 뜻을 표시했다. 예겸은 수양에게 말했다. "이 예식을 통해 명나라 조정을 존중하려는 뜻을 충분히 알 수 있었고 오늘 왕을 대신해 연회를 베풀어 주시니 우리는 동과 서를 구분하여 앉기만 해도 괜찮습니다" 말을 마친 후 자리를 바꾸어 연회를 즐겼다. 많은 왕자들이 차례로 술잔을 받들었고 저녁이 되어서야 연회가 끝났다.

예겸은 조선이 명나라를 존중하는 뜻을 보고 마음 속 깊이 감동했지만 편안히 앉아있지 않고 남쪽을 향하던 좌석 방향을 서쪽으로 바꾸어 수양대군과 동과 서로 마주 앉았다. 이러한 좌석 배치와 변경 역시 두 나라 사이의 존중과 겸손을 바탕으로 한 외교 관계를 말해준다.

예겸 일행이 왕경에 머무는 기간 동안 조선 국왕은 매일 사람을 보냈다. 일반적으로는 먼저 사람을 보낸 후 작은 연회를 베풀고 이어 중관(中官)을 보내어 음식을 대접한다. 오후에는 또 사람을 보내어 함께 연회를 베푼다. 윤년 정월 5일 오후에 수양대군은 또 왕자들을 이끌고 연회를 베풀었다. 그 사이에 예겸 등은 성균관 사당에 가서 참배한 후 한강을 유람했다. 윤년 정월10일에 예겸 등이 출발하려 하자 국왕은 또 사람을 파견하여 10일 더 머물 것을 청한 후 행차를 위한 준비를 마쳤다. 귀국할 때에는 갈 때와 마찬가지로 도착하는 곳곳마다 사람들의 환송을 받았으며 담당 관리가 있어 이들과 함께 했다. 조선 군신의 명나라 사절에 대한 예식은 성대하고 정성이 담겼다.

선비의 사귐

청나라 사고관신(四庫館臣)은 『조선기사(朝鮮紀事)』에 대하여 "말 뜻이 거칠고 간략하여 참고자료로 쓰이기에는 부족하다"(『사고전서총목[四庫全書總目]』 53권)라고 했다. 확실히 『조선기사』의 편폭이 길지 않아 1권을 넘지 않고 언어도 매우 간략하지만, 절대로 거칠고 투박하지는 않고 참고자료로 쓰일 수 있는 부분이 많다. 당시 중국과 조선의 관계 이외에도 참고할 수 있고 역사적 가치가 있는 자료도 오히려 많다. 위에서 서술한 부분에서 알 수 있는 당시의 한중양국의 관계 이외에도 고증에 도움이 될 자료도 있는데 그중에서 역사적인 가치가 있는 부분을 아래에 나누어 서술했다.

예겸의 『조선기사』는 비록 간단하고 짧지만 유용한 정보를 많이 담고 있다. 이 책의 체제로 볼 때 매일 일어난 일을 기록한 것이며, 기록은 정월 초열흘부터 2월 초사흘까지로 대략 40일의 기록이다. 이러한 체제는 북송 후기에 고려에 사신을 파견할 때 서긍(徐兢)이 저술한 『선화봉사고려도경(宣和奉使高麗圖經)』 중의 관련 기록과 유사한데, 이들은 모두 일기형식으로 사신 파견의 경험을 매일 기록하였다. 그러나 다른 점은 『선화봉사고려도경』이 사신으로 고려에 갈 때의 경험을 상세히 기록하고 귀국할 때의 여정을 간략히 기술했다면, 예겸의 『조선기사』는 왕복의 여정을 모두 상세히 기록했다는 점이다. 또한 예겸의 『조선기사』는 같은 시기 또는 이후에 쓰여진, 조선 사신이 중국에서 기록한 『조천록(朝天錄)』, 『연행록(燕行錄)』과 체제 면에서 매우 유사하다. 이들은 모두 여정에 따라 매일 보고들은 내용을 기록하였다. 체제 면에서 예겸의 『조선기사』는 위로는 『선화봉사고려도경』을 계승한 것이고 아래로는 『조천록』, 『연행록』 등의 많은 저서들이 나오도록 길을 열어준 것이다.

이 책의 내용면에서 보면 상세하거나 간략한 차이는 있지만 예겸의 이번 사신의 여정이 대체적으로 경태 원년 정월 초열흘에 요동에서 출발하여 14일에 봉황산(鳳凰山)에, 16일에 압록강에, 23일에 평양에, 27일에 개성에, 윤달 정월 초하루에 한양에 도착하고 한양에서 공무를 다 본 후 선비들과 시로 화답하고 20일에 귀국길에 올라 2월 초사흘에 압록강에 이르렀음을 알 수 있다. 이렇듯 날짜별 기록을 통하여 여정을 재현했다.

또한 『조선기사』는 순서대로 여정과 숙소를 기록했다. 예를 들면 의주(義州)의 의순관(義順館), 전산(錢山)의 거련관(車輦館), 가산(嘉山)의 가평관(嘉平館), 숙천(肅川)의 숙녕관(肅寧館), 평양의 대동관(大同館), 경기의 벽제관(碧蹄館), 한성의 모화관(慕華館) 등이 있는데, 두 지역 사이에는 구체적인 여정과 거리가 기록되어 있다. 예를 들면 "압록강부터 왕성(王城)까지는 공관 28개소를 거쳐야 하고 거리는 1170리이다" 등이다. 이 책은 간략해 보이지만 당시의 명과 조선이 서로 사절을 파견할 때 조선 경내의 노선과 소요되는 시일을 알 수 있어 경태(景泰) 전후에 명과 조선의 사절 파견을 고찰할 수 있는 믿을만한 직접적인 견문 자료라고 할 수 있다.

예겸의 『조선기사』에는 당시 명과 조선의 교류 예식과 조선의 풍속도 기록되어 있어 명과 조선의 차이점과 공통점을 엿볼 수 있다. 당시의 조선은 중국 풍습의 영향을 받곤 했다. 예를 들면 정월 16일에 압록강을 건너 의주성으로 갈 때 조선의 의주병마절제사(義州兵馬節制使) 조석강(趙石岡)이 군마를 이끌고 나와 그들을 맞이하였는데, 작가는 "조선의 조복(朝服)과 의제(儀制)는 중국과 같다"고 기록하였는데, 곧 조선 관원의 복장과 영접하는 예가 모두 중국과 비슷하다는 것이다. 또한 정월 23일에 서경인 평양에 도착하였는데, 평안도 관찰사 한확이 "먼저 10리 밖으로 악공과 광대를 보내어 이들을 맞이했다. 근교에 도착하니 향정(香亭), 용정(龍亭), 의장, 악대가 나열되어 있었는데 수하 관리를 이끌고 조서를 맞이하였다"고 하였다.

또한 작가는 "악공들이 모두 두건과 띠를 두르고 의장을 든 자가 모두 높은 관에 규화삼(葵花衫), 금정대(金釘帶) 차림이어서 중국과 같았다"는 것을 발견하였는데, 악공들과 의장을 든 자들의 차림도 중국과 같았던 것이다. 게다가 조선 사람들이 영접할 때 "백희(百戲)를 펼치면 주위를 돌며 온갖 짐승들이 따라서 춤을 추는 흉내를 내었다"고 하였는데, 이는 『상서(尙書)』, 『요전(堯典)』에서 "석경(石磬)을 치고 석경을 어루만지자 온갖 짐승들이 따라서 춤을 춘다"는 것과 유사하였으니, 고대의 풍속이 여전히 남아있다고 할 수 있다.

고양 벽제관터(© 장일규)

이외에도 조선이 영접할 때 깃발 모양의 물건을 4개 세우는데 "그 위에 '만국은 기쁨을 함께 하여 다투어 춤을 추고, 하늘과 땅은 서로 대하여 절로 만물을 낳아 기르네. 천하가 태평하여 천자는 팔짱만 끼고 있는 가운데, 해동(海東)은 일이 없어 우물을 파서 물을 마시고 밭을 갈아 밥을 먹는다'라는 말이 쓰여 있었다"는 말에서도 조선이 중국 문화의 영향을 많이 받았고 명나라를 존중하며 천하태평과 백성의 편안한 생활을 갈구했음을 알 수 있다.

중국과 마찬가지로 조선에도 공자의 사당이 있다. 윤달 정월 초사흘에 예겸은 조선 수도에서 "성균관의 선성묘(宣聖廟, 공자의 사당)를 알현하였는데 동행한 사람은 예조판서 이씨, 호조판서 정씨와 한성 부윤 김하였다. 사당 문 밖에서 가마에서 내려 장막에 들어가 정제한 후 사당에 들어가 향을 피워 예를 행했다. 그 사당의 현판에는 '대성현전(大聖賢殿)'이라고 쓰여 있고 사당 안에 영성문(靈星門), 의문(儀門), 정전(正殿)과 두개의 회랑, 성현들의 조각상이 설치되어 있는 것이 중국과 같다. 봄과 가을에 공자에게 제사할 때 조정은 아악(雅樂)을 내린다. 알현이 끝나고 안채에 오른 후에는 관리 중에서 대사성(大司成)과 소사성(少司成)이 알현하고 다음으로 관생(館生)이 알현한다. 관생(館生)은 '생원(生員)'이라 하고 부주군현(府州郡縣)의 학생은 '생도(生徒)'라 하는데 이들 모두 유건(儒巾)과 난삼(襴衫)을 걸친 것은 중국과 같고 다만 유건은 연한 그물로 만들어졌다"고 하였다.

공자는 대성지성선사(大成至聖先師)와 유가학설(儒家學說)의 창시자로서 중국과 조선의 존경을 받고 있다. 작가 일행은 사당 문 밖에서 가마에서 내리고 먼저 장막에 들어가 정제한 후 사당에 들어가 향을 피우고 예를 행한다. 여기에서 당시의 제사 예식 절차 및 경건하고 정성스런 마음을 엿볼 수 있다. 작가의 기록에서 볼 때 사당 내부의 형식에 대해 "중국과 동일하다"고 하였고 공자의 제사에 사용되는 음악에 대해서도 "조정에서 내린 아악을 사용한다"고 하였다. 성균관에서 공부하는 학생들에 대해서도 "유건과 난삼을 걸친 것은 중국과 동일하고 다만 유건은 연한 그물로 만들어졌다"고 하였다. 사당의 제도, 공자를 제사하는 음악, 성균관 학생들의 차림이 모두 중국과 같았으니, 당시 성균관에서는 중국의 제도를 그대로 썼을 뿐 아니라 당시 조선에서 '중국의 풍속'이 성행했음을 짐작할 수 있다.

『조선기사』에서 보면 당시의 중국과 조선의 풍속 예식에는 차이점이 많았다. 전형적인 예로는 여악(女樂)에 대한 태도를 들 수 있다. 당시 조선은 풍속에 따라 예겸 일행에게 여악을 연주해 주려 하였지만 조선의 여악을 예겸 일행은 사양하였다. 조선 국왕이 예조 참판 이변을 보내 문안을 하고 연회를 베풀면서 "성대하게 꾸민 여악 30여 명이 두 줄로 서서 각각 악기를 들고 대청 위에 올라가 무릎을 꿇었다. 이변이 나아가 '이것은 사신을 모시려고 왕명을 받들어 경성에서 데려온 자들입니다'"라고 하였다. 27일에 개성부에서 조선 국왕은 또다시 사위인 숭정대부(崇政大夫) 허정녕(許正寧)을 보내 문안하고 연회를 베풀어 또다시 "왕경에서 여악을 가져왔으나 거절하여 물렸다"고 하였다. 조선이 보내온 여악에 대해 예겸은 모두 엄숙히 거절했으며 또한 「각악시(却樂詩)」 2수를 지었다.

윤년 정월 초하루에 조서를 받고 칙령을 받는 예식이 끝나고 태평관으로 돌아온 후 조선의 수양대군은 왕자와 백 명의 관리를 이끌고 찾아와 연회를 벌였다. 연회 전에 국왕은 예조참판 이변을 미리 보내 여악을 제공하려 하였지만 예겸은 거절했다. 이 과정에서 중국과 조선의 풍속과 예의의 차이를 볼 수 있다.

양국이 모두 음악으로 연회를 베풀었지만 명나라에서 사용한 것은 남악(男樂)인 반면에 조선은 여악을 사용했다. 이변이 계속 청하였지만 예겸은 일정한 규정을 들어 거절했다. 이변은 결국 자기는 조선 왕의 뜻을 받들고 온 것이며, "만약 윤허하지 않는다면 목숨을 부지하지 못할 것"이라고 하였고, 예겸은 도중에 지은 「각악시(却樂詩)」 2수를 주며 목숨을 부지할 수 있는 증거로 삼으라 했다. 여러 차례 거절한 것에서 당시 중국과 조선의 여악에 대한 태도의 차이, 양국의 다른 풍속 예의도 엿볼 수 있다.

그들은 여악뿐만 아니라 조선이 보낸 선물도 받지 않았다. 윤월 정월 18일에 예겸 일행이 귀국길에 오르려 하자 조선의 국왕이 사람을 보내어 "계속해서 이조판서 이변을 보내 조선의 무명을 이별 선물로 보냈지만 예겸은 재차 거절했고 수 차례 실랑이를 벌인 후 결국 이를 받지 않고 떠났다" 이러한 모습은 몰인정한 태도로 보일 수도 있지만 실제로는 그의 청렴하여 본분을 지키는 태도를 반영한 것이어서, "내 것이 아닌 것은 조금도 취하지 말라"는 선인들의 말에 부합된다(소식[蘇軾], 「전적벽부[前赤壁賦]」).

『조선기사(朝鮮紀事)』 중에서 가장 중요한 것은 작가가 조선 선비들과의 교류와 우정을 기록했다는 점이다. 예겸이 조선에서 사신으로 활동하면서 많은 선비들을 사귀었는데, 그 중에서 정인지(鄭麟趾), 신숙주(申叔舟), 성삼문(成三門) 같은 유명한 선비들이 그와 돈독한 우의를 다졌다.

윤월 정월 초이틀에 예겸 등이 한양에 있는 태평관에 머물렀고, 조선 국왕이 중관(中官)을 보내 음식을 보내왔다. 오후에는 또 이조, 호조, 예조, 병조, 형조, 공조의 6조 판서들이 연회를 베풀었다. 그 중에 공조판서가 바로 유명한 선비로 『고려사(高麗史)』를 편찬한 정인지였고, 이때 예겸과 정인지가 처음으로 대면하였다. 그 후에 초사흘, 초나흘, 초닷샛날에 예겸은 정인지의 시에 답시를 보냈다. 두 사람은 오랜 벗을 만난 듯 했고 글 동무가 되었다는 것을 알 수 있다.

초닷샛날에 승문부지원사(承文副知院事) 신숙주와 성삼문이 찾아 왔고 예겸이 시로 화답했다. 그 후 초엿새와 초이렛날에도 신숙주와 성삼문의 시에 답하였다. 초여드렛날에 예겸은 태평관에서 「등루부(登樓賦)」를 지었는데 한나라 말기 왕찬(王粲)이 지은 부(賦)의 제목을 빌어 오랜 사신 기간에 고향을 그리워하는 마음을 표현했다. 또한 초아흐렛날부터 "매일 식사를 마친 후 신숙주는 책을 들고 와서 음운(音韻) 가운데 의문점을 함께 연구했다" 두 나라 문인이 함께 학문을 연구하고 이해가 되지 않는 이치를 함께 풀며 화기애애한 시간을 보냈다.

왕경에 머물렀던 기간에 예겸은 초청을 받아 한강을 유람하였다. 이들은 모두 즉석에서 시를 읊었는데 그의 시를 짓는 재능에도 찬사를 보냈다. 한번은 윤달 정월 14일에 왕이 사람을 보내 작은 연회를 베풀었는데, "계속해서 예조참판 이변을 보내 한강루(漢江樓) 유람을 청하였다. 이에 사마(司馬) 황문(黃門)과 함께 말을 타고 남성(南城)에서 출발했다. 동반한 사람으로는 공조판서(工曹判書) 정인지, 한성부윤 김하, 지원(知院) 신숙주, 성삼문 및 영접도감(迎接都監)의 관리들이 있었다. 한강루 아래에 도착하자 왕은 좌부승지 이계전(李季甸), 예조판서 허후(許詡)를 미리 보내 연회를 베풀었다. 누각 아래에서 맞이한 후 누각에 올라 연회를 하였다. 이때 도감이 화려하게 꾸민 편액을 들고 앞으로 나와 무릎을 꿇고 시를 지어서 누각에 남길 것을 청하였다.

예겸은 즉석에서 시 3수를 지어 주었다. 시를 한 수 한 수 지을 때마다 많은 관리들이 모여들어 앞다투어 낭독하였고 모두 예겸에게 대단히 감탄하였다. 술자리가 끝나자 한강을 유람하기를 청하였다. 이에 배를 탄 다음 다시 술을 마시며 부(賦) 한 수를 읊었다. 강가를 따라 물길을 거슬러 위로 올라간 다음 다시 누각 아래로 돌아왔다. 달이 뜰 무렵에 비로소 돌아왔다."고 하였다. 한강 유람에 함께 한 사람은 정인지, 신숙주, 성삼문 등이었다. 한강루 위에서 조선 관리들의 요청을 받고 그 자리에서 시 3수를 읊었다. 한강 위에서도 시를 계속 읊었다.

이번 한강 유람은 먼저 한강을 거슬러 올라갔다가 한강루 아래로 다시 돌아온 뒤 달이 뜨고 나서야 돌아왔는데, 예전의 소동파(蘇東坡)가 사람들과 저녁에 적벽(赤壁)을 유람한 것과 유사한 것으로 주인과 객의 즐거움을 다하고 예겸의 뛰어난 시재(詩才)와 호방한 감정을 잘 보여주었다고 하겠다.

또 한 번은 하루가 지난 후인 16일이었는데, "신숙주가 지필묵(紙筆墨)을 가져 와서 시로 화답하고 양화나루(楊花渡) 유람을 청하였다. 양화나루는 한강 가에 있어 가마를 타고 동성(東城)에서 출발했다. 도착하자 도승지(都承旨) 이사철(李思哲)과 병조판서 민신(閔伸) 등이 장막을 치고 이들을 맞이하였다. 장막에 들어가 다과를 나눈 후 바위 위로 걸어 올랐는데 장막이 매우 성대하였고 푸른 소나무로 둘러싸여 있었다. 술잔을 들고 바라보니 돛단배와 모래뻘의 새들이 있어 풍경이 그윽하고 광활하여 그 자리에서 시 한수를 읊었다. 술자리가 끝나고 한강 유람을 청하였다. 배에 올라 다시 술을 마시고 시 한수를 읊었다. 물길을 따라 내려가 희우정(喜雨亭)에 도착하니 임금이 또 다시 관리를 보내어 정자에서 주연을 준비해 놓고 있어서 그 자리에서 또 시 한수를 읊었다. 밤이 되어서야 돌아왔다"고 하였다.

이번에는 한강변 양화나루를 유람했으며 석대(石台)에 올라 "술잔을 들고 바라보니 돛단배와 모래뻘의 새들이 있어 풍경이 그윽하고 광활하였다"고 하였다. 겨우 몇 마디로 강 위 풍경의 맑고 광활함과 유람하는 사람의 호연지기를 표현하였다.

예겸은 양화나루에서, 한강의 배 위에서, 그리고 희우정에서 모두 시 한 수를 읊었고 밤이 되어서야 돌아갔다. 이번 유람에서도 시를 남겼고 조정과의 약속을 저버리지 않았다. 이 문자지교(文字之交) 역시 당시 양국의 문화 교류를 반영했다. 17일에 예겸은 두 차례의 한강 유람을 정리하여 『한강유기(漢江遊記)』를 써서 한강 유람을 문자로 기록했다. 양국 선비의 우정은 한강물처럼 쉬지않고 흐르고 있었다.

윤달 정월 20일 예겸 일행이 정식으로 귀국길에 올랐다. "조선 국왕은 미리 우부승지(右副承旨) 이계전(李季甸)과 호조참판(戶曹參判) 박이창(朴以昌)을 보내어 작은 연회를 베풀었다. 연회가 끝나고 출발한 후 교외의 모화관에 도착했다. 왕과 세자가 병으로 인해 배웅을 하지 못하여 수양대군이 왕자들과 함께 모화관에서 송별연을 베풀었다. 송별연 석상에서 시 한수를 이별 선물로 주었다. 저녁에 벽제관(碧蹄館)에 도착하니 좌의정(左議政) 황보인(皇甫仍)과 예조판서 허후, 우부승지(右副承旨) 김완지(金浣之), 도승지(都承旨) 이사철(李思哲), 예조참판(禮曹參判) 이변(李邊) 등이 연회를 베풀었다. 이때 동행한 사람은 김화, 신숙주, 성삼문이었다" 모화관에서, 모화관을 떠나는 좁은 길 위에서, 송정(松亭)의 송별연에서 예겸은 모두 이별 선물로 시를 선사했다. 조선이 배웅하도록 파견하였던 김하, 신숙주, 성삼문 등 세 사람은 모두 당시의 유명한 선비였으며 예겸의 좋은 벗이었으니, 이런 조치는 다분히 의도적이었다.

귀국길에서 예겸은 많은 시를 지었다. 27일에 안주(安州)의 안흥관(安興館)에 도착했을 때, "조선 국왕은 공조판서 정인지를 보내 연회를 베풀었다. 연회는 안주목사(安州牧使) 박이녕(朴以寧)이 주도하였다. 공조판서는 이별 선물로 시를 지어 주었고 즉석에서 화답하였다. 신숙주와 성삼문도 화답하여 시를 지어 주었다"고 하였다. 정인지 역시 예겸의 좋은 벗이었다. 송별연에서 정인지가 시를 지어 이별 선물로 선사했고 예겸이 즉석에서 이에 화답하였다. 신숙주와 성삼문도 화답시를 지었고 예겸은 또다시 이들의 시에 화답했다. 서로 시를 주고받으니 우정이 매우 깊고 이별의 아쉬움이 매우 크다는 것을 알 수 있다.

28일 안주에서 출발하였는데 정인지와 박이녕이 배를 타고 예겸과 살수(薩水)를 함께 건넜다. 예겸이 배 위에서 시를 지어 작별을 고하고 정인지가 이에 화답했다. 정오에 박천(博川)을 건너자 성삼문이 시를 지었고 예겸이 다시 시로 화답했다. 2월 초이튿날에 의주(義州)의 의순관(義順館)에서 의주 병마절제사(兵馬節制使) 조석강(趙石岡)이 송별연을 했다.

예겸은 시를 지어 김화, 신숙주 및 성삼문에게 작별 선물로 주고 수차례 서로 화답했다. 초사흘에 의순에서 출발하여 압록강에 이르렀고 조석강은 또 강가에서 연회를 베풀었다. 신숙주는 시를 지어 작별을 하자 예겸은 즉석에서 화답했고, "연회가 끝나고 배에 오른 후 배에서 또다시 술잔을 들었다. 강을 건넌 후 또 술잔을 들었고 이별을 아쉬워했다. 술에 취한 후 좌우에서 억지로 부축해 말에 오르게 하여 이별했다. 그 후에 안진(安進)과 함께 요동에 도착해 함께 조정에 들어갔다"고 하였다. 배 위에서 다시 술잔을 기울였고 육지에 도착한 후에는 아쉬움에 차마 발이 떨어지지 않아 거나하게 취한 후에 돌아갔으니, 예겸은 조선의 선비와 모든 군신에게 깊이 정이 들어 작별할 때 술의 힘을 빌어 아쉬움을 떨쳐버렸음을 알 수 있다.

조선에서의 여정이 비록 끝이 났지만 그와 조선의 선비가 맺은 끈끈한 우정은 역사에 길이 남을 것이다.

맺음말

예겸이 경태(景泰) 원년에 조선을 방문한 것은 비단 정치적인 방문이었을 뿐 아니라 시가(詩歌) 여행이자 우정 여행이기도 했다. 그가 후에 저술한 『조선기사(朝鮮紀事)』는 이번 사신 방문에 대한 기록이고, 이 기록을 편집하여 쓴 『요해편(遼海編)』은 조선 선비와의 우정의 증거라 할 수 있다.

'군자의 사귐은 물과 같이 맑다(君子之交淡如水)'고 한다. 예겸이 조선에서 읊은 제영(題詠)과 조선 선비와 시로 화답한 것은 당시 명과 조선의 우호 교류와 양국 선비의 끈끈한 우정, 양국 간의 유래 깊고 끊임없이 지속되어온 문화교류를 보여준다. 만약 양국 간에 끊임없이 지속되어온 문화교류라는 기반이 없었다면 예겸은 조선의 선비들과 그렇게 돈독한 정을 나눌 수 없었을 것이며, 명과 조선의 역사상 그렇게 긴밀한 유대관계도 맺기 어려웠을 것이다. 예겸이 실제 행동을 통해 명과 조선의 상호 이해와 우호관계를 강화한 것은 실로 경탄할 만하다. 그의 사신 파견을 통해 드러난 명과 조선이 상호 양보와 양해의 원칙에 따라 사이좋게 지내왔다는 역사적 사실은 국가 간의 관계를 다룸에 있어서 귀감으로 삼을 만하다.

명대(明代) 한중 우호교류의 사절

동위에

동월(董越)

리우시타오(장춘사범대학교)

명나라 조정과 조선 왕조의 사신은 서로 왕래하며 각자 자국의 대표로서 외교적 권리를 행사하였다. 양국의 사신들은 외교적 사명을 다하는 것 이외에도 한중 관계를 돈독히 하는 우호 사절이었으며 후대에 찬란한 문화를 남겼다. 명나라 전체를 살펴보면 외교사절로 조선에 건너간 선비들은 다수의 시(詩)와 부(賦) 및 기사문(記事文)을 남겼다.

후대에 남아 있는 명나라 사신의 기술(記述)에는 예겸(倪謙)의 『조선기사(朝鮮紀事)』, 장녕(張寧)의 『봉사록(奉使錄)』, 동월(董越)의 『조선부(朝鮮賦)』, 공용경(龔用卿)의 『사조선록(使朝鮮錄)』, 허국(許國)의 『조선일기(朝鮮日記)』, 황홍헌(黃洪憲)의 『조선국기(朝鮮國紀)』, 주지번(朱之蕃)의 『봉사조선고(奉使朝鮮稿)』, 강일광(姜日廣)의 『유헌기사(輶軒紀事)』 등 8편이 있다. 그 중에서 허국의 『조선일기』는 기록만 남아 있을 뿐 원문은 남아있지 않다.

이상의 사신들이 남겨놓은 문헌 기록은 비록 편폭이 짧지만 기록한 내용은 한국 국내의 각종 자연과 인문학적 상황과 관련된 것으로, 이러한 사행록(使行錄) 자체가 당시 사신 왕래를 통한 문화 교류의 증거이자 한중 우호관계의 역사적 화석이라고 할 수 있다.

동월(董越)이 사신으로 조선에 파견되었을 당시의 대략적 정황

동월의 자는 상구(尚榘)이며 강서성(江西省) 영도현(寧都縣) 사람이다. 5세에 아버지를 여읜 후 주로 어머니 슬하에서 성장하였다. 성화(成化) 5년(1469)에 진사시에서 3등으로 급제하여 한림원 편수가 되었으며, 시독(侍讀)으로 승급하였다. 성화 20년(1484)에는 세자의 스승이 되었으며, 성화 23년(1487)에는 경연강관(經筵講官)을 담당하였다. 효종(孝宗) 즉위년(1488)에는 우춘방우서자(右春坊右庶子) 겸 한림원 시강으로 승급하였다.

동월은 고전을 두루 읽었고 시문에 능하였으며 평생 문장을 짓고 시를 읊었는데 우아하고 한가로웠다. 눈썹이 길고 키가 컸고 성격이 온화하고 남에게는 공손하고 예의를 다하였으며, 해박하여 논의에 능했다.

명 홍치(弘治) 원년(1488)에 동월과 형과급사중(刑科給事中) 왕창(王敞)은 홍치 황제의 즉위를 알리기 위해 조선에 사신으로 건너갔는데, 이때 동월은 58세였고 부사 왕창은 36세였다. "동월과 왕창 일행 16인(수행원 14인)은 홍치 원년 2월에 요동군(遼東軍)에 의해 조선 의주(義州)로 호송되었고, 조선 왕조의 원접사(遠接使) 허종(許琮)과 선위사(宣慰使) 채수(蔡壽)가 이들을 맞이하여 정성껏 대접하였다. 그 후 선천군(宣川郡), 곽산군(郭山郡), 박주군(博州郡), 가산군(嘉山郡), 안주(安州), 숙천군(肅州郡), 순안현(順安縣), 평양(平壤), 장단부(長湍府), 파주(坡州), 벽제관(碧蹄館)을 거쳐 한양(漢陽)에 이르렀다"

사신 행차 도중에 동월은 용호산(龍虎山), 웅골산(熊骨山), 천마산(天馬山), 황두산(凰頭山) 등의 절경을 감상하였고, 평양의 부벽루(浮碧樓) 등 고적을 유람하였는데, 가는 곳마다 환영을 받았고 평양(平壤)과 황주(黃州)에서 조선 왕조는 오산(鼇山)을 설치하고 백희(百戲)를 펼치며 동월 일행을 맞이하였다.

원접사 허종과 동월은 양국 민속의 차이를 논하였는데, 허종은 "『대명일통지(大明一統志)』에서 우리나라 풍속을 논한 것을 보았는데, 혹자는 부자가 같은 하천에서 목욕을 한다 하였고, 혹자는 남녀가 서로 좋아하여 결혼한다 하였는데, 이것은 모두 옛날 역사 이야기일 뿐이고 지금 우리나라에는 이 같은 풍속이 없습니다. 『일통지』는 옛날 역사를 그대로 옮겨 쓴 것에 불과한데, 이런 기록을 고치는 것은 불가능하겠지요"라고 말하자, 왕창이 "동 선생이 선황제의 실록을 편수하고 있는데 이런 일을 고치는 게 뭐가 어렵겠습니까?"라고 하니 동월은 "조선의 지금 풍속을 써야지 옛 역사를 그대로 싣는 것은 안 됩니다. 조선의 아름다운 풍속을 모두 기록하여 내게 준다면, 실록을 편수할 때 황제에게 아뢴 후 기재하겠습니다"고 하였다.

동월이 한양에 이르렀을 때, 조선의 성종이 곤룡포를 입고 면류관을 쓴 채 맞이하였고 모든 대신들도 의관을 갖추었으며, 도시 전체에서 예에 따라 각종 음악과 놀이가 성대하게 펼쳐지고 오색의 그림을 펼쳐 놓으며 사신을 환영했다. 도성에 진입한 후 동월 등은 태평관(太平館)에 머물며 예우를 받았다. 매일 아침에 국왕은 태평관에 재상을 보냈고 외출하여 유람할 때에는 준마를 준비하였을 뿐 아니라, 붓과 먹을 제공하여 타인의 시(詩)나 사(詞)에 화답하게 하였다. 동월의 조선 방문은 주로 홍치황제의 등극 조서를 발표하고 폐백과 비단을 가지고 가서 조선의 국왕과 왕비에게 전하기 위한 것이었다. 사명을 다한 후에 문장으로 조선의 문신, 선비와 두루 교류하여 조선의 현황 및 문화와 풍속에 대하여 새롭게 이해하게 되었다.

교류를 통해 동월은 조선의 붓은 늑대 꼬리(狼尾)로 만든 게 아니라 얼룩 다람쥐의 털(黃鼠毫)로 만들어졌고, 조선의 종이는 누에고치(蠶繭)로 만들어진 것이 아니라 닥나무 껍질(楮皮)로 만들어졌음을 알게 되었다. 동월 일행이 조선에 왔다간 3개월 중에 이곳에서 겨우 1개월 머물렀지만 조선의 군신과 동월과 왕창은 서로에게 깊은 인상을 주었다. 특히 동월의 시재(詩才)와 품격은 조선 군신들에게 깊은 인상을 주었다. 동월이 저술한 『조선부』는 중국인들

경복궁 경회루(© 장일규)

로 하여금 조선 왕조에 대하여 더 많은 지식을 얻게 하였고 한중 교류증진을 위한 기반을 마련하였다.

『조선부(朝鮮賦)』 속 한국의 이미지

명나라와 조선은 서로 사신을 파견하여 본연의 사명을 완수했을 뿐 아니라 정치·경제·문화와 관련된 다양한 임무를 수행하였다. 양국 사신은 파견 기간 동안 시(詩)와 부(賦)의 화답, 학문 탐구, 문화교류 등을 통하여 문학, 언어, 문자, 서예, 회화, 도서전적(圖書典籍), 유학, 과학기술 등 다양한 분야를 섭렵하였다. 즉, 상호 이해와 우의를 다질 뿐 아니라 양국 문화의 전파를 위해 공헌하였다. 조선에 사신으로 파견된 문관은 대부분 한림원 출신으로 문화적 수양이 비교적 높았다.

선비 출신의 사신은 환관 출신의 사신과 달리 대부분 조선의 예물을 사양하고 조선의 유학자들과 학술 교류에 힘썼다. 그 중의 몇몇은 조선에 사신으로 파견되었을 때의 기행문을 남겼다. 예를 들면 경태(景泰) 원년(1450)에 조선에 사신으로 파견된 예겸(倪謙)이 『조선기사(朝鮮紀事)』를 저술하였고, 홍치(弘治) 원년(1488)에 동월이 『조선부』를 남겼다.

문신이 사신으로 파견되면 시를 짓고 노래로 화답하며 문화 교류에 힘썼다. 명나라 사신은 조선의 문인과 교제하고 노래로 화답하며 교류하고 절차탁마하는 동시에 스스로의 재능을 적극 발휘하여 자국 문학의 덕과 예의를 뽐냈다. 양국 사신들이 시문으로 서로 화답하는 모습은 조선 왕조에 의해 기록되고 아로새겨져 『황화집(皇華集)』 23부로 집성되어 명나라와 조선 왕조의 시부교류(詩賦交流)의 결정체를 이루었다.

동월의 『조선부』는 그가 조선에 사신으로 파견된 후 저술한 역사 문학 작품이다. 동월은 조선 건국의 역사를 회고하며 조선의 영역 연혁, 민간 풍속의 변천으로부터 산천, 정관(亭館), 인물, 축산까지 모두 상세히 기록하였다. 기록이 근거를 갖게 하기 위하여 동월은 조선에서 낮에 직접 겪고 본 것을 일일이 기록한 다음 저녁에 다시 자세히 살펴 취사선택을 하고는 기술하는 문장으로 바꾸었다. 귀국한 뒤에는 한 단계 더 나아가 잘못된 부분이 없도록 관련 역사서를 살펴 대조한 다음 최종적으로 『조선부』를 완성했다.

이 『조선부』는 간결한 언어임에도 뜻이 풍부하고 기술이 상세하면서도 잘못된 부분이 없으며, 조선 왕조의 사회, 문화, 생활에 대해 상세하게 기록하여 당시 조선 풍토와 인정을 이해하는 데 있어 중요한 학술적 가치를 가지고 있다. 산천지리, 인정풍속, 국가연혁, 역사고사, 복식, 건축, 관제, 시험, 동물, 날짐승, 채소, 광산, 어음(語音) 등에 대해 모두 기술하여 조선 왕조의 사회생활을 이해하는 일종의 백과전서라 할 수 있다. 『조선부』의 서두에 다음과 같이 쓰여 있다.

조서로 건국을 허락하니 스스로 교화를 이루었다. 『시경(詩經)』을 말하고 『서경(書經)』을 말하며 왕이 학교를 직접 살핀다. 선비가 궁하면 좀을 쫓으며 문장 글귀나 아로새기고, 벼슬길이 트이면 붕새같이 날개치고 표범처럼 변한다. 농사는 곡식 농사에 힘쓰고 기술은 공교함을 익힌다. 관은 예를 많이 본받아 봉급은 논밭으로 주며, 형벌은 궁형을 쓰지 않고 두둑은 가두어 칼을 씌운다.…… 가장 이를 말한 것은 나라에 여든 살 된 노인이 있으면 나라에서 남녀 모두에게 잔치를 베풀어 나라의 은혜가 미치게 한다. 자식에게는 삼년상이 있어 비록 노복이라도 행하는 것을 허락하여 그 효를 이루게 한다.

왕도에는 귀후서(歸厚署)와 같은 것을 설치하여 속널과 겉널을 마련해 두었다가 빈궁한 사람들을 도와준다. 향음주례에서는 술잔 드는 예가 엄하고 제기는 질서 있게 놓아 시끄럽지 않도록 경계한다. 혼인은 조심해서 중매하고, 개가해서 난 자식은 많이 배웠을지라도 사류(士類)에 끼이지 못한다. 가문은 벼슬을 가장 중히 여기고 대대로 양반에 속한 사람이라도 떳떳하지 못한 일을 하면 모두 그에게 예를 행하지 않는다. 집에 노름 기구를 두는 것을 불허할 정도이다. 제사는 대개 가묘를 세운다. 대부는 삼대(三代)까지, 사민은 조고(祖考)까지만 제사 지낸다. 이는 다 기자로부터 그 풍속이 전해 내려온 것이고 또 중국에서 하는 것을 보고 본받은 것이다.

이 단락의 기록은 조선의 사회·정치·문화 및 생활 풍속을 전체적으로 개괄한 것이다. 동월은 조선 왕조가 명나라의 역법(曆法)을 받아들인 후에 사회의 질서가 잡혔고 군왕이 어진 정치를 두루 펼쳤다고 여겼다. 신하와 백성은 『시(詩)』, 『서(書)』 등 유교 경전을 자신의 언행을 구속하는 예의 규범으로 삼았다. 세인들은 모두 노인을 존경하고 어린이를 사랑하며 사대부는 국가와 사직을 중시했는데, 이는 중국의 전통적인 사회 가치관과 일치한다. 가정의 윤리 도덕면에서 조선 왕조가 유가의 규범을 따르는 것은 조선 사회가 예악문명(禮樂文明)을 실천하는 국가임을 보여준다.

또한 『조선부』 중에는 조선 사회의 음식, 복식, 건축 등 풍속에 대한 묘사도 포함되어 있다. 그 중에서 조선 왕조의 음식은 주식, 다식과 요리, 주류 등으로 구분된다. 주식은 만두, 각종 떡과 전병 위주로 조선 왕조의 농작물이 밀과 쌀을 위주로 하는 특징을 보여준다.

요리는 주로 채소와 육류를 포함하는데, 그 중에서 쇠고기, 양고기, 돼지고기, 거위고기 등의 4종류가 흔히 볼 수 있는 육류라고 할 수 있다. 다식은 주로 인삼탕(人參湯)을 말한다. 동월이 조선의 국왕에게 천자의 조서를 전한 후, 국왕은 근정전(勤政殿)에서 동월에게 인삼탕 한 그릇을 대접했다. 기타 간식으로는 주로 전병(餠餌)이 있고 과일은 제철과일 배와 복숭아 위주이다.

복식은 주로 관복(官服)과 평민의 복장으로 나뉘는데, 이들의 차이점은 관리 등급의 차이에 따라 복식이 다르다는 것이다. 그 중에서 당상관(堂上官)의 옷감에는 비단 자수가 많으며 옷감은 면과 견직물이었다. 3품 이하 당하관(堂下官)의 옷감에는 비단이 많았다. 평민의 옷감은 주로 삼베였다. 관리는 사슴가죽(鹿皮) 신발을 주로 신었고 일반 백성은 소가죽 신발을 주로 신었다.

건축 풍속 면에서 『조선부』는 근정전, 인정전(仁政殿), 모화관(慕華館) 및 태평관(太平館)을 주로 기술하였다. 모화관은 왕경(王京)의 도성 밖에 위치해 있는데 여기에서 조서 영접 의식을 거행하였다. 명나라 사신이 조선에 와서 무엇을 반포하느냐에 따라 영조의(迎詔儀), 영칙의(迎勅儀) 등 다양한 영접 의식을 거행하였다. 조서 영접 의식이 끝난 후 사신은 숭례문(崇禮門)을 통해 태평관에 들어갔다.

『광해군일기(光海君日記)』는 다음과 같이 기재하였다. "숭례문은 임금이 조서와 칙서를 맞이하는 정문이다" 조선 왕조가 건국한 이래로 조서와 칙서를 맞이할 때 반드시 숭례문을 통해 입성해야 했다. 경복궁과 창덕궁으로 향할 때, 백관이 궁의 양측에 늘어서는데 모든 관리는 자신의 품계에 맞는 관복을 착용했다. 국왕이 명나라 사신을 대동하면 악기 연주 소리가 일제히 울렸다. 각종 환영 의식이 끝난 후 사신 일행은 태평관에 묵었다. 태평관에서 머무는 기간 동안에 명나라 사신은 조선 조정과 관원이 베푸는 연회를 여러 차례 참석해야 했다. 태평관에 대해 『조선부』는 다음과 같이 기재하였다. "태평에 관(館)이 있는데 숭례문 안에 있다. 가운데에는 전(殿)이고 앞은 중문(重門)이며 뒤에는 누각이 있고 동쪽과 서쪽에는 회랑이 있다. 중국 사신을 접대하는 곳이다"

창덕궁 인정전(© 장일규)

태평관은 명나라 사신이 조선 왕조에서 머무르며 활동하던 관사였다. 조선에 파견된 명나라 사신은 대부분 조령과 칙서를 반포하던 사신이었다. 사신 일행이 한양의 교외에 도달하면 국왕은 모화루에 와서 이들을 맞이하였다. 그 후 궁궐에 가서 다례(茶禮)를 행하고 조서와 칙령을 받았다. 조서와 칙령을 맞이하는 의식이 끝난 후 사신 일행은 태평관에 머물렀고, 조선 국왕은 연회에 초청하였다. 다음날 조선 국왕이 태평관에서 하마연(下馬宴)을 베풀고 또 다음날 태평관에서 익일연(翌日宴)을 베풀었다. 며칠이 지난 후에 다시 온짐연(溫斟宴)을 베풀었다. 사신이 귀국하기 전날 또는 이틀 전에 국왕은 태평관에서 송별연을 벌였는데 이를 상마연(上馬宴)이라고 칭했다. 이상의 매 차례 주연은 동월의 『조선부』에서 다음과 같이 기재되었다.

태평관의 처음 잔치는 하마연이고, 두 번째 잔치는 정연(正宴)이며, 세번째 잔치는 상마연이다. 인정전(仁政殿)의 잔치는 사연(私宴)이다. 처음에는 이 예가 마땅하지 못한 것 같아 의논하여 고치려 하였으나, 오고 나서 태평관과 모화관의 두 관은 그 제도가 모두 전(殿)이고 오로지 중국의 사신을 맞이하기 위해 지었으며 행사가 없을 때는 왕은 이곳에 오지 않음을 알고, 왕이 와서 연회를 베풀 때마다 반드시 태평관 밖의 작은 전에서 먼저 기다리는 것을 보고서야 굳이 고칠 필요가 없음을 알게 되었다.

대부분의 주연은 태평관 안에서 열렸지만 태평관 외부에서 주연을 여는 경우도 있었다. 인정전 연회는 조선 국왕이 왕궁에서 거행한 연회였다. 동월은 엄격하고 신중하게 조선에 사신으로 갔을 때 도중에서 보고들은 것을 적시에 기록하고 산천, 풍속, 인정, 사물을 모두 상세히 기록하여 후대 사람들이 당시 조선의 사회와 풍속을 이해하는 데 더할 나위 없는 진귀한 사료가 되었다.

동월의 조선 사회활동

『조선왕조실록(朝鮮王朝實錄)』에 기재된 바에 따르면, 명나라 사신이 조선에 도착한 후 정상적인 사신 활동 이외에 조선의 관료들과 함께 회포를 풀고 필담을 나누며 왕경(王京)을 유람하기도 했다. 명나라 사신이 조선에서 유람하며 얻은 견문은 주로 조선 한양 근처의 사원, 성내 명승지, 성균관(成均館), 모화루, 한강 및 남산 등 지역에 집중되어 있다.

풍경과 명승고적을 포함하여 가장 많이 기록된 것은 한강에서 뱃놀이 하는 것이었으며 사원을 방문한 기록도 있다. 한양 주변지역을 유람할 때는 주로 연회를 베풀거나 활을 쏘거나 뱃놀이를 하거나 또는 고기를 잡거나 매를 놓아 사냥하기도 하였다. 어떤 사신은 성균관과 기자의 사당에서 성현을 알현하기도 했다. 문신은 문화의 전파와 교류를 더욱 중시하여 성균관의 공자 사당을 참배하고 성균관 학생들과 시문을 논하기도 하였다. 이러한 활동 역시 조선의 문신들의 관심을 받았다. 명나라와 조선의 문신들은 시문으로 서로 화답하는 동시에 한중 문화교류를 촉진시켰다. 동월은 조선에 도착한 후 기자의 사당을 참배하였는데 기자의 사당 옆에 단군의 사당이 있음을 안 후에는 재차 사당에 들어가 예를 갖추어 대동했던 조선 관료의 칭찬을 받았다.

유람 도중 명나라 사신은 풍경을 감상하고 주연에 참여하면서 조선 왕조의 역사와 풍속을 이해할 수 있었고 영접하는 관리와 시와 부로 서로 화답하는 등 문화 교류를 할 수 있었다. 주연에서 분위기를 띄우기 위해 조선의 관리는 노래하는 기녀와 무희를 안배하여 흥을 돋울 줄 알았다. 차를 마시는 등의 연회는 비록 대형 연회는 아니었지만 다례를 마친 후에 여악(女樂)으로 명나라 사신에게 가무를 베풀 수도 있었다. 동월은 조선이 베푸는 여악도 완곡한 어조로 사양하였다.

신안관역(新安館驛)에서 베푼 연회에서 조선 측은 사신단에게 기악(妓樂) 공연을 제공하고자 하였는데 동월은 "선황제 승하 후 3년 동안은 음악을 들을 수 없다"는 이유로 이를 사양하였다. 개성부(開城府)에 도착하였을 때 조선의 원접사(遠接使) 허종(許琮)이 여악을 베풀려 하였으나 동월은 이를 재차 사양하였다. 동월의 이러한 언행은 조선 관리들의 찬사를 받아 "모든 예가 매우 공손하고 조금도 어김이 없으니 올바르고 당당한 사람이라 할 만하다"

라고 평가되었다.

또한 명나라와 조선 왕조의 풍속도 사신이 유람하는 과정에서 늘 거론되는 화제였다. 1488년 사신 자격으로 한양에 파견 온 동월과 왕창은 반송사(伴送使) 허종과 교류하면서 조선 왕조의 풍속을 논하였는데 수행한 자에게 이를 기록할 것을 요구했다. 허종은 “신이 길에서 사신과 우리나라의 풍속에 대하여 논하였는데 사신이 ‘선황제의 실록을 편수할 때 응당 기록하겠다’고 했습니다. 반드시 그리되지 않더라도, 우리나라의 미풍양속을 중국에 전파한다면 이 또한 다행일 것입니다”라고 말하였다.

조선의 풍습을 편수하고 있는 선황제의 실록에 기록하겠다는 동월의 말은 조선에게는 고무적인 일이었다. 동월과 왕창은 또한 허종과 함께 임진(臨津)을 유람할 때 배 위에서 조촐하게 한잔하며 허심탄회하게 이야기 하였는데, 허종은 이 때에도 동월에게 재차 당부하며 “동 선생님, 조정에 돌아가셔서 선황제 실록을 편수하실 때 꼭 우리나라의 풍속을 황제께 아뢰고 역사책에 기록해 주십시오. 선생은 성정이 곧아 평생 두말을 하지 않으시지 않습니까?”라고 하였다. 이렇듯 시정(時政), 풍경, 민속 등의 정황을 자유롭게 논하는 것은 유람 과정에서 늘 있는 일이었다.

한중 우호교류에서의 사신 역사적인 역할과 현실적 교훈

한중 문화는 같은 뿌리를 가지고 있다. 예로부터 중국 문화는 한국에 영향을 주었으며 기자(箕子)가 동쪽으로 건너갈 때 한족 문화를 전파하기도 하였다. 명나라에 이르러서는 양국의 사신이 조선과 명나라의 관계를 이어주는 연결고리가 되었고, 사신의 왕래를 통하여 양국의 문화교류를 촉진하였다. 또한 사신이 한국에 건너간 후, 어떤 관리는 명나라 사신을 대동하고 한양 안의 공자묘를 참배하고 금강산, 한강, 양화도(楊花渡), 서강(西江) 등지를 유람하였다. 양국의 관리는 시와 부로 서로 화답하고 후대에 전해져 내려 오는

『황화집』, 각종 사행기록(使行紀錄) 등 많은 문화적 성과를 거두었다.

동월의 『조선부』는 사회생활, 민족문화, 풍토인정, 자연지리 등에서 모두 상세히 기록하였는데, 이들 기록은 『명사조선전(明史朝鮮傳)』과 매우 부합한다. 이를 통해 동월이 고증을 엄밀히 하고 직접 체험을 보조 근거로 삼아 마침내 후대 사람들이 조선을 이해하는 데 도움이 되는 『조선부』를 만들어 한중 문화교류에 혁혁히 공헌하였음을 알 수 있다.

명나라 사신이 한국을 이해하는 동시에 당시의 한국 사신들도 중국 서적을 가져오는 데에 치중하였는데, 그들은 『사서오경(四書五經)』, 『춘추회통(春秋會通)』, 『대학연의(大學衍義)』 등 전통 고서를 가지고 돌아왔다. 중국의 서적이 한국에 유입되는 것도 중국 문화가 한국에 수입되는 하나의 방식이 되었다. 이 외에 약재, 의술 등도 한국에 전해졌다. 유교 문화는 한국에 전해져 '주자학(朱子學)' 체계를 형성하였고, 후기에는 명나라의 '양명학(陽明學)'을 흡수하여 고유한 특색을 가진 '성리학(性理學)' 문화를 형성하였다. 문화를 전파하는 매개체인 서적을 수입하는 동시에 한국은 계속 한자로 글을 써서, 공통된 문화적 특징과 교류 매개체가 한중 관계의 융합을 촉진하였다.

예로부터 한중은 오랫동안 평화적이고 안정적인 관계를 맺었고 유지했는데, 양국의 사신 왕래를 통하여 중국은 정치·종교·문화·풍속·경제·군사·예의·사상·관념 등 다양한 분야에서 한국과 긴밀한 관계를 맺었다.

한국은 사신을 파견하여 중국의 뛰어난 문화와 사상 등을 적극적으로 도입하고 흡수하였다. 동시에 사신 왕래를 통해 한중 사이에 양호하고 순조로우며 각 영역에 걸친 외교 관계가 맺어졌다. 한중 양국의 사신 왕래는 이러한 전방위적·다각적·다차원적인 외교를 실천하는 데 있어서 현대사회의 '입체 외교'라는 사유를 구현하였다. 한국과 중국의 역사 속에서 이러한 외교관계는 독특한 매력과 특징을 나타내며 후세 또는 오늘날 동아시아 국제 교류에 귀감이 될 만한 역사적 경험을 가져다준다.

시부외교를 이끈 명나라 시인

치순

기순(祁順)

자오하이롱(상해복단대학교)

명나라 사신은 조선과의 교류 관계를 잇는 연결고리이자, 조공제도의 매개였는데, 특히 문관 출신 사신은 명과 조선 양국 관계에 중요한 역할을 하였다. "황제가 홍려시의 행인(鴻臚寺行人) 반문규(潘文奎)를 보내 왕에게 면복(冕服)을 하사하였다"는 기록을 통해 진사 출신의 첫 외교사절이 1402년에 조선으로 갔 음을 알 수 있다. 명나라 건문(建文) 2년, 삼갑진사(三甲進士) 반문규는 첫 번째 외교사신으로 조선에 건너가 임금과 신하에게 좋은 인상을 남겼다.

통계에 따르면 명나라 때 조선을 방문한 진사 출신 문관 사신은 53명으로 전체의 55%를 차지한다. 이들은 과거제도를 기반으로 학문 연구에 매진하였으며 경서에 밝고 문학적 소양이 뛰어나 관직의 고저와 관계없이 '어질고 재능 있는 자'로 불렸다. 그 중에서도 빼놓을 수 없는 사람이 기순(祁順)이며, 또 기순하면 시를 주고받는 '시부(詩賦)외교', 『황화집(皇華集)』, 서거정(徐居正) 등을 빼고 논할 수 없다. 조선 관료이자 시인인 서거정은 기순에 대해 설득력 있고 대표적인 평가를 하였다.

기순(祁順)과 서거정(徐居正), 그들은 누구인가

기순(1434~1497)은 자가 치화(致和)인데, 광동(廣東) 동완(東莞) 출신이다. 명 영종(英宗) 경진년(1460)에 진사가 되었으며, 호부 낭중(戶部郎中), 강서(江西) 좌포정사(左布政使) 등의 관직을 지냈다. 저서에는 『손천기선생문집(巽川祁先生文集)』(『명사[明史]』에는 20권, 사고전서 존목총서에서는 16권에 부록 2권이 있다고 함), 산일(散逸)된 『석천부지(石阡府誌)』 10권, 산일된 『사동고(使東稿)』 10권 등이 있다.

서거정(1420~1488)의 자는 강중(剛中)이며 호는 사가정(四佳亭)이고 본관은 경상도 대구이다. 조선 세종에서 성종 시기에 평론가이자 시인으로 살았던 그는 많은 업적을 이루었다. 조선의 진귀한 시문선집인『동문선(東文

選)』을 편찬하였으며, 그의 시문집 『사가집(四佳集)』은 후세에 널리 전해지고 있다.

'시부(詩賦)외교'란 무엇인가

'시부외교'란 외교무대에서 '시부를 통해 자신의 뜻을 표현하는 것'으로, 시와 부를 지어 입장을 밝히거나 정보를 전달하는 외교방식이다. 이는 춘추시대 제후국들이 정치적 교류를 할 때 최초로 사용되었으며 진·한시대 이후 중앙집권이 강화되면서 발전하였다. 당나라 이후 중국은 주변국과의 관계를 강화하였는데 다른 국가와의 교류에서 시부외교는 정치적인 의미뿐만 아니라 문화적 의미도 있다. 사신이 외교업무를 수행하는 동시에 저술활동을 하며 대내외 정사에 대한 관심을 반영하는 것이다.

명대에 와서 명과 조선의 관계는 더욱 긴밀해졌으며 명나라 조정은 기존의 시부외교를 계승하였다. 명나라와 조선의 문인들은 시를 주고받으며 정서적

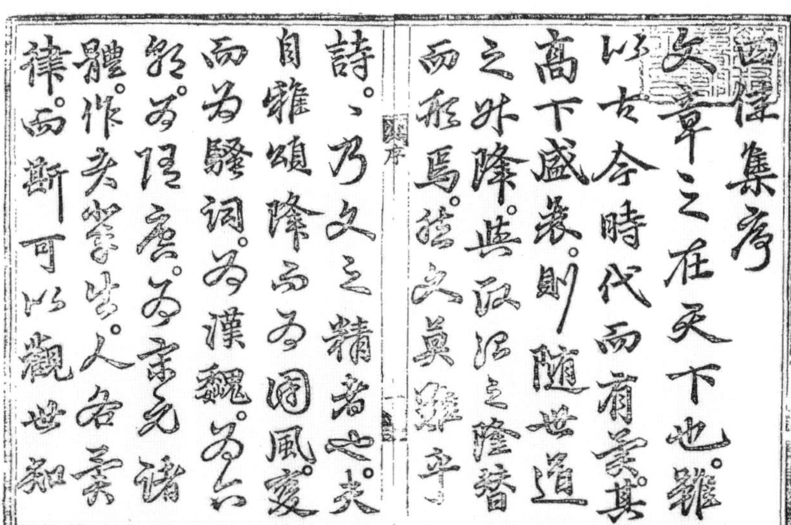

서거정, 『사가집서(四佳集序)』

으로 교류하고 문학을 연구하며 외교문제를 해결하였다.

명나라 황제는 조선으로 보내는 사절 선발을 매우 중요하게 여겨, 문헌 문답 시 조선의 군신을 굴복시키고 명나라 조정의 위엄을 지킬 수 있을 정도로 시문에 조예가 깊고 능력이 출중한 자를 사신으로 보냈으며, 이를 통해 양국의 문화교류는 한층 더 발전되었다. 조선의 원접사(遠接使)와 관반(館伴)도 문학적 식견이 최고로 뛰어난 사람이었으며 이들을 통해 조선은 문화적 역량을 한껏 과시하였다. 조선 왕조는 시부외교로 명나라를 중시하고 존중하고 있음을 보여준 동시에 경쟁의식을 나타냈다. 조선에게 중국은 문화대국이기 때문에 조선은 명나라를 보고 배우기도 하고 스스로의 문화적 역량을 보임으로써 명나라로부터 문화적 지위를 인정받아 명나라와의 교유 속에서 국가의 지위를 높이고자 하였다.

시부외교에서 가장 대표적인 문학적 산물은 『황화집(皇華集)』이다. 『황화집』은 조선에서 명나라 사신과 시를 주고받은 창화(唱和) 작품과 다른 작품들을 모아 편집한 것인데 시를 주고받는 창화 전통은 명나라 말기까지 이어졌다. 창화 작품 중에서 명나라 사신인 기순과 조선 문인의 창화 내용을 엮은 것이 『병신황화집(丙申皇華集)』이다.

기순이 조선에 사신으로 갔을 때 조선에서는 서거정에게 그를 영접하도록 하였다. 두 사람이 시를 주고받으며 했던 '힘겨루기'는 시부외교가 무엇인지 여실히 보여준다.

수준 높은 시인이자 청렴한 생활을 중시했던 관료, 기순

서거정과 기순이 주고받은 시 등을 통해 기순의 문학적 재능이 많은 사람들, 특히 조선인들에게 좋은 평가를 받은 것을 알 수 있다.

명나라 성화제 때 조선으로 간 사신에게는 다음과 같은 규정이 있었다.

조선은 외국이지만 많은 사람들이 책을 가까이 하고 예를 안다. 앞으로 사신을 파견하여 책봉 등의 예를 갖출 때 사신 선별을 가벼이 여기지 않고 학식이 출중한 자를 선별하여 대국의 면모를 보여야 그들의 마음을 사로잡을 수 있다.

당시 명나라 조정은 조선이 문물을 숭상하여 문물과 제도가 다른 나라보다 월등히 뛰어나다는 것을 알고 있었다. 명나라 조정은 사신을 보내 글로 조선의 군신을 굴복시켜 명나라의 풍교(風教)를 널리 알려 명나라의 위엄을 지킬 필요가 있었다. 성화 11년(1475) 주우탱(朱祐樘)이 황태자로 책립된 후 기순은 책립을 알리는 조서를 전달하기 위해 일품복(一品服)을 하사 받아 조선에 가게 되었다.

기순이 조선 사절로 임명된 이유는 그의 뛰어난 필력 때문이었다. 기순과 진사에 함께 이름을 올리고 『헌종실록(憲宗實錄)』을 수찬한 장원정(張元禎)의 「명통봉대부강서좌포정사기공묘지(明通奉大夫江西左佈政使祁公墓誌)」에 따르면 그 해에 기순이 장원으로 급제함이 마땅하지만 그의 이름 기순(祁順)이 영종(英宗)의 이름 주기진(朱祁鎮)과 당시 연호였던 천순(天順)과 비슷하여 일갑장원(一甲狀元)에 뽑히지 못하였다고 한다.

기순이 조선에 사신으로 갔을 때 수많은 창화 작품을 남겼으며 조선 문인 중에서도 서거정과 차운(次韻)한 작품이 가장 많고 수준도 높다. 『병신황화집』에 수록된 작품 중 기순의 작품이 144편, 서거정의 작품이 191편이다. 기순의 개인 문집인 『손천집(巽川集)』에도 당시 지은 창화시 27편, 국왕 서신 2편이 수록되어 있다. 두 사람이 주고받은 시의 내용은 기자(箕子)의 근원, 예와 기녀 거부, 지음의 우정, 기행의 느낌 등 크게 네 가지로 분류되며 기순의 시구에서 그의 뛰어난 문학적 재능을 느낄 수 있다.

첫 번째는 기자의 근원에 관한 내용이다. 한국과 중국이 밀접한 문화 교류를 시작한 것은 기자조선 시기로 알려져 있는데 명나라 사신은 조선을 방문할 때 기자의 묘와 사당에 참배하여 그의 공적을 기리고 존경심을 표하였다.

『병신황화집』에 기자를 소재로 한 작품은 기순의 시가 5편, 서거정의 시가 6편으로 총 11편이다. 기순의 「알기자묘부(謁箕子廟賦)」에는 다음과 같은 구절이 있다.

상(商)이 쇠하여 대도가 무너지고, 여자의 화가 부채질하여 쌓인 곡식이 먼지가 되었네. 황음무도하여 포학의 기염이 재앙을 부르는데, 하늘을 무시하여 경계하지 않고 충언을 멀리하여 듣지를 않네. 아! 기자여 힘든 때를 만났는데, 의리로는 대신이고 친함으로는 숙부이네……『서(書)』에 홍범구주(洪範九疇)가 있고, 『역(易)』에 명이괘(明夷掛)가 있으니, 공자가 찬(贊)하고 유종원(柳宗元)이 비문을 지었네. 기자의 도가 크니, 또 어찌 한마디라도 덧붙일 필요가 있겠는가

이 부는 총 364자로 이루어져 있으며 기순이 기자의 묘에 들러 고인을 추모하는 마음이 담겨있다. 여기에 상나라 주왕은 황음무도, 포악한 통치로 민심을 얻지 못했고 선왕의 도를 지키지 않고 신을 모시지 않으며 충언을 듣지 않았다고 서술하고 있다. 주왕의 친척이자 신하였던 미자, 기자, 비간은 나라를 위해 주왕에게 간언하였으나 모두 좋지 않은 결말을 맞이하였다. 기자는 조선에 제후국을 세워 중원의 선진기술과 문화를 전파하였고 문화정책을 실시하였는데, 이는 조선 교화의 중요한 시작이었다. 기자는 백성에게 농사, 양잠, 예를 가르치고 '팔조금법(八條禁法)'을 공표하였는데, 이 여덟 가지 법은 조선의 율법과 예의 상징이 되었으며, 오랑캐 나라를 군자의 나라로 바꾸는 중요한 역할을 하였다. 이 내용은 『서(書)』, 『역(易)』 등 책에 기록되어 있고 공자도 기자를 칭찬하였으며 당나라 유종원(柳宗元)은 비석에 새겨 기자를 기억하였다.

시문은 고사와 역사적 사건을 인용하여 기자가 중국에서 중요한 위치에 있음을 설명하였고, 기자의 유풍이 조선에 심원한 영향을 끼친 것을 긍정하였다. 기순은 364개에 불과한 글자로 당시의 역사를 생동감 있게 묘사하였으니

그의 깊이 있고 정교한 문장력에 탄복하지 않을 수 없다.

또한 서거정이 차운한 시는 기순이 지은 「알기자묘부」의 압운 양식을 따른 것이며, 서거정의 시와 기순의 시는 서술방식이 유사하고 내용도 기자에 대한 숭배와 공경심을 다루고 있다. 이를 통해 서거정이 상나라와 주나라의 정권교체, 상나라 주왕의 폭정, 미자, 기자, 비간의 인의(仁義) 등 중국 역사에 대해 잘 알고 있었음을 알 수 있다. 시에서 기자가 조선을 교화한 영향이 현재까지 이어진다고 썼는데, 이를 통해 명나라의 조선 유교전통에 대한 인정과 조선의 중국 문화에 대한 귀속 의도를 표현하였다. 서거정은 중국 역사에 대해 잘 알고 있을 뿐만 아니라 더 중요한 것은 그의 창작방식과 내용이 기순의 방식과 유사한 것이며, 이는 그가 기순의 운문을 인정하고 높이 평가했다는 의미이다.

두 번째는 기행 느낌에 대한 내용이다. 명나라 사신은 조선에 갈 때 사명이 있었으며 임무를 완수한 후에는 조선에 오래 머무를 수 없었다. 원접사와 관반이 짧은 시간 동안 명나라 사신을 데리고 조선의 유명 명소나 문물을 둘러보았다. 사행 기간에 둘러보는 명승고적은 기행 내용의 시에서 자주 등장하는데 그 중에서도 태평관은 필수적으로 언급된다. 그 중 「태평관등루부(太平館登樓賦)」는 잘 쓰여진 작품이다.

나 가진 것 없이 태어나 고루하여 짝이 없음을 부끄러워하였는데, 전현의 법도를 따라 고상하고 훌륭하게 되었네. 멀고 외진 바닷가는 지긋지긋하여 일찍부터 중원에서 놀았는데, 견문이 넓지 않다고 생각하여 큰 뜻을 품고 세상을 두루 돌아다니고 싶었네.…… 옛날 굴원(屈原)의 원유(遠遊)는 그저 우언(寓言)일 뿐 실제가 아니었고 사마천의 해박함은 어떠했는가 하면 그 또한 중국에 그쳤을 뿐이었네. 생각건대 드넓은 구주(九州)는 나의 발길이 절반이나 닿았는데, 봉래산의 명승을 들은 터에 한 번 가서 숙원을 풀고 싶었네. 천자의 명을 받아 조선에 사신으로 가게 되었는데, 하늘가를 가리키며 수레를 달리노라니 길이 한없이 아득하네.

이 부(賦)에서 기순은 자신의 원대한 포부를 드러냈다. 굴원의 원유를 예로 들었고, 사마천과 같이 박식한 학자도 외국에 나가보지 못하였는데 자신은 운 좋게 황제의 총애를 받아 외국에 가서 바깥 세계를 경험하니 흔치 않은 일이라 하였다.

이어「심갈석지유적(尋碣石之遺跡)」등 시부에서는 한 무제의 위대한 업적을 기렸다.『초사(楚辭)』양식을 모방한 소체(騷體)에 속하며 '혜(兮)'자가 많은데, 이는 초사체의 특징이다. 여기에서는『이소(離騷)』의 시구를 변화하여 사용하여 문장 구조가 매끄럽다.

예를 들어『초사(楚辭) 이소(離騷)』중의 '함지에서 내 말에게 물을 먹이고(飮余馬於咸池兮), 고삐를 부상에 매어놓는다(總余轡乎扶桑)' 부분을 '함지에서 보검을 담금질하고(淬寶劍於咸池兮), 만궁을 부상에 걸어 놓는다(掛彎弓於扶桑)'로 썼으며,『초사 이소』중의 '길은 까마득하고 멀어서(路曼曼其脩遠兮), 나는 오르락내리락 하면서 찾아 다닌다(吾將上下而求索)' 부분을 '하늘 끝으로 질주하고(天涯以馳騖兮), 길은 까마득하고 멀다(杳道路之漫漫)'로 바꾸었고, 또『초사 이소』중 '아침에 창오를 떠나(朝發軔於蒼梧兮)' 부분을 '아침에 대도를 떠나(朝發軔於大都兮)'로 변화하여 사용하였다.

마지막으로 기순은 여러 시에서 서거정에 대한 우정을 표현하였다. 기순이 조선에 머문 시간은 8일 밖에 되지 않지만 서거정과 창화한 시는 100편에 이르며 서거정은 압운에 따라 시를 지었다. 두 사람의 국적은 달랐지만 지음처럼 시를 통해 문학에 대한 생각을 마음껏 나누며 깊은 우정을 쌓았다. 특히 이별의 순간에도 두 문인은 글을 통해 서로에 대한 아쉬움을 표현하였다. 기순의「압강별서군의정(鴨江別徐君議政)」2수 중 하나에는 "해동의 문장가들 가운데, 그대를 일류로 추천하니, 만나면 빈번히 극진히 대접하였고, 곳곳에서 함께 누각에 올랐지. 옥으로도 보답하기 어렵고, 명주는 어두운 곳에 내던져 있지 않는 법이지. 이별을 앞두고 아쉬움 어찌 끝이 있으리오, 동쪽을 바라보며 천천히 배를 움직이노라"라고 쓰여 있다.

그들은 창화를 하며 우정을 나눴을 뿐 아니라 기순은 서거정의 재능과 학식을 높이 평가하였다. 기순은 「국왕에게 올리는 글(與國王書)」에서 조선의 국왕에게 서거정을 칭찬하며 "참찬 서거정이 송별해 주어 장차 돌아감에 이렇게 아룁니다. 서거정은 문학이 있어 국왕이 신임하는 자임에도 보내어 오랜 시간 저희와 함께하도록 하셨으니, 국왕께서 후히 접대하고자 한 뜻이 어찌 가볍겠습니까"라고 하였다. 그는 서거정의 문학적 소양을 칭찬하면서 짧은 시간이었지만 서거정과 나누었던 우정과 조선의 환대에 감사의 뜻을 표현한 것이다.

『병신황화집』에서 기순은 하나의 주제로 여러 편의 시를 짓는 연작시 형태의 창작방식을 자주 활용하였다. 연작시로는 「개성소영(開城小詠)」10수, 「조선잡영(朝鮮雜詠)」 10수, 「승가영유소감발, 재부오절십수(承佳詠有所感發, 再賦五絶十首)」 10수, 「증별(贈別)」 10수가 있는데, 이 시들은 경물과 환경을 아름다운 시어로 강과 하천의 장려함을 묘사하였을 뿐 아니라 명나라의 교화가 머나 먼 조선까지 전파되었음을 선양하면서 유교 문화 하에 있는 문화와 예의의 나라 조선을 생생하게 표현하였다. 고향에 대한 그리움을 나타낸 작품도 다수인데, 오랜 시간 고된 여정으로 인해 고향이 더욱 그리워진 것이다. 연작시는 시인의 능력에 더 엄격한 잣대를 댄다. 짧은 시간을 감상한 후 의미가 담긴 시 10편 정도를 지어야 하기 때문에 연작시를 통해 문인의 창작 내공을 파악할 수 있다.

기순과 서거정의 창화시는 양국 문화 교류를 촉진시켰고, 두 사람은 시를 주고받으며 두터운 우정을 나누었다. 기순은 창화시를 통해 조선에 유교문화의 영향력을 확대하기 위해 노력하였다. 그는 조선이 중국 문화를 제대로 이해하고 받아들이는 데 기여했으며, 사신의 이미지를 청렴하게 만들어 조선에서는 그를 위해 '각금정(却金亭)'을 지어주었다. 서거정은 차운 작품에서 중국 문화를 인정하면서 화이사상을 드러냈으며, 조선 문인의 문학적 소양과 겸손하고 따뜻한 교우관계를 보여주었다. 기순과 서거정은 중국과 조선 양국의 시부외교의 대표적인 인물로 이후 양국 문인들의 문학적 교류에 모범이 되었으며, 성공적인 문화사절 역할을 수행하였다.

이 외에도 조선 문인 최부(崔溥)의 『표해록(漂海錄)』에는 다음과 같은 기록이 있다. 하영(何榮)이 말하기를, "우리 조정의 낭중(郞中) 기순(祈順)과 행인(行人) 장근(張謹)이 일찍이 조선에 사신으로 가서 『황화집(皇華集)』을 저술했는데, 시를 지어 화답한 조선 사람들 중에 서거정(徐居正)이 맨 첫 줄에 있었습니다. 그의 시에, '명나라 황제가 만약 조선의 일을 묻는다면, 문물과 의관은 상국과 같다고 하소'라고 한 것이 있었는데, 지금 그대를 보니 진실로 천 년에 한번 만나는 좋은 기회입니다. 그런데 저를 버리지 않고 다시 화답하는 시를 받게 되어 삼가 변변치 못한 예물을 받들어 배 안에서 드실 찬거리를 조금 도우려 하니, 눈에 드신다면 매우 다행이겠습니다."하므로, 신은 말하기를, "기 낭중의 문장과 청렴함은 사람들에게 흠모를 받았는데 지금은 어떤 관직을 하고 있고, 장 행인은 또 어떤 관직을 맡고 있습니까?"하니, 하영이 말하기를, "기 낭중은 귀주(貴州) 석천부(石千府)의 지부(知府)로 좌천되었습니다"

이때는 기순이 사신으로 조선에 다녀간 지 13년이나 지났는데도 조선의 문관은 '기 낭중(郞中)의 문장과 청렴함'을 기억하고 있었다. 이를 통해 기순의 문학적 재능이 얼마나 뛰어났는지 알 수 있다.

조선 사람들 마음 속에 새겨진 청렴한 이미지

성화 11년에 기순은 일품복을 하사 받아 조선에 사신으로 가게 되었다. 예전 사신은 수행하여 이익을 도모하는 사람이 수백 명이나 되었지만 기순은 이를 금지하고 30명의 병사만 수행하게 했다. 특히 그는 예의를 갖추고 기녀를 멀리하여 청렴한 면모를 보였다.

조선은 예의지국으로 사신이 의주(義州)에서 국경으로 들어오면 원접사,

관반 등 책임자가 접대를 하였고 숙소나 연회 등 어떤 일이든 상관없이 손님을 극진히 모셨다. 기순 일행의 주요 임무는 황태자의 책립을 알리는 조서 전달이었다. 이러한 정치적 임무를 수행할 때 조선에서는 명나라 관료들에게 연회를 베풀거나 주요 명소 관광을 시켜주는 등의 일을 빼놓지 않았고 이때 흥을 돋우기 위해 노래나 춤에 능한 기녀를 동행하기도 하였다. 명나라에서 조선으로 간 사신 대부분은 세속적인 것을 멀리하여 품위를 지켰고 조선국에서 보낸 기녀들을 예를 갖추어 사양하였다.

기순은 시를 통해 사양 의사를 밝혀 '기녀를 거절하는 시(却妓詩)' 세 수를 지었다. 그중 가장 대표적인 시가 「연백상루각기구호(연백상루각기구호(宴百祥樓却妓口號)」인데, "좋은 연회에 어찌 여인을 내놓는가, 예를 중시하면 예로부터 색을 경시하였네. 미인은 사람을 변하게 하여 화를 불러올 것이고, 음란한 음악은 아악을 어지럽혀 너무도 무정하리. 연분을 맺으면 옛날 사신이 여자와 놀아나 지었다는 풍광호(風光好)라는 노래에 부끄러울 것이고, 방탕하면 부질없이 경박하다는 이름만 얻을 뿐이네. 어찌 한유(韓愈)가 시와 술

서울 문묘(© 장일규)

로 글을 논하여, 취해 오면 노래하면서 맑게 노는 것만 하겠는가"고 하였다. 이 시를 통해 기순은 연회 자리에서 노래하고 춤추는 기녀를 완곡하게 거절하였으며, 시와 술을 벗 삼아 회포를 노래할 것을 제안하였다.

그는 관직에 40여 년 있었지만 재산은 처음 출사했을 때와 비교해 늘지 않았다. 기순이 강서(江西)에 있을 당시 비축된 지전(紙錢)이 3천 금에 이르렀는데, 당시 그는 이미 숨이 경각에 달려 있는 상황이었다. 그럼에도 어떤 이가 기순의 아들에게 그 지전을 쓰라고 권하자, 기순이 희미하게 그 소리를 듣고 곧바로 아내와 아들에게 "평생 조심히 산 나의 삶을 조금도 더럽히고 싶지 않다. 내가 죽고 나서 너희들이 다른 이에게 미혹되어 함부로 관아의 돈에 손을 댄다면 나는 죽어도 눈을 감지 못할 것이니 차라리 굶어 죽는 것이 낫겠다"라고 하였다. 생사를 오가던 순간에도 청렴한 정신은 살아있었던 것이다.

동완(東莞) 계화방(桂華坊)에는 '진사(進士)' 패방(牌坊)과 '방백(方伯)' 패방이 있는데 모두 기순을 기리기 위해 세워진 것이다. 동쪽 거리에 있는 '부자가 진사이고(父子進士), 형제가 대대로 과거에 급제하였다(兄弟世科)'는 기순과 기순의 형제, 자손을 기리는 것이다. 광주(廣州)의 '충현(忠賢)' 방도 기순 등의 품행을 기리기 위해 세워졌다.

선인 중에서는 장기감(張其淦)이 기순에 대해 가장 자세하고 공정하게 평하였다. 장기감의 「음지거시화(吟芷居詩話)」에서 기손천 방백(기순)은 중국과 외국에서 관직을 지냈고 청렴한 삶을 고수하였으며 외국에서는 뇌물을 거절하고 강서(江西)에서는 공금을 쓰지 않고 남겼다. 청렴함을 후손에게 물려준다는 말에 대해 이 사람은 참으로 부끄럽지 않다고 하였다. 종운서(鐘雲瑞)는 기순이 경재(敬齋)와 백사(白沙)의 학문을 공부하였고 잘못을 경계하고 허물을 적게 하는 것에 뜻을 세웠으니, 유신(儒臣)의 종사(宗師)라고 하였다. 원창조(袁昌祚)는 기순의 시문에 대해 뜻이 깨끗하여 시가 온화하고 행동이 훌륭하여 시가 우아하고 담백하다고 하였다. 이들의 말은 참으로 사리에 맞다고 하겠다.

오늘날 기순의 시를 읽으면 고체시(古體詩)는 정갈하여 꾸미지 않았고, 근체시(近體詩)의 경우 오언(五言)의

地寒猶有樹，塞遠不揚沙

찬 땅에도 나무가 있고, 먼 변방이라 모래가 날리지 않네

健以窮愁博，吟應太瘦生

건강은 궁한 시름으로 잃고, 시를 읊조리니 너무 마르리라

道重浮名薄，官貧素節優

도가 깊으니 허명은 적고, 벼슬살이가 청빈하니 절개가 넉넉하네

世事不掛號，故人常在心

세상일은 괘념치 않고, 옛 친구는 늘 가슴에 있네

칠언(七言)의

隴梅欲寄春無便，池草初生夢有香

변방의 매화 부치려도 봄이 그리해주지 않고, 연못의 풀이 갓 자라 꿈에도 향기가 나네

酒力中人春去後，江聲欺夢月斜時

봄이 간 뒤에 술기운이 사람을 해치고, 달 기울 때 강물소리 꿈을 방해하네

數莖蓬鬢經霜改，一點葵心嚮日孤

몇 가닥 귀밑머리 서리 맞아 바뀌고, 한 점 해바라기 심은 해를 외로이 향하네

天上幾時均雨露，人間無處不風波

하늘이 비와 이슬을 고르게 내릴 때가 얼마나 되겠는가, 세상에는 풍파 없는 곳이 없어라

留詠只將山當畫，攻愁常借酒爲兵

시를 남기려면 산과 그림을 데려가고, 수심을 없애려면 늘 술을 병사로 삼네

宇宙綱常今古事，江山風物短長吟
우주의 강상(綱常)이 고금의 일이고, 강산의 풍물이 시이네
宦程自笑先居後，歲月從教故又新
벼슬살이 먼저 뒤쳐지는 것 스스로 웃고, 세월은 짐짓 또 새로이 바뀌도록 놔두네
生涯好是安蛇足，門巷眞堪設雀羅
딱 사족(蛇足)같은 인생이라도 만족하여, 문밖에 새그물을 칠만 하겠네

와 같은 시는 모두 담박하고 자족하는 운치가 있다.

명대의 명과 조선은 '은혜로 맺어져 이해를 함께하고 서로의 국가를 사랑하고 국민을 사랑하는 관계, 앞으로도 저버리지 않는' 우호관계를 형성하였다. 이러한 양국의 우호관계는 기순을 위시한 조선 사절단이 중요한 역할을 하여 이루어진 것이었다.

『사조선록』을 지은 명나라 사신

공용칭

공용경(龔用卿)

정쉬엔위에(대련대학교)

2017년 수교 25주년을 맞은 한중 양국은 비슷한 문화와 가까운 거리로 자주 왕래하며 양국에 '한류', '중국붐' 등을 형성하였다. 한중 양국의 교류 역사는 오래되었으며 예전에는 주로 사신을 파견하는 형태로 이루어졌다. 기원전 109년 한무제(漢武帝)가 고조선에 사신을 보냈을 때부터 청나라 선종 도광제(道光帝) 때인 1840년까지 중국에서 한반도에 사신을 파견한 횟수는 총 969회이며, 그 중 명나라와 조선 간의 왕래가 가장 활발하였다. 명대에 조선에서 중국으로 사신을 보낸 횟수는 약 1252회, 중국에서 조선으로 사신을 보낸 횟수는 약 153회로 전해진다. 사신 방문단은 외교 실무자이며 외교정책이 순조롭게 추진될지에 직접적인 영향을 준다. 또한 사신의 언행이 곧 국가의 이미지이며 심지어 양국 혹은 국교에도 영향을 미칠 수 있다.

사신 중에서 가장 대표적인 인물은 명나라 가경(嘉慶) 연간 때의 공용경(龔用卿)이다. 공용경은 1537년 '황태자의 출생'을 알리기 위해 정사(正使) 신분으로 조선에 파견되었고 귀국 후 『사조선록(使朝鮮錄)』을 출간하였다. 공용경은 『조선왕조실록』에 가장 많이 등장하는 중국 사신이며 조선에 큰 영향을 주었다. 그는 명나라와 조선 사이의 '등황제도(謄黃製度)'를 만들어 명나라가 조선을 '내복(內服)', '한 가족'으로 여기도록 하였고 양국이 우호관계를 맺고 문화교류를 증진하는 데 결정적인 역할을 하였다.

공용경(龔用卿)의 생애

공용경(1500~1563)의 자는 명치(鳴治)이고, 호는 봉강(鳳崗)이다. 그는 과거시험에서 두각을 나타냈을 뿐 아니라 뛰어난 문장력으로 수많은 문화유산을 남겼다. 명문세족 출신인 그는 통현공씨(通賢龔氏) 7대손으로 회안현(懷安縣, 지금의 복건성 복주시 고루구[福建省福州市鼓樓區]) 사람이다. 명나라 가정(嘉靖) 원년(1522)의 과거 향시에 급제하여 거인(舉人)이 되었으며 가정 5년(1526) 병술년 진사시에 장원으로 급제하였다. 공용경은 밝고 총명한 기운이 느껴지는 수려한 외모를 가졌으며 팔고문에 능하고 글재주가 뛰어나 고문과 시가를 짓는 데 막힘이 없었다. 26세에 장원급제한 후 한림원수찬(翰林院修撰)에 제수되었고 좌춘방좌유덕(左春坊左諭德), 한림시독(翰林侍讀)에 발탁되어 『명륜대전(明倫大典)』과 『태명회전(太明會典)』 편찬에 참여하였다.

가정 15년(1536) 공용경, 오희맹(吳希孟)이 조선에 사신으로 가서 황태자가 탄생하였다는 조서를 반포하였고, 복명 후 황제로부터 '일품 옥대와 기린(麒麟)복'을 하사 받았다. 공용경이 사신으로 있을 때 조선 사람들은 그의 문학적 재능에 칭찬을 아끼지 않았으며 그는 사신 임무를 성공적으로 마무리할 수 있었다. 고국에 돌아온 후에도 그는 조선 군신의 선물을 완곡히 거절하며 청렴한 면모를 보였고 이 모습은 또 한번 '뭇사람들의 감탄'을 자아냈다. 그는 조선 군신들에게 좋은 이미지를 남겼으며 타국에서 많은 사람들과 교우하였다.

귀국 후 그가 가정제(嘉靖帝)에게 상소문을 올려 제안한 사항들은 승낙을 받아 실시되었으며, 이를 통해 명과 조선 양국관계는 크게 발전할 수 있었다. 이후 그는 세 차례 회시 시험관을 지냈고 가정 21년(1542) 남경(南京) 국자감제주(國子監祭酒)로 승격되었다. 그는 재임기간 동안 교육기관을 증설하고 학풍을 정돈하였다. 가정 25년(1546) 병으로 인해 퇴직하여 복주(福州)로 돌아가 요양하였다. 20년 동안 은거 생활했던 그는 가정 42년(1563) 복주에서 병으로 세상을 떠났고 복주의 길상산(吉祥山)에 영면하였다.

공용경은 학식이 깊고 시가에 능했으며 삼례에 대한 깊은 지식이 있었다. 그가 지은 『운강문집(雲岡文集)』 20권 중 주요 작품은 「옥당강의(玉堂講義)」, 「효묘예문(效廟禮文)」, 『사조선록』, 『운강시문집(雲岡詩文集)』 등이며 그 중에서도 가장 특색 있는 작품이 『사조선록』이다. 『사조선록』은 중국 및 조선 고대 관계사 연구에서 역사적 가치가 뛰어난 자료이다.

조선에 남긴 문화유산

공용경은 가정제 집권 후 첫 번째 조선 사절이었기 때문에 공용경의 조선행은 두 나라 관계에 있어 의미가 깊었고, 가정제는 즉위 후 후손을 보는 데 계속 어려움을 겪었기에 황태자의 탄생은 그에게 있어 큰 의미가 있었다. 황태자가 탄생했다는 것은 황제가 후계자를 통해 통치 지위를 더욱 공고히 할 수 있다는 것이므로 이를 기회로 조선을 명과 소통하는 관계로 만들 수 있게 된 것이다. 따라서 가정제는 조선에 '황태자 탄생' 조서를 반포한다는 명목으로 사신을 파견하였다.

공용경은 경서와 사적을 두루 읽고 학문 연구에 매진해 문학에 대한 폭넓은 지식이 있었고 특히 문학과 시부(詩賦)에 뛰어난 재능이 있었다. 그가 조선으로 떠나는 동안 지은 시부는 107편이 넘으며 장소와 상관없이 제목을 붙여 시를 지었다. 그가 지은 시부는 『황화집(皇華集)』과 『사조선록』에 수록되어 중국과 한국의 학자들이 이에 대해 연구하였다. 공용경은 조선을 방문하였을 때 시부 외에도 여러 귀중한 문화유산을 남겼다.

산과 건축물 이름

1537년 3월 10일 공용경과 오희맹이 조선의 수도 한양에 도착하여 모화관(慕華館)에서 융숭한 대접을 받았다. 3월 14일 조선의 국왕이 경복궁 경회루에서 공용경 일행을 접견하며 공용경에게 경복궁 서쪽 인왕산과 북쪽 백악산 등의 이름을 다시 지어줄 것을 요청하였다. 산과 건축물의 이름 짓기를 청하는 것은 사신에 대한 최고 대우였기 때문에 공용경은 조선국왕의 요구대로 백악산은 공극산(拱極山), 인왕산은 필운산(弼雲山), 경회루 서쪽 연못은 옥액(玉液), 동쪽 연못의 석교는 청홍(晴虹), 백자정(栢子亭)은 응수정(凝秀亭), 숭순당(崇順堂) 앞의 나무 두 그루는 각각 노용(老龍), 반규(盤虯)로 이름 지었다.

서예 작품

경회루의 편액

서예는 중국과 중국 주변 국가 및 지역에서 문자 특유의 아름다움과 예술성을 표현하는 독창적인 조형예술이다. '말하지 않는 시, 행위 없는 춤 혹은 그려내지 않는 그림, 소리 없는 음악' 등으로 불린다. 문인에게 서예는 국학에 대한 소양을 의미하며 학자의 품격과 학식, 재능, 정신을 종합하고 승화시킨 결과물이다.

『서울 600년사 연표』에 1537년 11월 11일 공용경이 작성한 경회루 편액이 완성되었다는 기록이 있다. 경회루는 웅장한 장관의 건축물로 경복궁에서 경치가 가장 아름다운 곳이다. 근정전의 서북쪽에 위치하여 나라의 경사가 있을 때 혹은 외교사신을 접대할 때 연회를 베푸는 장소이며 사방이 거대한 인공연못으로 둘러싸여 있다. 조선의 국왕과 대신들이 성대한 연회를 열거나 외국사신을 대접할 때 활용했던 공간으로, 국보 제224호로 지정되어 있다.

경회루라는 이름은 고려 말~조선 전기의 문신인 하륜(1348~1416)이 지은 것이다. 경복궁 창건 당시에는 작은 누각이었으나 조선 태종과 명나라 영락 10년에 본격적으로 조성되었다. 1412년 못을 파고 거대한 누각을 건설한 후 태종이 세자인 양녕대군에게 글씨를 쓰게 하여 그것을 편액으로 삼았다. 누각의 모형은 조선 제일이었으며 정방형 못에 돌기둥을 세워 거대한 누각이 마치 못 위에 떠있는 듯한 장관을 만들었다. 하지만 임진왜란(1592) 때 불타 훼손되어 돌기둥만 남았고, 현재의 경회루는 1867년(고종 4)에 복원된 것이다. 이는 1537년 공용경이 쓴 편액이 임진왜란 때 누각과 함께 불에 타 그의 서예 작품 또한 소실되었다는 것을 의미한다. 하지만 경회루에 공용경이 쓴 편액이 사용되었다는 사실을 통해 당시 조선의 국왕이 공용경을 얼마나 아꼈는지 알 수 있다.

해운정에 남긴 현판과 화선(畫扇)

문화유산은 인류가 남긴 생활의 흔적이다. 강릉에 위치한 해운정(海雲亭)은 조선 중기 목조 건축물로 사대부의 별당이었다. 어촌(漁村) 심언광(1487~1540)이 1530년에 강원도 관찰사로 재직했을 때 지은 건축물이며, 1963년에 보물 제183호로 지정되었다. 그 안에는 율곡 이이(1536~1584) 등 여러 유명한 사람들의 시문과 글이 보존되어 있으며, 특히 1537년 명나라 정사(正使) 공용경이 쓴 '경호어촌(鏡湖漁村)'과 부사(副使) 오희맹이 쓴 '해운소정(海雲小亭)' 현판, 공용경이 기증한 화선(길이 31㎝, 폭 54㎝)도 있다. 1977년자 『동아일보』에서는 이 화선(畫扇)은 공용경이 심언광의 집을 방문했을 때 기념으로 자신이 직접 그린 부채를 선물한 것이라고 소개하였다. 당시 심언광은 접반사(接伴使)로 명나라에서 온 공용경과 오희맹을 접대하였다. 앞의 사진은 한국 문화재청 사이트의 해운정 소개 자료에서 찾은 공용경의 현판과 화선이다.

공용경의 '경호어촌(鏡湖漁村)'과 오희맹의 '해운소정(海雲小亭)'

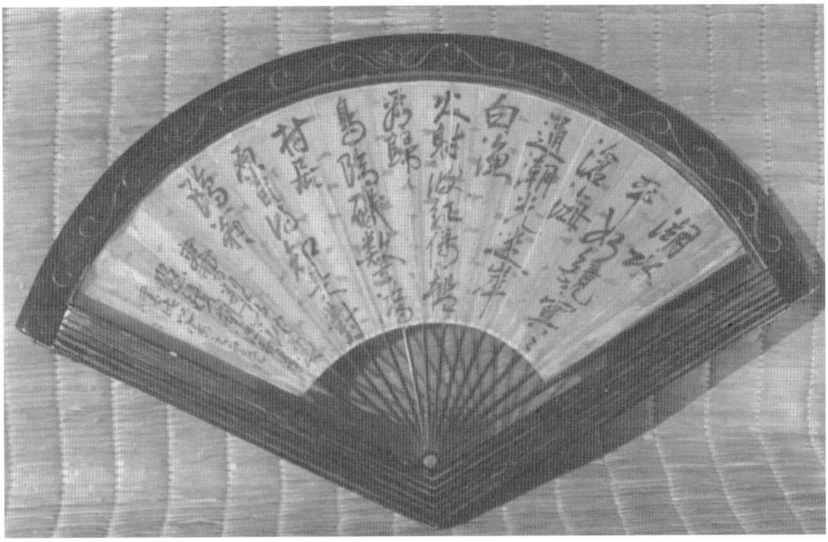

공용경이 화선에 쓴 오언율시(五言律詩)

요녕(遼寧) 요양(遼陽)의 천산(千山) 대안사(大安寺) 나한동굴(羅漢洞) 석각

천산은 요녕성 안산시(鞍山市)에서 동남쪽으로 17㎞ 떨어진 곳에 위치해 있으며 총 면적은 44㎢으로, '동북의 명주(明珠)'라 불리는 주요 명소이다. 천산은 명대부터 이미 '요동 제일의 산'으로 불려 당대 문인들이 즐겨 찾았으며 명성이 자자한 곳이다. 안산의 역참(驛站)은 명나라 사신이 조선으로 갈 때나 조선 사신이 명나라에 올 때 통과했던 요동 역로(驛路)의 주요 역참으로 명나라와 조선 사신의 시문에서 안산 역참과 천산이 자주 등장한다.

『명실록(明實錄)』에 따르면 가정 16년(1537) 9월 공용경과 오희맹은 조선에서 북경으로 돌아가 복명한다. 요양에서 두 사람은 지방의 관리와 함께 천산을 둘러보며 시를 주고받았으며 돌에 글씨를 새겨 기념으로 남겼다.

공용경은 「명용천사대오용진급사불지(明龍泉寺待吳龍津給事不至)」, 「유중회사(遊中會寺)」, 「향암사(香岩寺)」, 「나한동(羅漢洞)」 등 네 편의 시를 남겼고, 오희맹은 「유용천사(遊龍泉寺)」, 「나타동(羅陀洞)」, 「숙대안사

유회(宿大安寺有懷)」, 「나한동(羅漢洞)」 등 네 편의 시를 남겼다. 이 시들을 통해 먼저 북쪽 계곡의 용천사와 조월사를 둘러본 후 중간에 위치한 중회사에 갔으며 마지막으로 남쪽 계곡에 위치한 대안사와 나한동굴에 갔다는 것을 알 수 있다. 그들은 곳곳을 둘러보며 천산의 아름다움을 감상했고 그때의 느낌을 시문에 담아낸 것이다.

또 대안사 나한동굴 동쪽 벽에 "가정 정유년 중하(仲夏) 임자(壬子)에 한림원수찬(翰林院修撰) 공용경, 호과급사중(給事中) 오희맹, 원마경(苑馬卿) 풍시옹(馮時雍), 태복시소경(太僕寺少卿) 이상(李翔), 분수참의(分守參議) 고등(高登), 부총병(副總兵) 이경량(李景良), 시승(寺丞) 여붕(呂朋), 도지휘(都指揮) 유대장(劉大章), 진선(陳善), 서부(徐府)와 함께 대안사 나한동을 둘러보다"라는 글씨를 남겼다. 비석은 청석이며 와비(臥碑) 형태로 높이 56㎝, 폭 72㎝이다. 음각 글자에 해서체로 6자씩, 12줄 쓰여 있다.

이후 명나라 사신이 조선으로 건너갈 때, 조선 사신이 명나라에 조공을 보낼 때 모두 요동을 거쳐서 갔으며 요동에서도 안산의 역참(지금의 안산시 천산구[千山區] 안산성[鞍山城])을 통과하였다. 공용경과 오희맹이 사신 임무를 수행한 후 조선에서 북경으로 돌아가는 길에 안산 역참을 지났기 때문에 천산을 들렀던 것이다. 그가 대안사 나한동굴에 석각을 남겨 우리는 공용경의 필체를 눈으로 직접 확인할 수 있다.

『사조선록(使朝鮮錄)』 소개

『사조선록』은 명나라 가정 때 공용경이 정사로 조선에 다녀간 뒤 저술한 사행록(使行錄)이다. 가정 16년 즈음에 완성되었으며 총 2권이다. 공용경이 사신으로 조선으로 가게 된 절차, 그가 직접 보고 느낀 황제의 조서를 맞이하는 의례인 조선의 영조례(迎詔禮)와 사행(使行) 과정에서 본 주변 경관과 생활 풍속, 특히 요동의 상황, 조선 접반사(接伴使)들과 교환한 창화시(唱和詩) 등 양국의 교류에 관한 내용이 자세히 기록되어 있다.

가정 시기 조선이 황제의 조서를 받는 복잡한 예식에 대한 기록은 마치 「청명상하도(清明上河圖)」를 보는 듯 자세한데, 이를 통해 당시 양국의 관계가 우호적이면서도 엄격했다는 것을 알 수 있다. 『사조선록』은 가정 시기의 명과 조선의 관계를 연구하는 데 있어 가장 좋은 자료일 뿐 아니라 16세기 조선의 상황을 연구하는 데도 사료적 가치가 높다.

조선의 접대 예의

국가의 관계는 두 국가 사이에서 갖추는 예를 통해 알 수 있다. 공용경은 『사조선록』에서 당시 조선이 명나라 사신을 영접할 때의 각종 의례 절차를 상세히 기재하였다. 조선의 영접 의례 절차는 '출사(出使)의 예', '방교(邦交)의 예', '사직(使職)의 의무' 세 부분으로 나누어 기록하였고, 관리가 명나라 사신과 조서를 맞이하고 대접하는 내용도 포함되어 있다. 공용경 등 사신이 황제의 조서를 한양으로 가져갔을 때 조선 국왕은 왕세자, 대신, 유생 등과 함께 황제의 명을 받았고, 경복궁에서 조서를 반포하는 여러 의례 절차가 행해졌다. 조서를 반포한 후 조선의 국왕과 세자, 신하가 사신을 대접하는 의례 절차가 있었다.

『사조선록』에는 이러한 절차와 명나라 사신이 귀국할 때의 절차, 또 공용경과 오희맹이 조선 공자 사당에서 절하였다는 기록도 있다. 이러한 기록들은 다른 명나라 사신이 남긴 기록과 비교할 수 없을 정도로 정교한데, 그 안에는 복잡한 의례 절차, 현장에 있던 국왕, 세자, 신하 등의 위치와 방향까지도 담겨 있다. 『사조선록』에 기록된 의례를 통해서도 조선이 '동방예의지국'이라는 것을 잘 알 수 있다.

교통과 지리 소개

명대 명과 조선의 교류 노선을 서술한 기록들은 다양하며 복잡한 노선, 간단한 노선 등 내용도 가지각색이다.

공용경의 『사조선록』 중 '사직(使職)의 의무' 부분에는 그가 조선으로 가던 길에서의 산천, 교량, 숙소에 관한 모든 기억이 담겨 있다. 그가 여정 전 과정에서 지나갔던 장소를 항목별로 자세히 남겨 그 기록을 통해 당시 명나라 사신이 조선으로 가는 길에서 거쳐갔던 부현(府縣)과 관역(館驛)을 짐작할 수 있다.

그는 의주(義州) 국경에서 시작하여 용천군(龍泉郡), 철산군(鐵山郡), 선천군(宣川郡), 곽산군(郭山郡), 정주목(定州牧), 가산군(嘉山郡), 안주목(安州牧), 숙주목(肅州牧), 순안현(順安縣), 평양부(平壤府), 중화군(中和郡), 황주목(黃州牧), 봉산군(鳳山郡), 서흥부(瑞興府), 평산부(平山府), 우봉현(牛峰縣), 강음현(江陰縣), 개성부(開城府), 장단부(長湍府), 파주목(坡州牧), 고양군(高陽郡), 양주목(楊州牧)을 거쳐 마지막으로 왕경(王京)에 도착하였다. 지역 간의 거리도 자세히 기록되어 있는데 "의주(義州)의 의순관(義順館)에서 소관관(所串館)까지 40리, 소관관에서 용천군(龍泉郡) 양책관(良策館)까지 50리……"라고 쓰여 있다. 의순관에서 한양까지 가는 길에 23개 부군(府郡) 등 행정구역을 거쳤고 31개 관역에서 머물렀는데 길이는 총 1000여 리로 매우 고된 여정이었다. '산천의 한계' 부분에서는 각 도주군(道州郡)에서 관할하는 산, 강 등 자연경관의 기원과 발전, 역사 등도 간단히 요약해 기록하였다.

시부외교(詩賦外交)

시부외교의 기원은 춘추시대로 '외교무대에서 시부를 통해 뜻을 표현하는 것'을 의미한다. 시부를 통해 의사를 표현하게 되면 호소력과 설득력이 강해 외교활동을 효과적으로 수행할 수 있다.

명대에 명과 조선 양국은 시부외교를 활용하였는데 이를 통해 조선의 문인은 중국 문화를 익힐 수 있었고, 명과 조선 문인들은 서로 작문 실력을 겨룰 수 있었다. 그들은 시를 교환하는 창화를 통해 교우하였으며 창화과정에서 서로 배우고 이해하며 우의를 다질 수 있었는데, 이는 공용경의 『사조선록』에서도 잘 알 수 있다. 공용경이 조선 사신으로 가는 길에 지은 시부가 107편 정도인데, 여기에는 그 자리에서 지은 즉흥시도 있고 조선의 문인과 주고받은 창화시도 있다. 이는 당시의 중국과 조선이 우호적인 관계를 맺고 있었음을 나타낸다.

『사조선록』에는 명과 조선 양국의 우호적 관계를 보여주는 시문도 많은데, 이 작품 속에는 명나라 사신에 대한 조선의 환대와 풍족한 물자가 묘사되어 중국 유교 문화의 영향이 적지 않았음을 알 수 있다. 또 명나라의 조선에 대한 깊은 정, 조선의 명나라에 대한 감정이 담겨 있는 작품도 있다.

또한 저자는 조선관반(館泮)과의 시를 담아 명과 조선 두 국가의 우정을 보여주었다. 『사조선록』에는 「강호별정판서겸동번경제현(江滸別鄭判書兼東藩京諸賢)」, 「제김의정망월호정(題金議政望月湖亭)」, 「별홍도감(別洪都監)」, 「별박도감(別樸都監)」 등 공용경과 조선의 벗이 서로 창화한 시문이 셀 수 없이 많다. 정사용, 김안로, 홍춘경, 박충원 모두 당시 조선에서 유명한 인물로 공용경이 조선에 있었을 때 이들과 교류하며 국경을 뛰어넘는 우정을 돈독히 하였다. 특히 원접사인 정사용은 공용경이 조선 국경에 들어왔을 때부터 함께 하였는데, 그는 유교 경전에 정통하고 조예가 깊어 공용경과 가까이 지냈다. 공용경이 귀국한 후에도 두 사람은 조선에 가는 사신을 통해 책을 주고받으며 안부를 물었는데, 두 사람의 깊은 우정은 명과 조선의 우호관계 역사에서 미담으로 남았다.

따라서 『사조선록』에는 공용경의 사신이란 신분의 특수성을 기반으로 하여 당시 명과 조선의 관계가 생동감 있게 묘사되어 있다. 이 책은 당시 명나라 사람들이 조선 왕조의 자연환경, 풍토, 백성의 생활을 이해하는 데 도움이 되었을 뿐 아니라 오늘날 학자들이 명 가정(嘉靖) 연간 때 명과 조선의 관계와 당시 조선의 '이야기'를 연구하는 데 중요한 역할을 하는 양국 관계사의 대체 불가한 귀중한 자료이다.

공용경이 조선에 준 영향

명나라와 조선에 '등황제도(謄黃製度)' 마련

'등황'은 명나라 황제가 보낸 조서(詔書)를 베껴 쓴 문서로, 황제의 조서를 받은 자가 황색 종이에 내용을 다시 써서 각 지방으로 전달하는 것을 의미한다. 등황의 목적은 황제의 뜻을 빠른 시일 안에 통고하는 것이었다. 명나라 사신이 조선에 왔을 때, 조선 중종이 명나라에 좋은 마음을 갖고 있고 조선이 명나라 문화에 익숙함에 크게 감동하여 귀국 후 이에 대해 적극적으로 알려 명나라 정부의 반향을 일으켰다. 특히 공용경이 귀국한 후 그는 '멀리 있는 자가 예를 다하니, 같은 예를 갖추어 다스린다(達禮製懷遠人, 以昭盛治事)'라는 제목으로 상소문을 올려 조선의 대통합을 이룰 것을 제안하였다.

가정 시기 명나라 관리와 조선 대신이 사용했던 단어 중 '내복(內服)'이라는 단어가 자주 등장하는데 이는 주목할 가치가 있다. 예를 들어 가정 16년 공용경이 조선 대신에게 말하길, "명나라는 귀국을 '내복'의 예를 갖추어 대하니 어떤 일이든 따라야합니다"라고 하였다. 조선의 대신 김안로와 윤은보가 "태자의 탄생이 본국의 일은 아니지만 황제께서 직접 조서를 작성하시어 본국에 보내시고 다른 국가에는 사자를 보내지 않으니 내복의 예이며 성대한 일입니다"라고 말하였다. 정원(政院)이 "황태자의 탄생은 천하의 경사인데 황제께서 친히 본국에 조서를 보내니 내복의 예를 갖춘 것과 같습니다"라고 하였다. 이 시기에 명나라 조정과 관리는 조선을 '내복'으로 보았고, 조선의 조정과 관리도 대체로 본국의 '내복' 지위를 받아들였다.

조선을 내복으로 삼았다는 것은 명나라가 조선을 제후국으로 여겼다는 것이다. 공용경이 조선 중종에게 "귀국에 예를 다하여 제후국으로 여기고 동등하게 대우할 것입니다"라고 하였다. 공용경이 명나라로 돌아간 후 가정제에 아뢰어 "조선국이 예를 다함을 받아들여 앞으로 조서가 있으면 조선 또한 알게 해야 합니다"라고 청하였다. 이는 조선에 대한 명나라의 신뢰가 한층 더

깊어지고 양국의 관계가 더욱 강화되었다는 것을 의미한다.

공용경과 같은 사신들의 노력으로 양국은 정치적으로 긴밀한 관계를 형성할 수 있었다. 특히 명나라 중반 이후 이러한 추세는 더욱 분명하게 나타났다. 가정 20년에 등황제도가 마련되었다는 것은 두 국가의 정치적 통합관계가 정식적으로 확립되었다는 것을 의미한다. 명 황제와 각 부의 대신들은 조선을 '외국'으로 대우하지 않고 '내복', '한 가족'이라는 칭호를 붙였다.

'오배삼고두(五拜三叩頭)' 예의 회복

중국에서 인치(人治), 법치(法治), 덕치(德治), 예치(禮治)는 문제해결의 핵심으로 생각하였다. 그중 인치는 중심이며 법치는 수단이고 덕치는 수단이자 표상이고 예치는 본질이다. 『예기』에는 "무릇 사람을 다스리는 도에는 예에 대한 급급함이 있어서는 아니된다"라는 구절이 있다. 예(禮)는 백성을 관리하고 국가를 다스리는 데 가장 중요한 방법이다.

중국 고대사회에서는 '예'를 건국의 근본으로 삼았다. 봉건시대 왕조에서는 '예'를 통해 국가를 다스리고 사회의 질서를 유지했으며 국내의 '예치'를 타국으로 확산시켜 '화이질서(華夷秩序)'를 구축하고 이를 통해 주변국과의 외교관계를 정립하였다.

다섯 번 절하고 세 번 머리가 땅에 닿을 때까지 조아리는 인사인 '오배삼고두(五拜三叩頭)'는 명대에 하늘에 제사를 지내고 천자를 알현할 때 행했던 의례로 명대에서 최고 예우를 다할 때의 행위였다. 명나라는 번국(藩國)이 조서를 맞이할 때 중국처럼 '오배삼고두(五拜三叩頭)'의 예를 갖추길 요구하였다. 조선은 토목보의 변(土木堡之變) 이후 『번국의주(藩國儀註)』에 의거하여 조서를 맞이할 때 허리를 굽혀 절하는 방식을 고수하였고, 이 때문에 조서를 반포하는 명나라 사신과 백 년 가까이 논쟁하였다.

공용경이 조선에 온 후 조선에서는 조서를 맞이할 때 국왕이 오배삼고두하지 않고 생원이 예를 갖추지 않는다는 사실을 알게 되었고, 그는 조선 예관에게 끊임없이 이 두 가지 의례의 중요성을 알렸다. 예관이 국왕에게 공용경의 말을 전달하여 국왕은 영조례(迎詔禮)에 두 사항을 추가하였다.

영조례를 행하던 날 의례를 참관하기 위해 많은 인파가 몰려들었다. 일부 노쇠한 자는 지팡이로 지탱하여 경청할 정도였다. 그들은 정성이 지극하고 예를 다함에 끝이 없었다.

『대명회전(大明會典)』 중 조선 종계의 오류를 바로잡기 위해 노력

『대명회전』은 명나라의 법령을 집대성한 행정 위주의 법전으로 명나라의 법령이 담긴 중요한 사적일 뿐 아니라 명대의 기본적인 법률제도, 특히 행정법이 담긴 귀중한 문헌이다. 명대 통치자와 조선에서도 이 법전의 편찬에 큰 관심을 가졌지만 『대명회전』은 『황명조훈(皇明祖訓)』의 조선 태조 이성계에 대한 잘못된 기록을 그대로 전재하였다.

법전에는 "조선국은 고려를 지칭하며 이인인(李仁人)과 이름을 단(旦)으로 바꾼 그의 아들 이성계가 홍무(洪武) 6년부터 홍무 28년까지 고려 왕씨 4명을 시해하였다"라고 쓰여 있으며, 후손에게 "자손은 황제의 명을 받들어 총명하지 않은 일을 행하지 않고 이를 법으로 하며 한 자도 쉬이 여기지 않는다"라고 전했다. 여기서 이성계는 이인임(李仁任)의 아들로 잘못 기재되었을 뿐 아니라 4명의 고려왕을 시해한 오명을 쓰게 되었다.

조선은 『대명회전』에서 기록된 조선의 역사가 후세에 미칠 영향에 대해 잘 알고 있었고, 법전의 오류가 조선 국왕의 합법성과 정통성을 흔들고 양국의 외교관계에까지 부정적인 영향을 미칠 수 있을 것이라 판단하여, 오류 내용을 수정하기 위해 많은 노력을 기울였다.

삼강오륜을 중시하는 유교에서 임금을 시해하고 반역을 꾀하는 것은 죄질이 가장 무거운 대역죄 '불충'이고, 종법을 중시하는 유교에서 조상을 잘못 모신다는 것은 최대 치욕인 '불효'이다. 태조 이성계에게 불충과 불효의 낙인을 찍는다는 것은 국가의 근본을 흔드는 심각한 문제이기 때문에, 조선의 역대

국왕들은 중국 조정에서 『대명회전』의 기록을 수정하여 역사에 오점이 남지 않고 명예를 회복할 수 있도록 요청하였다. 특히 조선에 온 명나라 사신들에게 억울한 사정을 알려 천자가 들을 수 있도록 하였다.

조선의 국왕은 공용경과 오희맹에게도 예를 갖춰 대우하며 명나라를 존중하고 있다는 것을 보였으며, 그 두 사신이 『대명회전』의 '4명의 왕 시해 사건'의 수정을 도울 수 있도록 하였다. 이에 공용경은 "후손이 조부를 중상하는 것은 효에 어긋나는 일이며 앞으로 그러한 일이 없도록 반드시 상주(上奏)해야 합니다"라고 말하였다.

조선 사신에 대한 보호

명대에는 조선 사신이 명나라에 방문하는 일이 잦았고 사신 일행이 귀국하기 전에 다른 사신 일행이 출발하기도 하였다. 명조(明朝) 277년 동안 조선 사신의 명나라 방문은 총 1252차례로 연평균 4.6회 방문한 것으로 추정된다. 조선 사신의 명나라 방문 이유는 축하, 감사, 요청, 헌납, 알현, 위로, 보고, 기타 등 크게는 8가지, 작게는 35가지 항목으로 분류한다.

조선 사신이 명을 방문할 때 규칙이 있었으며 이는 다년간의 과정을 통해 만들어진 것이었다. 중국은 사신을 요동에서 10리 떨어진 수산포(首山鋪)에서 영접하기 시작했고, 조선 사신은 정해진 규칙에 따라 행동하였다. 예를 들어 조선 사신단의 중국 국경 내에서의 임무는 예부(禮部)에서 담당하고, 홍무(洪武) 원년(1368)에 설치한 예부의 주객사(主客司)에서 외국의 조공 일을 관장한다. 회동관(會同館)은 명나라 때 외국 사신의 숙소이자 왕부의 공무를 이행하고 사신 접대를 담당하는 기관이다. 조선의 사신이 명나라에 방문하면 주로 회동관 남관에 머물렀다. 회동관은 사신의 숙식을 관할하고 전문적으로 사신에게 봉사를 담당하는 관부를 두었으며 관내에 모든 시설이 갖춰져 있었다. 명나라 때 이곳에서 사신을 접견하고 연회를 베풀었으며 회동관은 접대와 관리에 있어 최고의 시스템을 갖추고 있었다. 국자감(國子監)은 국가에서 설립한 최고의 학부(學府)이자 교육행정 관리기관이며, 천단(天壇)은 제왕이 천제에게 풍년을 위한 제사를 지내는 장소였다. 이 두 곳은 조선 사절들이 방문하려던 장소이지만 사신들에게 개방되지 않았다.

가정 때 공용경이 조선에서 돌아온 후 명에 대한 조선 국왕의 정성을 극찬하였다. “예를 고수하며 경사를 거스르지 않는다”는 조선에게 명나라에서는 조선 사신들에게 천단과 국자감 등의 개방을 허용하였고, 조선 사신에게 예부상서(禮部尙書)가 주도하여 연회를 베풀도록 하였다. 이렇게 상례를 깨는 이례적인 일들은 『대명회전』에까지 기록되었으며, 황제는 조선 사신에게 상도 직접 하사하였다. 조정 관리들 사이에 이 일들이 알려지자 조선에 가보지 않은 관리들도 조선국에 좋은 이미지를 갖게 되었다. 조선 사신은 이를 두고 “중국의 대외 접견은 엄중하나 우리의 접견은 매우 친근하였다”, “유구(琉毬, 지금의 오키나와), 안남(지금의 베트남) 등 국가에서도 사신단이 왔지만 그 접대가 우리만 못하였다”라고 하였다.

중국과 조선 사이의 책 교류

책 교류는 문화 교류에서 중요한 위치에 있으며 중국과 조선의 책 교류는 양국의 사절이 담당하였다. 중국의 서적이 끊임없이 조선에 전해져 조선이 사회적·문화적으로 발전하는 데 영향을 주었고, 조선 사람들은 문화 역량을 제고하여 ‘한글’이라는 문자를 만들었으며, 서로 다른 역사적 환경 속에서도 ‘화이관’을 독자적으로 조정하였다. 중국 책의 유입은 조선 문학의 발전과 한문 창작의 번영에도 영향을 미쳤으며, 조선의 문화도 점차 중국 문인들에게 알려지고 받아들여지면서 조선의 한자 서적이 중국으로 유입되었고, 이를 통해 중국의 도서 숫자가 증가하고 문학과 학술 연구의 내용이 더욱 풍부해졌다.

명나라 문신이 조선에 사신으로 갔을 때 조선의 문인들과 시부를 교환하며 창화하였다. 조선 조정에서는 이 창화시문을 모아 『황화집』을 편찬하였는데 이는 양국 우정의 결정체이며 조선 사신이 명나라를 방문했을 때 『황화집』

을 중국 관리에게 선물로 주곤 하였다. 이외에도 공용경이 조선에 있었을 때 소세(蘇世)가 『여지지(輿地誌)』를 선물하자 공용경도 자신의 시집과 서한을 보냈다. 공용경이 귀국한 후 두 사람은 조선으로 가는 명나라 사신을 통해 책을 주고받으며 안부를 물었다.

공용경과 한중 관계

명나라는 1393년부터 1636년까지 조선 왕조에 사신을 파견하였다. 이 기간에 명나라에서 조선에 파견된 문관 사신은 97명, 파견 횟수는 60여 회에 달한다. 많은 사신들이 사행록(使行錄)을 남겼지만 그 무엇도 공용경만큼 중국과 조선의 우호관계, 문화교류에 기여한 기록은 없었다. 공용경은 명나라 사신 중 가장 대표적인 인물로 그는 양국의 정계를 오가며 중요한 역사적 자료를 남겼고, 정치적으로 양국의 관계를 강화하고 문화적으로 교류를 증진시켜 양국 교류의 황금기에 중요한 연결고리가 되었다.

노량해전에서 선혈을 뿌린 명나라 장수

덩즈룽

등자룡(鄧子龍)

박현규(순천향대학교)

개론

등자룡은 노량해전에서 이순신과 함께 혁혁한 공적을 세우고 뜨거운 선혈을 바다에 뿌리며 순국한 명나라 장수이다.

중국 시진핑(習近平) 주석은 2014년 7월 4일 서울대 강연에서 400여 년 전에 한반도에서 발발한 임진왜란을 언급했다. 명나라 등자룡(鄧子龍) 장군과 조선 이순신(李舜臣) 장군이 노량해전에서 나란히 순국한 점을 언급한 대목에서 청중으로부터 많은 갈채를 받았다. 양국 언론들은 이 사실을 한중 양국 우호를 상징하는 역사적 사건이라고 집중적으로 조명했다. 최근 노량해전의 현장인 남해 관음포의 이순신 순국공원을 조성하면서 노량해전 전몰 조명 연합수군 위령탑을 세웠다. 위령탑 정면에 이순신과 등자룡의 부조상이 나란히 새겨 놓았다.

등자룡은 중국에서 애국장수로 추앙 받는 민족영웅이다. 일생 동안 나라를 위해 크고 작은 전투에 나섰다. 복건, 광동에서 왜적들을 물리치고 운남, 귀주 등지에서 지방 토호를 물리쳤다. 정유왜란 때 70세(일설 69세)나 달하는 고령에도 불구하고 부총병의 신분으로 한반도에 참전했다. 노량해전에서 조선 판옥선으로 옮겨 타고 사력을 다해 일본 수군을 물리치는 데 혁혁한 전공을 세웠다.

남해 노량해전 전몰 조명 연합수군 위령탑 중 이순신과 등자룡 부조(© 박현규)

등자룡은 청렴한 장수였다. 전쟁을 수행하면서 군중의 금전을 한 푼도 사사로이 사용하지 않았다. 순국한 후에 가솔들이 등자룡의 영구를 고향 풍성(豊城)으로 운반할 비용이 없어 갖은 고생을 했다. 조선 정조는 노량해전에서 순국한 등자룡이 조선에서 묘식(廟食)이 없다는 사실을 알고 고금도(古今島) 관왕묘(關王廟)에 배향하고 제문을 지었다. 오늘날 고금도 충무사(옛 관왕묘), 남해 이순신 순국공원, 중국 강서 풍성 등지에 등자룡의 유적과 상징물이 남아 있다.

풍성 등자룡 묘소의 현황

등자룡 묘소는 강서성(江西省) 풍성시(豊城市) 두시진(杜市鎮) 등가촌(鄧家村)에 소재한다. 이곳은 등자룡이 자랐던 곳이다. 두시진 중심부에 두시진 정부가 세운 등자룡상과 부조석물이 있다. 등자룡상은 늠름한 모습으로 우뚝 서있다. 몸에 갑옷을 입고, 머리에 투구를 쓰고 있으며, 목에 망토를 걸치고 있다. 높이는 3.8m이고, 재질은 동이다. 2002년에 건립되었다. 부조석물은 등자룡이 말을 타고 전장에 나서고 있는 모습을 하고 있다.

등가촌 입구에는 등씨가묘(鄧氏家廟)가 있고, 그 앞에 석사자상 2기가 놓여있다. 석사자상을 지나면 등자룡 묘역이 보인다. 묘소는 중국 전통식으로 조성되었다. 2013년 1월 한국 남해군수 일행의 방문을 계기로 묘역을 깨끗이 단장했다. 묘봉은 원래 흙으로 덮어져 있었는데, 대리석으로 바꾸어놓았다. 석비는 '명애국장군등자룡묘(明愛國將軍鄧子龍墓)'에서 '명고무교등공지묘(明故武橋鄧公之墓)'로 바꾸어 놓았다. 좌우 주련에 등자룡의 일대 행적을 담아 '충정은 만고에 드려진다(忠肝垂萬古)', '의기는 천추에 비친다(義膽照千秋)'라고 새겨 놓았다. 1984년 11월 24일에 풍성현중점문물보호단위(豊

강서성 풍성시 등자룡 묘소(© 박현규)

城縣重點文物保護單位)로 공포했고, 1987년 12월에 강서성문물보호단위(江西省文物保護單位)로 승격되었다.

등씨가묘는 명 만력 연간에 처음 세워졌다. 그 후 수 차례 중보를 거쳤고, 2005년 2월에 또 다시 보수 작업을 했다. 가묘 안에 '중헌류방(中憲流芳)'이 걸려 있고, 제단에는 등씨 조상의 상들이 모셔져 있다. 그 중에 칼을 들고 있는 상이 등자룡이라고 전한다. 등씨 집단촌은 2백 년 전에 세운 가옥들이 즐비하게 들어서 있다. 1933년 등씨 집안에서 편찬한 『등씨가보(鄧氏族譜)』에 등자룡 화상과 그의 작품이 수록되어 있다.

등자룡의 조선 활약상

1597년(선조 30)에 일본이 다시 대규모 군대를 한반도로 보내어 정유재란이 발발했다. 명나라 조정은 또 한 차례 대규모 병력을 한반도로 보냈다. 1598년 1월 9일에 군문(軍門) 형개(邢玠)는 해상작전을 능히 수행할 수사(水師)가 부족하다며 수군과 전선을 증가해달라고 상소를 올린다. 2월 23일에 등자룡은 수사와 전선을 이끌고 조선 원병에 참전하라는 예비 통지를 받았다. 4월 2일에 명 신종은 정식으로 허락했다. 신종은 원 부총병 등자룡이 수전(水戰)에 능한 장수라며 수군을 이끌고 조선으로 가서 육군과 연합작전을 전개하라고 했다. 등자룡은 가솔과 가정, 문인들을 데리고 출정했다. 동생은 등유신(登維新)이고, 가정은 양십(良十), 왕팔(旺八), 축자(丑仔), 건칠(建七), 아사(雅四) 등이며, 문인은 왕응규(王應奎), 만국현(萬國賢), 이고(李高), 등덕(鄧德), 손천길(孫天吉) 등이다.

등자룡은 조정으로부터 통지를 받은 후 먼저 절직(浙直, 절강과 강소 남부)으로 나가 원병 수군을 조직하고 사선, 호선 등 전선을 모았다. 얼마 후 절강 해역에서 전선들을 이끌고 출발하여 바다를 통해 산동 등주(登州)를 지나 천진(天津) 대고항(大沽港)에 도착했다. 각각 등주와 천진에서 각종 무기를 공급받았다. 천진 대고항에서 군사들을 재정비하여 조선 원병에 나섰다.

이때 등자룡 선단이 한반도로 나간 항로는 천진이나 산동에서 황해를 가로지르는 직단항로가 아니고, 발해만과 요동반도 연해안을 지나 압록강으로 들어가는 연해안 항로를 이용했다. 선단이 압록강 입구 해역을 건너다가 어떤 한 물체가 뱃전에 부딪혀 건져보니 침향(沈香)이었다. 등자룡은 침향을 어루만지며 생김새가 사람 머리와 같다며 애지중지했다.

7월 16일 진린(陳璘)이 이끄는 수군이 고금도 통제영에 도착했는데, 등자룡도 이때 함께 고금도로 들어왔던 것으로 추정된다. 9월에 등자룡은 나로도(羅老島), 순천왜성 앞바다로 잇달아 나가 일본군의 해상교통로를 차단했다. 10월 초에 조선과 명나라 군대는 일본 고니시 유키나가(小西行長)가 점거하고 있던 순천 왜성(예교[曳橋])을 공략했다. 3일에 조명 연합수군은 유정(劉綎)이 이끄는 서로군과 함께 수륙 연합공세를 펴기로 약속했으나, 유정이 약속을 어기는 바람에 오히려 일본군의 반격을 받아 많은 피해를 입었다. 명나라 전선들이 물때를 알지 못해 뭍에 걸려 오도 가도 못하자, 적에게 일부 분멸당하는 피해를 입기도 했다.

순천 왜성에 주둔한 고니시 유키나가는 조명 연합군이 해상에서 봉쇄하고 있는 포위망을 뚫고 일본으로 돌아가는 퇴로를 확보하는 것은 말할 것도 없고, 남해 왜성에 주둔한 일본군과 연락을 취하는 것조차도 쉽지 않았다. 하지만 유정에게 뇌물을 제공하여 전투를 피하고, 또한 진린의 묵인 하에 몰래 소선을 남해 왜성으로 보내는 데 성공하였다.

소서행장이 보낸 소선이 빠져나갔다던 보고를 들은 이순신은 진린에게 일본 지원함대가 올 것을 예측하고, 미리 나가서 맞받아 싸울 것을 요청했다. 진린은 처음에 동의하지 않다가, 이순신이 거듭 간청하고 결전의 의지에 감동하여 참전에 나섰다. 조명 연합수군은 순천 왜성 앞바다의 포위망을 풀고 일본 지원함대가 들어올 노량해협으로 이동했다. 이로부터 임진왜란 해전사에 있어 길이 남을 노량대첩이 발발되었다.

11월 16일에 조명 연합수군은 순천 앞바다에서 노량해협으로 나갔다. 17일에 등자룡은 전략 계획에 따라 수군을 이끌고 노량해협 서쪽 죽도(竹島) 뒤편에 잠복했다. 18일에 시마즈 요시히로(島津義弘), 소 요시토시(宗義智) 등이 일본전선 5백여 척(일설에는 3백여 척)을 이끌고 순천 왜성에 고립된 고니시 유키나가를 지원하기 위해 사천(泗川) 해역에서 출발하여 노량해협으로 들어왔다. 19일 새벽에 일본전선이 노량해협을 빠져와 서쪽으로 진격할 때 조명 연합수군과 맞붙여 대규모 해상전투가 벌어졌다.

노량해전은 임진왜란을 종식시키는 최후의 대규모 해상 전투이다. 조명 연합수군과 일본 수군이 격렬한 전투를 펼친 혼전이었다. 이번 전투에서 조선과 명나라 수군은 시종 운명을 함께했다. 등자룡은 최선봉장으로 2백 명을 이끌고 조선 전선(판옥선)으로 갈아타고 적진을 향해 돌격했다. 이때 조선 수군 15명도 차출되어 등자룡 휘하에 참전하였다.

등자룡은 바닷물이 붉게 물들 정도로 셀 수 없는 일본 수군들을 도륙시켰고, 또한 화구를 투척하는 공략으로 많은 일본 전선들을 격침시켰다. 양 진영의 전선들이 혼전을 펼칠 동안에 등자룡은 분통(噴筒, 화전의 일종)을 쏘아 적선을 불태웠다. 진린은 화공 방식이 효과적이라는 사실을 깨닫고 전군에게 화공 공략을 명하여 적선 수백 척을 불태우는 전과를 누렸다. 명나라의 화공 공세가 한참 진행되고 있을 때 등자룡이 탄 전선은 아군이 잘못 쏜 분통이 떨어져 배가 불타고 물이 들어와 침몰 위기에 빠졌다. 일본군은 이 장면을 보고 등자룡 전선으로 몰려와 배에 올라왔다. 등자룡은 이들을 맞이하여 격렬한 전투를 치렀으나, 끝내 유명을 달리하였다. 이때 가솔 건칠(建七), 아사(雅四), 축자(丑仔) 등, 문인 왕응규(王應奎), 만국현(萬國賢), 초관 이고(李高), 병정 등덕(鄧德), 손천길(孫天吉) 등이 전사했다. 등자룡의 동생 등유신(鄧維新)은 가솔 왕팔(旺八)에 의해 간신히 구출되었다.

가솔 왕팔이 집안에 보낸 서찰에 등자룡의 운명 시각과 장소, 자상 정도가 자세히 적혀있다. 등자룡은 1598년 11월 19일 진시(辰時)에 남해와 노량 사이의 바다(남해 관음포 앞 바다)에서 왼쪽 다리에 자상 1곳, 오른쪽 다리에 2곳, 아랫배에 1곳, 왼쪽 팔에 2곳, 가슴에 총탄 1곳을 맞아 전사했다. 이 와중에 등자룡이 지니고 있던 금전과 기물은 모두 일본군에 의해 강탈당했다. 등자룡의 유해는 원주(袁州, 지금의 강서 의춘[宜春])의 두 병사에 의해 발견되었으나, 그의 목은 보이지 않았다. 일본군이 전과를 증명하기 위해 장수 등자룡의 목을 베어 갔던 것으로 보인다. 등자룡의 목은 일전에 등자룡이 압록강 해역에서 건진 침향으로 대신했다. 관은 유삼판관(油杉板棺)이다.

등자룡의 유해는 곧장 배를 빌어 명 수군 본영이 있는 고금도로 돌아왔다. 고금도 관왕묘는 진린이 명나라에서 무신으로 숭상하고 있던 관우(關羽)를 모신 사당이다. 등자룡과 같은 날에 전사한 이순신의 유해는 관왕묘 앞 월송대(月松臺)라는 작은 언덕에 80여 일간 안치했다. 오늘날 월송대에 올라가면 이곳이 무덤이 있던 자리라는 사실을 금방 감지할 수 있다. 예로부터 장사를 지낼 때 무덤 주위에는 많은 횟가루를 뿌렸다. 그래서인지 무덤이 있던 곳에는 4백여 년이 지난 지금까지 풀이 제대로 자라지 않고 있다. 등자룡 유해도 이순신 유해와 같은 월송대에 잠시 안치시켰을 것으로 추정된다.

동생 등유신과 가솔 왕팔은 등자룡의 영구를 강서 풍성 집안으로 옮기는 데 많은 고초를 겪었다. 그 이유는 등유신, 왕팔이 남긴 서찰에 자세히 나와 있다. 등자룡은 조선 원병에 나서면서 군중의 금전을 한 푼도 사사로이 사용하지 않고, 유천총(俞千總) 등에게 은전을 차용했다. 등자룡 사후 군중에 남아 있는 은전 가운데 생전에 유천총에게 빌린 70~80량, 다른 사람들에게 빌린 1백 60~70량을 갚고 나니 49량 4전만 있을 뿐이었다. 더구나 남은 은전마저도 유천총이 가지고 가는 바람에 영구를 운반할 비용이 한 푼도 없었다. 등유신은 군문(軍門) 형개(邢玠)에게 이 사정을 알리고 영구를 옮길 비용을 빌려주기를 요청했다. 또 명나라 경내에서 영구를 옮겨갈 비용을 집안에서 마련해주기를 바란다는 말을 남겼다.

등자룡이 전사한 소식이 조선 조정과 명 군부에 전해졌다. 등자룡의 전사

소식을 들은 모든 이들은 몹시 슬퍼하였다. 선조는 명 군문 형개를 만나는 자리에서 등자룡이 조선의 일로 만리타국으로 와서 힘을 다해 해전에 임하다가 불행히도 순국하니 슬픔을 견디지 못하겠다고 했다. 이에 형개도 등자룡의 전사에 대해 비통하다고 했다. 또 선조는 명 제독 마귀(麻貴)를 만나는 자리에서 등자룡이 조선을 위해 전사했던 것에 대해 비통함을 다시 한 번 밝혔다. 조선 조정은 등자룡의 영구를 한양으로 옮겨왔다. 1599년(선조 32) 3월 2일에 선조는 친히 등자룡의 상차에 거둥하여 치제례를 행했다.

한편 명나라도 등자룡의 순국을 널리 추모했다. 1599년 9월에 명 신종은 등자룡이 국가를 위해 자신의 몸을 바쳤다고 말하며 좌군독상주국(左軍督上柱國) 금자광록대부(金紫光祿大夫)에 추증했다. 등자룡의 아들을 음직으로 지휘도사(指揮使司)에 제하고, 전쟁에 참여한 가정 4명을 천호(千戶)에 임명했다.

고금도 관왕묘의 등자룡 배향

『조선왕조실록』에 등자룡에 관한 기록이 여러 곳 있는데, 그 중에 등자룡을 사당에 배향한다는 기록이 있다. 『정조실록(正祖實錄)』 16년 8월 19일(을유)조에서 확인된다.

중국 부총병(副摠兵) 등자룡(鄧子龍)을 강진(康津) 탄보묘(誕報廟)에 배향시키고 관원을 보내 치제하도록 했다. 하교하기를 "근래에 충무공 이순신의 유사(遺事)를 보다가 노량해전을 회상하면서 저도 모르게 넓적다리를 만지면서 길게 탄식했다. 중국 부총병 등자룡은 70세의 노장으로 용사 2백 명을 이끌고 창해 위를 마음대로 종횡하면서 손에 침을 뱉으며 교활한 왜적을 섬멸할 것을 맹세했으니, 그 호탕한 기개와 뛰어난 담력은 가히 대장부라 할 수 있다. 더구나 수송(首功)을 차지하고자 하여 충무공의 배로 뛰어올라 곧장 앞으로 돌격하여 수없이 많은 포로를 잡았다. 우연히 화기(火器)를 사용하다가 중간에 불이 일어나 적이 달라붙었는데도 오히려 힘껏 싸웠다. 충무공이 달려가 구해주다가 함께 죽었으니, 이 일은 서희진(徐希震)의 『동정기(東征記)』에 자세히 실려 있다.

내가 일찍이 불쌍하게 여겨 『명사(明史)』 본전을 상고해 보니 '조선에서 묘식(廟食)을 받고 있다'라는 말이 있었는데 애당초 묘식함이 없었다. 강진(康津)의 도독(陳璘) 사당에도 또 배향하지 못했으니, 흠전궐사(欠典闕事)함이 이보다 크겠는가? 평양(平壤) 무렬사(武烈祠)에 참장(參將) 낙상지(駱尙志)를 추가로 배향하자고 도백이 주청하여 조정해서 이미 허락하였다. 동시에 같은 일을 한 인물에 대해 공덕을 보답하는 전례(典禮)가 어찌 한 사람은 하고 한 사람은 하지 않아서 중국 장수의 영혼이 깃들 곳이 없게 하겠는가?

중국 부총병 등자룡을 도독 진린의 사당에 승배(陞配)하고자 하는데, 처음에 사당이 남해(南海)에 있다고 하여 이제 평양의 낙공(駱公)을 추가로 배향할 때에 미쳐서 함께 거행하고자 하였다. 다시 듣건대 도독은 충무공과 강진 땅 탄보묘 옆에 배향하였다고 하니 등공(鄧公)의 별사(別祠)도 마땅히 이 사당에 배향해야 한다. 승배(陞配)하는 날에 관원을 보내 치제하라. 충무공이 이미 함께 배향되었으니 모두 함께 치제하라. 제문은 모두 마땅히 친히 짓겠다. 치제는 비록 명이 내려졌지만 이때에 제물을 전달하는 데 폐단이 있으니, 헌관은 부근의 문관 가운데서 차출해 보내라. 총병 등자룡은 충무공과 동시에 노량에서 목숨을 바쳤다. 충무공은 남해의 충렬사(忠烈祠)에서 전향(專享)하고 있다 한다. 충무공의 유사를 근래에 내각(內閣)으로 하여금 전서(『이충무공전서』)로 찬하게 하였으니 인쇄가 끝나기를 기다려서 1부를 본 사당에 보관하고 인하여 치제를 행하라.

정조는 정유재란 때 활약했던 명나라 부총병 등자룡을 강진 탄보묘(誕報廟)에 배향하도록 명했다. 근자에 이순신의 유사(곧이어 완성할 『이충무공전서[李忠武公全書]』)를 읽다가 등자룡의 활약상과 사당 배향 사정을 알게 되었다. 등자룡은 노량해전에서 이순신과 함께 일본 전선을 무찌르다 장렬하게 전사했다. 『명사(明史)』 등자룡전(鄧子龍傳)에 등자룡이 조선에서 묘식을 받고 있다고 했으나, 실제로는 등자룡을 모시는 사당이 없었다. 조선 원병에 나섰던 명나라 장수 가운데 어느 한 사람은 사당에 향사하고 어느 한 사람은 사당에 향사하지 않는 사실은 전례(典禮)에 흠이 있다고 했다. 정조는 이러한 이유를 들면서 등자룡을 사당에 향사하도록 했다.

정조가 등자룡을 배향시키기로 한 날보다 며칠 전에 평안도관찰사 홍양호(洪良浩)는 평양 무렬사(武烈祠)에 임진왜란 때 활약한 참장(參將) 낙상지(駱尙志)를 배향하기를 주청했다. 정조는 이를 준허했다. 낙상지는 임진왜란에 참전했던 명나라 장군이다. 당시 명나라 장수 가운데 용맹스러움이 으뜸이어서 낙천근(駱千斤)이라고 불렀으며, 일본군과 전투에서 매양 적을 꺾고 성을 함락한 공이 많았다. 무렬사에는 임진왜란 때 조선에 도움을 준 병부상서 석성(石星), 총병 이여송(李如松) 등 6명 명나라 인사들을 모셨다.

정조는 등자룡의 향사 장소에 대해 신중하게 결정했다. 당초 등자룡의 향사 장소를 도독 진린의 사당으로 생각했으나, 사당이 남해에 있다는 소식을 접하고 평양 무렬사에 낙상지와 함께 배향하려고 했다. 그러다가 진린 사당이 강진 탄보단에 있다는 소식을 다시 접하고, 그쪽으로 결정했다.

정조가 등자룡을 배향한 강진 탄보단은 어느 곳이냐? 결론부터 도출하자면 옛 강진 관왕묘(關王廟), 오늘날 고금도 충무사(忠武祠)를 지칭한다. 고금도는 조선시대 강진현에 소속되었다. 1896년(건양 1)에 새로 설치된 완도군으로 편입되었다. 고금도는 조선 수군의 본영이 있던 곳이다. 1598년(선조 31) 2월 17일에 이순신은 8천여 명의 수군을 이끌고 고금도 덕동리에 수군 본영을 설치했다. 6월에 명 진린은 수군 5천여 명을 거느리고 고금도에 들어왔다. 하루는 꿈에서 관우(關羽)를 현몽하고 이번 전쟁에서 필승의 묘책을 받았다며 유격 계금(季金)에게 금 수백 량을 내주어 고금도 용진산(湧金山) 아래에 관왕묘를 세우도록 했다. 1666년(현종 7) 진린을 관왕묘 동무(東廡)에 제향했다. 1683년(숙종 9)에 이순신을 서무(西廡)에 제향했다. 1940년에 일제의 탄압에 의해 관왕묘가 철폐되고 옥천사로 바뀌었다. 1953년에 이순신을 모시는 충무사로 바뀌었다.

옛 관왕묘인 지금의 충무사(© 박현규)

다시 본론으로 돌아가서 정조의 등자룡 추배건에 대해 알아본다. 앞서 논했듯이 정조는 등자룡의 향사 장소에 대해 신중하게 결정했고, 탄보단 추배건에 대해서도 정성껏 추진했다. 문관 가운데 치제에 사용할 재물을 정확하게 전달한 헌관을 신중하게 선출하여 보냈다. 정조는 등자룡을 탄보단에 추배할 제문을 친히 짓는다. 『홍제전서(弘齋全書)』 권22 「鄧摠兵子龍追配康津縣陳都督祠致祭文(총병 등자룡을 강진현 도독 진린의 사당에 추배할 때 제문)」에는 아래와 같이 적혀 있다.

桓桓將軍　위풍당당한 장군이여
躬蹈大難　몸소 큰 난을 평정했도다.
姓憶南陽　성은 남양(南陽)을 생각하게 하고
名符常山　이름은 상산(常山)과 부합하네.
敦詩說禮　시(詩)에 돈독하고 예(禮)를 말했으며
餘事翰墨　여가에 필묵을 적시네
樟鎭銅鼓　장수진(樟樹鎭)과 동고(銅鼓)에서 활약하고
苗蠻迺服　묘족(苗蠻)이 이에 복종하였네.
攄我甲藏　우리 갑장을 열어서
摺彼丁改　저 정개(丁改)를 꺾었도다.
孰敢嬰者　누가 감히 여기에 당할 자이랴
四曠氣翳　사방이 환하고 구름이 걷혔네.

倭奴匪茹　왜노가 자신의 힘을 헤아리지 못하고
瞰玆東隅　우리나라를 엿보아
剟釜刲萊　부산(釜山)을 찌르고 동래(東萊)를 베니
熠嶺燬湖　영남이 저상하고 호남이 불탔네.
帝曰咨汝　천자가 탄식하며 공에게 말하기를
副摠兵官　그대는 부총병(副摠兵)의 관직을 지니고
汝救屬國　속국을 구하여
如吾邊關　우리 변경을 살피라고 하였네.
公拜稽首　공은 이에 절하고 머리를 조아린 뒤
投袂而起　소매를 떨치고 일어나
誓衆滄海　푸른 바다에 임하여 많은 병사들에게 맹세하니
舳艫千里　배의 앞뒤가 천 리나 이어졌네.
矍鑠哉翁　정정한 노인네여
氣蓋溟碣　기운이 바다와 비석을 덮었도다
露梁夜潮　노량의 밤 조류에
赤毬活活　적구(赤毬)가 매우 빨랐네.
沙蒼一圍　사선·창호선이 한 번 에워싸자
燭龍掀風　촉룡(燭龍)이 바람을 뒤흔들고
水神河伯　물의 신 하백(河伯)이
後先艟艨　전함의 앞뒤를 보살피네.
南船頓足　남방 전선은 격앙하고
北船其歌　북방 전선은 노래하였다
公曰首功　공이 말하길 수공으론
我不讓多　남에게 뒤지지 않을 거라.
亟提勇夫　급히 용감한 군사를 이끌고
踔入東師　우리나라의 전선으로 뛰어 들어와

弁力而前　힘을 합쳐 전진하니
强亦不支　강한 적도 버티지 못하였네.
火器一擲　화기가 한 번 던져짐에
非戰之故　전쟁을 잘못해서가 아니었으니
烈焰所及　뜨거운 화염이 미치는 바에
賁育無補　맹분(孟賁)·하육(夏育)이라도 도움 되지 못하였네.
大樹飄零　큰 나무가 회오리바람에 휩싸여 쓰러지자
三軍雨泣　삼군(三軍)이 눈물을 비 오듯 흘리니
贈以都督　도독으로 증직시키고
帝亦於邑　천자도 또한 슬프게 탄식했네.
千秋南海　천추(千秋)의 남해에
尙有怒濤　아직도 노한 파도가 있으니
峒獠溪猓　일본의 섬 오랑캐들이
戢矢爭逃　화살을 거둔 채 앞을 다투어 달아났네.
於乎偉績　오호라 거룩한 공적이여
莫與爲侶　더불어 짝할 이가 없구나
漠然高淸　아득히 높고 맑은 하늘이여
妥靈无所　영령을 편하게 받들 곳 없었네.
惟予夙欽　내가 일찍부터 흠모하던 터에
鉅鹿餘思　거록(鉅鹿)의 일을 생각한 나머지
升而享之　받들어 제향하니
于陳之祠　진린(陳璘)의 사당이로다.
酹以斗酒　한 말의 술로써 강신(降神)을 청함에
庭有鐃笳　사당의 뜰에는 징과 호가(胡笳)가 있노니
永衛我服　길이 우리 남쪽 국경을 보살펴
氣作山河　산하와 같은 기운을 지으소서.

정조의 치제문에는 등자룡의 삶과 활동, 죽음과 추모 내용이 잘 기술되어 있다. 등자룡은 후한 광무제 때 뛰어난 장수인 등우(鄧禹)의 혈통을 이어받았고, 촉한(蜀漢)에 용명한 장군이었던 조자룡(趙雲, 子龍)의 명성을 물려받았다. 등자룡은 일찍이 복건(福建)과 운남(雲南)에서 뛰어난 전과를 누렸다. 임진왜란이 발발하자 명나라 신종(神宗)은 등자룡에게 부총병이라는 관직을 주면서 조선에서 일본군을 물리치는 일이 조국의 변방을 지키는 것과 동일하다고 말했다.

이에 등자룡은 노익장의 기개를 한껏 떨쳤다. 예를 갖추어 출정식을 마치고 나서 대규모 전선을 이끌고 한반도로 들어왔다. 노량해전에서 조선 수군과 힘을 합쳐 일본 수군을 물리치는 데에 등자룡의 공적이 으뜸이었다. 불행히도 전함에 분통이 잘못 날아와 불이 나서 끝내 유명을 달리했다. 등자룡이 돌아가자 마치 큰 나무가 바람에 쓰러지고, 삼군이 눈물을 비 오듯 흘렸다. 명나라 신종은 탄식하며 슬퍼했고, 조선 정조도 지난 거룩한 공적을 회상하고 도독 진린의 사당에 배향하도록 명했다. 마지막으로 정조는 멀리서 술잔을 치며 등자룡이 강신하기를 청하고, 아울러 그의 혼령이 길이 남해 바다를 보살펴주기를 간절히 축원했다.

정조가 탄보묘를 치제하는 문장에서도 등자룡에 관한 내용이 있다. 관왕묘에는 진린과 이순신의 위패가 배향되었고, 이들의 공덕이 크고 높았다. 하루 저녁 사당의 문이 매서운 바람과 분노한 조수에 흔들렸다. 전례(典禮)를 갖춤에 있어 미처 겨를이 없어 결례하였으나, 이제야 총병 등자룡을 추배하게 되었다. 사람이 백중의 형세에 거하고, 은택이 백성들에게 고루 미쳤다. 정조는 등자룡을 진린과 이순신을 배향한 관왕묘에 향사한 뒤 비로소 제대로 전례를 갖추었다고 여기고, 또한 등자룡의 은택과 함께 온 나라가 번성되기를 간절히 기원했다.

조선에서 활약한 명나라 장군

천린

진린(陳璘)

박현규(순천향대학교)

개론

임진왜란은 1592년(선조 25)부터 1598년(선조 31)까지 7년 동안 조선, 명, 일본 등 동아시아 삼국이 격돌하는 국제 전쟁이다. 전쟁은 한때 일본군의 파죽지세에 많은 어려움을 겪었으나, 끝내 조명 연합군의 승전으로 막을 내렸다.

명 신종은 임진왜란이 끝난 후에 명나라 장수들을 논공행상하는 자리에서 가장 큰 전공을 세운 자는 노량해전에서 대첩을 거둔 진린(陳璘)이라고 했다. 이때 진린과 함께 노량대첩을 지휘한 조선 수군통제사 이순신(李舜臣)도 특별히 언급했다.

광동성 옹원의 진린 상(© 박현규)

진린의 자는 조작(朝爵), 호는 용애(龍崖), 광동 옹원(翁源) 사람이다. 가정 22년(1543)에 진본림(陳本琳)의 아들로 주피(周陂) 용전촌(龍田村)에서 태어났다. 어려서부터 무예에 뜻을 두고 검술을 익히고 병법을 배웠다. 1562년에 조주(潮州), 소남(韶南) 등지에서 토호들의 난리가 일어나자, 백의의 신분으로 진압할 계책을 내놓아 총독으로부터 파총(把摠)이 되었다. 난리가 진압된 후 소주도호(韶州都護)에 승진되었다. 그 후 소주지휘첨사(韶州指揮僉事), 척림수비(拓林守備), 조경유격(肇慶遊擊), 동안참장(東安參將), 낭산부총병(狼山副總兵) 등을 역임했다.

1592년에 임진왜란이 발발하자, 왜정 실정을 잘 안다고 하여 후방 계료보정산동(薊遼保定山東)을 방비하는 군무를 맡았다. 1593년 민월(閩粵) 해역을 담당하는 남오부총병(南澳副總兵)에 임명되었다. 1594년에 병부상서 석성(石星)의 탄핵을 받아 파직되고 고향으로 돌아갔다.

1597년에 정유재란이 발발하자, 명 조정은 수로군 파견을 결정했다. 1598년에 진린은 흠차통령수병어왜총병(欽差統領水兵禦倭摠兵官) 전군도독부도독첨사(前軍都督府都督僉事)가 되어 광병(廣兵) 5천 명을 거느리고 한반도에 들어왔다. 이때 아들 진구경(陳九經)도 좌영도사(坐營都司)로 양광(兩廣) 수병 2천 명을 거느리고 참전했다. 진린은 이순신과 함께 노량해전에서 일본 수군을 크게 물리치는 대첩을 거두었다. 1599년에 정유재란 때 가장 큰 전공을 세웠다며 도독동지(都督同知)에 올랐다. 만력 34년(1606)에 광동도독(廣東都督)으로 승진했다. 1607년에 임지에서 서거했다. 태자태보(太子太保)에 증직되었다. 동안(東安) 연화산(蓮花山, 지금의 광동상 운부[雲浮] 육도진[六都鎮])에 묻혔다.

진린의 고향 옹원에는 진린 석상과 진린장군기념관(陳璘將軍紀念館)이 조성되어 있다. 옹원 일대에 진씨종사(陳氏宗祠), 진린고거(陳璘故居) 안공사(安公祠), 진린 조상의 무덤 등 여러 유적이 남아 있다. 만력 4년(1576) 진린이 동안참장으로 역임할 때 진린은 가족들을 거느리고 옹원에서 동안(지금의 운부[雲浮]) 육도향(六都鄉)으로 이주하여 정착했다. 운부는 진린의 제2 고향이다. 운부 운안(雲安) 일대에 진태보사(陳太保祠), 진린 부모 묘소, 괴암(魁岩), 명대 성곽 등이 남아 있다.

명나라가 멸망할 때 감국수위사(監國守衛使)를 지낸 진린의 손자 진영소(陳泳溸)가 일가를 이끌고 배를 타고 들어와 한반도에 들어왔다. 이로부터 한반도에 광동 진씨가 탄생했다. 처음 남해 장승포에 표착했다가 진린이 주둔했던 고금도로 옮겨 살았다. 진영소의 아들 진석권(陳碩權)과 진윤권(陳允權)이 다시 해남 황조리(皇朝里)로 옮겨 정착했다. 이곳을 명나라 유민이

해남 황조별묘(© 박현규)

거주하는 동네라는 뜻으로 황조마을이라 불렀다. 1871년(고종 8)에 진린 장군과 그 후손의 위패를 향사하는 황조별묘(皇朝別廟)를 건립했다. 2003년에 해남군 향토문화유적 제10호로 지정되었다. 2014년 7월 4일 중국 시진핑(習近平) 주석은 서울대 강연회에서 한중우호 사적을 언급한 대목에서 진린의 후손이 한국에 살고 있다고 했다. 바로 진린과 광동 진씨를 지칭한다.

친환경 자연을 꾸민 진린의 남오(南澳) 활동

남오는 광동 동부 산두(汕頭) 앞 바다에 자리한 섬이다. 이곳은 "조산(潮汕, 조주·산두) 지역의 병풍이고, 민월(閩越: 복건·광동) 지역의 목구멍(潮汕屛障, 閩越咽喉)"이라는 말처럼 해상교통의 요충지이다. 예전에는 동남 연해안과 대만, 동남아시아로 통상할 때 필히 들렀던 정착지였다. 남오현 심오진(深奧鎭)에 만력 4년(1576) 부총병 안계방(晏繼芳)이 처음 건립한 민월남오총진부(閩粤南澳總鎭府), 일명 총병부(總兵府)가 있다. 총진부를 기준으로 좌영은 복건 해역을 관할하고, 우영은 광동 해역을 관할했다.

진린은 1593년에 제9대 남오부총병으로 임명되었다. 진린이 남오부총병으로 나감에 따라 탁월한 군사 능력을 육지에서 바다로 이끌어 가는데 좋은 계기가 되었다. 지금까지 활동했던 전장은 내륙에 위치하고 있어 수군 활동과 거리가 있었다. 남오에서 수군 훈련, 전선 운항, 해상 기후 등 수군 활동에 필요한 전반적인 지식을 많이 축적했다. 남오부총병 경험은 곧이어 한반도

남해안 일대에서 수군을 이끌고 일본 전선과 맞붙어 싸우는 데 좋은 밑바탕이 되었다.

진린이 남오에 있을 때 오늘날 중시하고 있는 친환경 자연 운동의 선구자 역할을 했다. 부임한 지 얼마 후 남오섬을 돌아본 후 아름다운 풍광에 매료되어 향후 오랜 기간 섬이 늘 푸르게 꾸밀 수 있는 장기적인 방안을 내놓았다. 부하 복건 장주위지휘(漳州衛指揮) 후자열(侯子悅), 징해소(澄海所) 천호(千戶) 원자경(袁子慶), 광동조주진무(廣東潮州鎭撫) 양자왕(楊子汪) 등에게 섬에 나무를 심자는 방안을 제안했다. 좋은 토양을 가진 남오섬에 나무를 심는 것은 인재를 기르는 것과 같다. 바람과 모래가 쌓이는 것을 막고 아름다운 환경을 조성하여 수백 년이 지나도록 길이 혜택을 받을 수가 있다. 세 장수들은 진린의 말이 옳다고 말하며 나무를 심는 데 적극 동참하였다. 진린은 소나무 묘목 4만 그루, 삼나무 묘목 3만 그루를 구입하여 부하 장졸들과 함께 총진부가 소재한 심오 일대에 나무를 심었다. 1594년 1월 나무를 심은 작업을 마친 후에 그간 내력을 담은 「남오산종수기(南澳山種樹記)」를 작성했다. 오늘날 남오 심오진 천후궁(天后宮)의 왼편에 진린의 「남오산종수기」 비석이 세워져 있다.

인간이 장래에 인간다운 삶과 쾌적한 환경을 유지하기 위해서는 자연과의 공존 방법을 배워야 한다. 진린은 일찍부터 이러한 사실을 인지하고 아름다운 자연을 오랫동안 보존하기 위해 남오섬에 녹화사업을 펼쳤다. 오늘날 남오섬의 자연환경이 뛰어나고 산림녹화가 잘 된 것은 일찍이 진린이 실천한 방안을 잘 계승하여 받아들었던 것이

광동성 남오의 진린 「남오산종수기」(© 박현규)

라고 할 수 있다.

또 하나 주목해야 할 사항은 전략물자 비축이다. 진린이 나무를 심어놓으면 다른 날에 쓸 용도가 있고, 다른 곳에서 가져올 필요가 없다는 말을 했다. 이것이 바로 전선 건조에 필요한 목재공급이다. 전통 선박을 건조하는 데 있어서는 목재가 반드시 들어가야 하는 재목이다. 특히 격심한 전투 환경 속에서 세찬 바람과 높은 풍랑을 이겨내야 하는 전선의 경우라면 일반 선박과 달리 더욱 크고 단단한 목재가 필요했다. 진린이 남오에 심은 나무는 소나무(*Pinus* sp.)와 삼나무(*Cunninghamia lanceolata* Hook.)이다.

소나무와 삼나무는 단단한 재질을 갖추고 있어 해양선박, 특히 전선을 건조하는 데 매우 좋은 재질이다. 이러한 사실은 최근 발굴된 선박만 보아도 알 수 있다. 2005년에 산동 북단해역에 소재한 봉래수성(蓬萊水城) 안에서 출토된 명대 전선이 발굴되었다. 명대 전선에서 선체 중심선을 따라 지주 역할을 하는 용골을 비롯하여 익판(翼板), 선판(船板)에 사용된 목재가 소나무이다. 또 선판에 사용된 목재는 삼나무, 소나무, 느릅나무(*Ulmus* sp.)이다.

한반도에서의 활약한 수군 도독 진린

1597년 1월에 일본군이 다시 대규모 군사를 한반도로 보내어 정유재란을 일으킨다. 육상에서는 일본군이 한때 총 14만의 병력으로 경상도, 전라도의 상당 지역을 석권하고, 여세를 몰아 충청도로 밀고 들어왔다. 그러나 9월에 직산(稷山)에서 명나라 군대에 의해 대패한 것을 전기로 경상도, 전라도 연해안으로 물러나 축성하고 장기전에 나섰다. 한편 해상에서는 칠천량(漆川梁) 해전에서 승전을 거두어 남해의 제해권을 장악하고 서해안으로 올라왔다. 그러나 9월에 명량(鳴梁)에서 이순신에 의해 대패한 것을 전기로 다시 남해의 한쪽으로 물러났다.

정유재란이 일어나자, 명나라는 다시 대규모 군사를 한반도로 보내고 전체

전략을 새롭게 짰다. 일본 수군이 곧장 바다를 건너 중국대륙으로 침공해오는 것을 방지하기 위해 각 연해안에 방어 대책을 강구하고, 또 한반도로 파견할 수군을 편성하여 육군과 협동한 전략을 마련했다. 이것이 도독 진린이 거느린 명 수군이 한반도에 파견된 동기이다.

1598년 초에 진린은 광병(廣兵)을 거느리고 천진교(天津橋)에 도달하여 한반도로 떠날 채비를 했다. 4월에 요동에 도착했다. 6월에 한양에 들어와 선조를 알현했다. 7월 16일에 이순신의 통제영이 있는 고금도에 도착했다. 이때부터 명실공이 조명 연합수군의 활동이 시작되었다. 진린 휘하의 장수로는 전투 요원으로 먼저 들어온 계금(季金), 절직병을 거느린 등자룡(鄧子龍), 광동병을 거느린 장양상(張良相), 절병을 거느린 심무(沈茂), 낭산병을 거느린 복일승(福日昇), 태창위 출신의 왕원주(王元周) 등이 있다. 전체 수군 병력은 기록과 통계 방식에 따라 조금 다르지만, 대략 1만 3천여 명에 이른다.

7월 18일에 일본 수군 1백여 척이 녹도(鹿島)를 침범해온다는 정보를 듣고 처음으로 조명 연합수군이 출동했다. 그런데 일본 수군이 조명 연합수군을 보고 도망쳐 전투는 이루어지지 않았다. 7월 24일 절이도(折爾島, 고흥 거금도[巨金島])에서 조선 수군이 적선 6척을 격파하는 전과를 거두었고, 명 수군은 때마침 풍세가 순조롭지 못하고 현지 바다 사정을 잘 알지 못해 싸우지 못했다. 이때 양측 진영 사이에 수급 문제가 발생했으나, 이순신의 양도로 원만하게 해결되었다. 이것을 계기로 진린은 이순신의 인물됨을 알고 전투에 적극적으로 나섰다.

9월부터 11월까지 조명 연합수군은 사로병진전략에 따라 고니시 유키나가(小西行長)가 주둔한 순천왜성 공략에 나섰다. 육지 공략은 명 유정(劉綎)과 조선 권율(權慄)이 거느린 서로군이 맡았고, 해상 공략은 명 진린과 조선 이순신이 거느린 수로군, 즉 조명 연합수군이 맡았다. 조명 연합수군은 순천왜성 앞바다에 소재한 묘도(猫島)를 장악하여 해상 입구를 완전 봉쇄하는 전과를 거두었다. 곧이어 왜성 공략에서 성 밑의 해안까지 진격했으나, 서로군의 소극적인 공격과 비협조, 고니시 유키나가의 완강한 성곽 방어로 인해 끝내 실패로 돌아갔다.

고니시 유키나가는 도요토미 히데요시(豊臣秀吉)의 사망으로 전황이 이미 기울어져 조명 연합군과의 결전보다는 퇴로를 확보해서 본국으로 온전히 돌아가는 계략을 취하고 있었다. 하지만 조명 연합수군의 해상 봉쇄로 탈출은 말할 것도 없고 남해왜성에 주둔한 사위 소 요시토시(宗義智)와의 연락을 취하는 것도 어려웠다. 한번은 뇌물을 통해 소선을 몰래 보내는 데 성공했다. 사천의 시마즈 요시히로(島津義弘)를 중심으로 소 요시토시, 다치바나 무네시게(立花宗茂) 등이 연합하여 5백 척(일설 3백 척)에 달하는 대규모 지원군을 편성했다.

소서행장이 보낸 소선이 빠져나갔다던 보고를 들은 이순신은 진린에게 일본 지원함대가 쳐들어 올 것을 예측하고, 미리 나가서 맞받아 싸울 것을 요청했다. 진린은 처음에는 동의하지 않다가, 이순신의 거듭된 간청으로 결전의 의지를 불태우고 참전에 나섰다. 조명 연합순군은 순천왜성 앞바다의 포위망을 풀고 일본 지원함대가 들어올 예상 통로인 노량해협으로 이동했다.

18일 밤에 진린의 명 전함은 좌측 죽도(竹島)에, 이순신의 조선 전함은 해협 우측 관음포(觀音浦)에 매복했다. 19일 새벽에 일본 함대와 조우하면서 본격적인 전투가 펼쳐졌다. 이로부터 한중양국 역사상 길이 남을 노량대첩이라는 위업을 거두었다.

조명 연합함대는 계절풍에 편승한 화공 전술로 일본 함대를 공격하여 큰 타격을 입혔다. 전세가 불리한 일본 함대가 도망치다 막힌 관음포 포구 쪽으로 들어갔다가, 더 이상 퇴로가 없는 것을 알고 역공을 취하며 탈출을 시도했다. 이로부터 양측 함대가 서로 물러날 수 없는 치열한 혼전을 치렀다. 시간이 흐를수록 조명 연합함대의 승전 쪽으로 기울어졌다. 정오가 지났을 때 일본의 일부 전선이 혼전을 틈타 남해 섬 남쪽으로 달아났고, 또 일부는 전선을 버리고 상륙하여 육지를 통해 남해왜성으로 도망쳤다.

노량해전에서 조명 연합군의 수장들이 생사를 넘어 얼마나 전력을 다했는지를 대변해주는 기록이 있다. 『재조번방지(再造藩邦志)』의 기록을 옮겨본다.

적이 배를 전부 몰아 관음포(觀音浦)에 와서 싸웠는데, 싸움이 치열할 때 고시니 유키나가(小西行長)는 배를 타고 바다 밖으로 탈출해 버렸다. 도독(진린)이 수병을 독려하여 사천(泗川)의 적을 무찌르는데, 적이 이순신의 배를 여러 겹으로 에워싸므로 도독이 우리나라 배로 바꾸어 타고 포위를 뚫고 곧장 들어가 구원하였다. 적이 또 도독의 배를 에워싸고 도독의 배에 기어올라 거의 도독에게 접근된 것을 도독의 아들 진구경(陳九經)이 몸으로 막다가 적에게 찔려 피가 철철 흘려도 오히려 꿈적하지 않았는데, 기패관(旗牌官) 세위(世熗)가 당파(钂鈀)로 적의 가슴을 찔러 바다 속으로 던져 구경이 위급을 면하게 되었다.

적선이 잇달아 도독의 배 아래로 모이므로 도독이 닻을 내리게 하니, 왕원주(王元周) · 복일승(福日昇) 두 장수가 또한 우리 배로 바꿔 타고 도독의 배를 감쌌다. 도독이 군중에 영을 내려 고함을 지르며 대포를 쏘게 하니, 모든 적이 쳐다보며, 조총을 쏘므로 도독이 모든 군사로 하여금 애패(挨牌)에 기대어 엎드리게 하였다. 모든 적이 보고 일시에 칼을 빼어들고 배에 올라오므로 중국 군사가 장창(長槍)으로 굽어보며 찌르니, 물에 떨어져 죽는 자가 천으로 헤아릴 수 있었고, 모든 장수도 죽을힘을 내어 육박전을 하였다. 얼마 있다가 도독이 방울을 흔들어 군사를 거두니 성중에는 고요하여 소리가 없었다. 적이 의심하여 조금 물러가므로 중국 군사가 높은 곳에서 분화통(噴火筒)을 적선에 던지니, 바람은 급한데 불길이 맹렬하여 적선 수백 척이 잠깐 사이에 타버려 바다의 물결이 온통 붉었다.

이순신은 도독이 에워싸인 것을 바라보고 역시 포위를 뚫고 나아가서 힘을 합하여 힘껏 싸웠고, 등자룡(鄧子龍)의 배에서는 불이 일어나 온 군사가 불을 피하느라 놀라 소요를 피우는데 적이 이 틈을 타 등자룡을 죽이고 그 배를 불태웠다.

여기에서 한중우호의 결정판을 보여주고 있다. 명나라의 진린, 등자룡과 조선의 이순신은 전장에서 국적을 넘어 상대방을 지켜주려고 전력을 다한 모습을 볼 수 있다. 진린이 탄 선박이 일본 전선에 의해 포위당하자 이순신이 힘을 다해 힘껏 싸워 포위망을 뚫었다. 반대로 이순신이 탄 선박이 일본 전선에 의해 포위당하자 진린이 판옥선으로 바꾸어 타고 포위를 뚫고 들어가 구원하였다.

그리고 진구경이 부친 진린을 지키기 위해 목숨을 아끼지 않은 장면은 무척 감동스럽다. 일본군이 조선 판옥선으로 갈아탄 진린의 선박에 올라와 하마터면 진린이 위험을 처할 뻔했다. 이때 아들 진구경이 몸으로 막아서며 적의 칼을 맞아 피가 뚝뚝 흐르면서도 비켜서지 않고 부친 진린의 목숨을 구해냈다.

노량해전은 임진왜란 해전사상 가장 격렬하게 치렀던 혈전이었다. 양측 함대가 서로 뒤섞여 근접전을 펼치며 사생결단의 전투를 치렀다. 이번 해전에서 조명 연합수군이 거둔 전과는 기록에 따라 조금 다르지만, 일본 전함 1백여 척 포획, 2백여 척 분멸, 익사자 부지기수였다. 하지만 아군의 피해도 만만치 않았다. 장수급만 하더라도 조선 측에서는 이순신, 이영남(李英男), 방덕룡(方德龍), 고득장(高得蔣) 등 10여 명, 명나라 측에서는 등자룡(鄧子龍), 도명재(陶明宰) 등이 전사했다.

「정왜기공도(征倭紀功圖)」에 남긴 조명 연합수군의 모습

정유왜란 때 명나라 종군화가가 그린 「정왜기공도권(征倭紀功圖卷)」과 19세기에 다시 그린 「정왜기공도병(征倭紀功圖屛)」이 있다. 「정왜기공도권」은 개인 소장이다. 화인(華人) 미국인이 소장하고 있다가 나중에 경매에 의해 홍콩인에게 넘겨졌다. 미국 콜롬비아(Columbia)대학 교수 Gari Keith Ledyard가 그림을 부분적으로 찍은 사진 11점이 국내에 알려졌다. 「정왜기공도병」은 1900년대 초 주일 네덜란드 공사가 일본에서 구입해 유럽으로 가져갔다. 원래 12폭이나, 나중에 각각 6폭씩 두 점으로 나누어졌다. 한 점은 최근 국립중앙박물관이 런던에서 구매했고, 다른 한 점은 스웨덴 스톡홀름의 동아시아박물관(Östasiatiska Museet)에 소장하고 있는 것으로 알려졌다.

명나라 종군화가에게 「정왜기공도권」을 그리게 한 주인공은 누구인가? 여기에 대해 진린, 유정(劉綎), 왕사기(王士琦) 등 여러 설이 존재하는데, 이 모두 정확한 것이 아니다. 그림 속의 주인공은 바로 정유왜란 때 한반도에서 명 군부를 총괄한 군무 형개(邢玠)이다. 이 그림은 정유재란의 승전을 기념한 일정의 승전도이다. 정유재란이 일어난 후 군문 형개가 군막(또는 정자) 속에서 명 장수를 지휘하는 모습을 시작으로 동로군이 울산왜성, 중로군이 사천왜성, 서로군과 수로군이 순천왜성을 각각 공략하고, 조명 연합수군이 노량해전에서 대첩을 거둔 장면을 그려놓았다. 마지막으로 형개가 명나라 제장들을 이끌고 북경 황궁에서 신종황제에게 승전을 보고하는 장면으로 마무리된다.

「정왜기공도권」은 역사적 사건을 재현해주기에 한마디로 사료적 가치가 높다. 전반적으로 묘사가 세밀하고 역동적이며, 특히 순천왜성전투, 노량해전, 남해 일대 소탕작전을 그린 부분은 마치 눈앞에서 전장의 모습을 보여주는 느낌을 주었다. 그림 속에 그려진 사람이 약 4천 4백 명이나 된다. 명군이 긴 창을 들고 앞을 향해 진격하는 모습, 운거 속에 들어가 성채를 공격하는 모습, 일본군이 조총을 성곽 구멍을 통해 사격하는 모습 등 병사의 동작을 하나하나 생생하게 묘사되어 있다. 순천왜성은 아주 견고한 모습을 하고 있다. 돌덩어리로 직각에 가까이 쌓은 성벽과 그 주변 목책이 몇 겹으로 둘러싸여 있다. 문지를 일직선으로 만들지 않고 'ㄱ'자 형태로 꺾어 진입하게 만들었다. 정상부에 사방을 한 눈에 전망할 수 있는 천수각(天守閣)이 보인다.

또 조명 연합수군이 활약한 바다의 모습도 아주 생생하게 그려져 있다. 바다를 메우고 있는 선박은 모두 235척이 된다. 조명 연합전선이 136척이고, 일본 전선이 99척이다. 명나라 전선의 깃대에는 '천병(天兵)'이라는 깃발이 적

『정왜기공도병(征倭紀功圖屛)』(© 국립중앙박물관 소장)

혀 있다. 양쪽 진영의 전선이 맞붙여 격렬한 해전을 펼치고 있다. 명 수군이 진린의 명에 따라 분통을 날려 보내는 화공술을 펼쳐 큰 효과를 보았다. 이러한 장면이 그림 속에 잘 녹아져 있다. 일본 전선이 불길에 쌓여있는 모습, 침몰하는 일본 전선에서 병사들이 우왕좌왕하는 모습, 일본병사의 유해가 물위에 둥둥 떠 있는 모습에서 조명 연합수군이 대첩을 거두고 있는 역사적 현장을 재현해주고 있다.

「정왜기공도병」의 그림 장면은 「정왜기공도권」에 비해 등장하는 인물이나 선박의 숫자가 크게 소략된 모습을 보여주고 있지만, 정유재란이라는 역사적 장면을 재현하는 데 여전히 좋은 자료이다. 그림 위에 전쟁 장면을 소개하는 첨지가 붙어있다. 조명 연합수군 부분만 언급해보면 "노량대첩(露粱大捷)", "왜병의 유해가 바다에 떠돌아다닌다(倭兵浮海)"가 보인다. 그리고 "부장 등자룡, 조선통제사 이순신이 진중에서 순국하다(副將鄧子龍, 朝鮮統制李舜臣沒陣)" 첨지는 노량해전에서 나란히 뜨거운 선혈을 바다에 뿌리고 순국한 명 등자룡과 이순신을 추모하는 사실을 담고 있다.

진린이 세운 고금도 관왕묘(關王廟)

고금도 관왕묘(關王廟)는 정유재란 때 고금도에 들어온 명 수군 도독 진린이 세운 묘우이다. 창건연대는 1598년(선조 31) 9월이다. 이천상(李天常)의 「고금도관왕묘창건사실(古今島關王廟創建事實)」에 진린이 관왕묘를 세운 내력이 자세히 나와 있다.

1598년 초에 진린이 관병(廣兵) 5천 명을 거느리고 천진교(天津橋)에 도달해서 한반도로 떠날 채비를 하고 있었다. 하루는 꿈에 붉은 얼굴에 헌칠한 수염을 하고 거동과 용모가 의젓하고 늠름한 한 신장(神將)이 나타났다. 신장(神將)은 자신이 한나라 장수 관운장(關雲長, 관우)이라고 말하고, 이번 전쟁에서 필승의 비책을 알려주었다. 진린은 꿈에서 깨어난 후에도 그의 말이 귀에 남아있었다. 북경 정양문(正陽門)의 묘우에 나가 관우상의 모습을 보니 꿈속에서 본 인물과 흡사했다. 비단에 관우상의 모습을 그려 군중에 봉안했다.

강진 고금도에 도달하니 관우가 다시 꿈에 나타나 묘우를 세워달라고 했다. 진린은 백금 수백 량을 계금에게 주고 고금도 용금산(湧金山, 지금의 용검산[勇劒山]) 아래에 묘우를 세우라고 했다. 이 해 가을에 관왕묘가 건립되자 진린이 친히 나서 치제했다. 묘우 입구에 '위양만리(威揚萬里)'라는 편액을 걸고, 편액 말미에 만력 무술년 계추에 절직수영관병(浙直水營官兵)과 함께 세웠다는 문구를 새겨놓았다. 또 15척이나 되는 목판에 진린과 계금(季金)의 이름과 직책을 적어 놓았다.

1666년(현종 7) 진린을 관왕묘 동무(東廡)에 모셨고, 1683년(숙종 9)에 이순신을 서무(西廡)에 모셨다. 이로부터 관왕묘에 노량해전에서 대첩을 거둔 조선과 명나라의 수장을 함께 모시게 되었다. 1791년(정조 15)에 정조가 어필로 쓴 탄보단(誕報廟) 묘액을 하사했고, 1792년(정조 16)에 명 장수 등자룡을 추배하였다. 등자룡은 정유재란 때 노량해전에서 이순신과 함께 전사한 장수이다. 1940년에 관왕묘에 대한 일제의 탄압이 심해지자, 350년 동안 모셔왔던 관왕묘의 제향을 중단하고 각종 소상과 위패를 철폐했다. 1942년에 관왕묘 수호 사찰이던 옥천사(玉泉寺)로 바꾸어 묘우 건물을 계속 보존할 수 있었다. 1953년에 충무계(忠武契)가 관왕묘를 충무사(忠武祠)로 바꾸고, 정전에 이순신을 모셨다. 1959년 노량해전에서 순국한 가리포첨사(加里浦僉使) 이영남(李英南)을 추배했다.

관왕묘 정전 중앙에 관우상을 모셨다. 관우는 삼국시대 촉나라에서 영웅으로 활약하던 실존인물이다. 동편에 삼관대제(三官大帝) 위패를 모셨다. 삼관대제는 자연세계에서 절대 필요한 천(天), 지(地), 수(水)를 지칭한다. 원시사회부터 자연을 숭배하는 사상에서 나왔다. 서편에 마조(媽祖) 위패를 모셨다. 마조는 원래 송나라 초 임묵(林黙)이라는 실존 여성이 승격한 인격신이다. 마조 신앙은 복건 미주도(湄洲島)에서 발원하여 인근 지역을 거쳐 훗날 중국 해안과 내수로 지역에 급속도로 퍼져나갔다. 중국 역대 조정은 여러 차례 봉호를 내렸고, 청나라 때 천상 최고신의 반차에 올려놓았다.

오늘날 마조묘는 중국 대륙은 말할 것도 없고, 대만과 홍콩, 마카오, 일본, 동남아시아 및 전 세계 화교가 이주한 지역에 널리 세워져 있다. 진린의 「남오산종수기(南澳山種樹記)」 비석이 세워진 장소가 심오 천후궁(天后宮, 마조묘) 옆이다.

진린 이름을 언급한 「동정마애비(東征磨崖碑)」

경남 남해읍 선소리(船所里) 선착장 북쪽 바닷가에 커다란 자연암석을 깎아 비문을 새긴 「동정마애비」가 있다. 지명 선소는 예전에 배를 만들고 정박했다는 장소에서 따왔다. 오늘날 많은 어선들이 정박하는 어항으로 사용되고 있다. 「동정마애비」가 원래 세워졌던 장소는 현 위치인 바닷가가 아니고 바로 위쪽 윤산(輪山)의 정상부에 있었다. 2003년 태풍 매미 때 심한 폭우로 산사태가 나서 정상부에 있는 비석 암석이 바닷가로 흘려 내려왔다. 윤산은 정유재란 때 일본군이 장기전을 대비하기 위해 세운 남해왜성이 있는 곳이다. 대마도 소 요시토시(宗義智)가 들어와 주둔하였다.

「동정마애비」는 비문의 첫 단어(東征詩)와 비석 형태에서 명칭을 따왔다. 때로는 비문의 작성자 이름을 더하여 「장양상동정마애비(張良相東征磨崖碑)」, 이와 반대로 줄여서 「동정시비(東征詩碑)」라고 부른다. 경상남도 유형문화재 제27호로 지정되었다. 각자부는 암석 표면을 안쪽으로 깎아 평평하게 다듬어놓았다. 직사각형이며, 가로가 131㎝, 세로가 253㎝, 깊이가 5㎝이다. 비문은 행서체로 음각되어 있고, 가장자리에 정교하게 새긴 당초문이 둘려져 있다. 비문 행수는 총 17행이다. 말미에 1599년(선조 32) 10월 상순에 비문을 새겼다는 '황명만력이십칠년양월상완길단일건(皇明萬曆二十七年陽月上浣吉旦日建)'과 작성자 직책, 이름이 들어간 '독공정왜유격장군장양상(督工征倭遊擊將軍張良相)'이 보인다.

비문 작성자 장양상은 임진왜란이 끝난 다음 해인 1599년에 흠차통령절강수병어왜유격장군(欽差統領浙江水兵禦倭游擊將軍)으로 수병 1천 5백 명을 이끌고 한반도에 들어왔다. 한반도에 들어온 목적은 일본군이 바다를 건너 재침하는 것을 방비하는 차원에서 이루어졌다. 1600년(선조 33)에 본국으로 돌아갔다.

「동정마애비」와 비슷한 성격을 띤 「부산평왜비명(釜山平倭碑銘)」 비석이 있다. 「부산평왜비명」은 1599년 가을에 명 경리(經理) 만세덕(萬世德)이 문무장리를 이끌고 부산으로 내려와 명군이 일본군을 물리쳤던 위업을 기리기 위해 세웠던 전승기념비이다. 원래 부산 자성대에 세워졌는데, 조선말 이후에 훼멸되었다. 여기에 정유재란 때 참전한 장수들의 이름이 새겨져 있는데, 진린도 들어가 있다.

「동정마애비」에 실명으로 등장하는 인물은 만세덕, 형개, 진린 등 3명뿐이다. 만세덕은 정유재란 때 명군을 총괄 감독한 경리이다. 형개는 한반도에서 실질적으로 명군을 지휘 통솔한 군문(軍門)이다. 그런데 비문에 정유재란 참전한 여러 장수 가운데 진린만을 특별히 뽑아 언급한 것은 그만한 이유가 존재한다. 장양상은 진린 휘하에 편입된 수군 장수였고, 당시 한반도에서 맡았던 임무도 해상 방어였다. 남해 바다는 노량대첩을 거둔 역사적 장소이다. 남해왜성은 노량대첩을 거둔 직후에 명 수군이 주둔한 장소이다. 장양상은 명 수군의 입장에서 일본 수군을 물리쳤다는 위업을 만방에 알리고자 전승기념비인 「동정마애비」를 세웠다. 또 여기에 장양상도 명 수군의 일원으로 참여하여 전공을 세웠다는 숨은 의도가 내포되어 있다.

중국에 조선 시문을 알린 명나라 관인

남방위(藍芳威)와 오명제(吳明濟)

난팡웨이 / 우밍지

박현규(순천향대학교)

개론

'전쟁'이라는 단어는 파괴, 고통, 피해 등 부정적인 이미지가 대부분을 차지하지만, 이와 반대로 극소수이긴 하나 회복, 재생, 재건 등 긍정적인 이미지도 내포되어 있다. 참전 국가들은 전쟁을 수행하는 과정에서 상대국의 문화를 자국으로 이입시키고, 동시에 자국의 문화를 상대국으로 전파시켰다.

임진왜란은 동방 삼국이 격돌한 국제 전쟁이었다. 삼국의 대규모 군사들이 한반도에 모여들자, 자연스럽게 인적 접촉과 문화 교류가 이루어졌다. 명군(明軍)과 일본군은 오랜 시간 한반도에 체류하면서 조선의 문화와 실정을 파악하는 데 좋은 계기가 되었다. 당시 조선과 명나라는 연합국이었다. 명군 인사들은 조선 당국으로부터 협조를 받아 한반도를 돌아다니거나 조선 인사들과 접촉할 수 있었다. 조선 당국도 명군 인사들의 편의를 위해 되도록 많은 도움을 주었다.

명군 인사가 한반도에서 수행할 업무는 일본군을 물리치는 군사 본연의 목적 외에 부수적으로 조선의 제반 사정을 알아보는 것도 포함되어 있다. 이때 명군 인사가 수집한 정보를 보면 주로 조선 조정과 군사 동태에 관한 것이지만, 때로는 문화와 학문을 대변해주는 한국 문헌의 수집도 관심의 대상이었다. 명군 인사가 수집한 한국 문헌은 자연스럽게 중국으로 흘러들어가 자국 문단에 소개 내지 전파되었다. 이로 인해 명나라 조야에서는 조선을 이해하는 폭이 한층 넓어졌으며, 조선과 관련된 출판물이 대폭 증가하였다.

남방위(藍芳威)와 오명제(吳明濟)는 중국 문단에 조선 시문을 널리 알린 문화전도자이다. 이들은 임진왜란에 한반도에 들어와서 활동한 명군의 일원이었다. 평소 문화 소양이 높은지라 조선 시문에 대해 많은 관심을 가졌다. 전쟁 수행기간에 한가한 틈을 타서 여러 조선 문사들과 접촉하여 많은 자료들을 수집했다. 귀국한 후 그동안 수집한 자료들을 선별하여 각각 『조선시선전집(朝鮮詩選全集)』과 『조선시선(朝鮮詩選)』을 편찬 출간했다.

물론 이 이전에도 주로 조선과 명나라를 오가는 사절에 의해 조선 시문이 중국 문단에 소개된 적이 있었지만, 접촉한 양국 인사나 시문의 수량이 일정한 범주를 벗어나지 못한 한계가 있었다. 『조선시선전집』과 『조선시선』은 남방위와 오명제가 한반도에 들어와서 장시일 머물면서 여러 경로를 통해 수집 정리한 것이라 앞 시기보다 시문의 수량이나 질적인 면에서 월등한 차이를 보이고 있었다. 또한 『조선시선전집』과 『조선시선』은 책자로 출판되어 시중에 널리 유통되었다.

남방위와 오명제가 채집한 조선 시문은 후대 중국 문단에 끼친 파급력이 대단했다. 명나라 반지항(潘之恒)의 『취사원창(聚沙元倡)』, 정문앙(鄭文昂)의 『고금명원휘시(古今名媛彙詩)』, 종성(鍾惺)의 『명원시귀(名媛詩歸)』, 청나라 전겸익(錢謙益)의 『열조시집(列朝詩集)』, 주이존(朱彝尊)의 『명시종(明詩綜)』, 손치미의 『조선채풍록(朝鮮採風錄)』 등 명·청 문헌에서 남방위와 오명제가 채집한 조선 시문을 전록 내지 선록하였다.

남방위와 오명제의 한반도 출정

남방위는 자가 운붕(雲鵬)이고, 호는 만리(萬里)이며, 강서 창강(昌江, 景德鎭) 사람이다. 1598년(선조 31) 1월에 흠차통령절병유격장군(欽差統領浙兵游擊將軍)으로 남병(南兵) 3천 3백 인을 이끌고 한반도에 들어왔다. 2월에 직산에 주둔했다. 선조에게 충심을 다해 기자의 고토 조선을 다시 세우는 데 전력을 다하겠다는 게첩을 보냈다. 3월에 공주를 지나 남원에 머물렀다. 8월에 함양 등지에 들어온 일본군을 습격하여 승전을 거두었고, 9월에 남강 전투에서 승전했다. 10월에 사천전투에서 중로선봉으로 나섰다가 패했다. 1599년(선조 32) 5월에 남원에서 상경했다. 7월에 한양을 떠나 본국으로 돌아갔다. 말년에 금릉(金陵, 남경)에 머물렀다.

남방위는 청덕으로 이름이 났다. 몸가짐이 청렴하고 간결하고 처사가 엄숙

공주 공산성 명국삼장비(ⓒ 박현규)

하고 분명했다. 아랫사람을 잘 단속하여 조선 백성들에게 피해를 끼친 일이 없었다. 오늘날 공주 공산성의 정상부에 「명국삼장비(明國三將碑)」가 세워져 있다. 「명국삼장비」는 임진왜란 때 명나라 군사가 공주 일대에 주둔하여 일본군의 침공을 막아내어 지역민들의 생명을 보존하고 생업에 종사할 수 있도록 선정을 베푼 제독(提督) 이공(李公), 위관(委官) 임제(林濟), 유격장 남방위를 기린 비석이다. 본래 공주 금강변 남안에 세워졌던 것을 공산성으로 옮겨왔다. 일제강점기에 일본인들이 읍사무소 뒤뜰에 매립한 것을 해방 후에 다시 파내 현 장소로 옮겨왔다. 「유격장남공종덕비(遊擊將藍公種德碑)」는 남방위의 선정을 기린 비석이다. 1599년(선조 32) 4월에 성균진사(成均進士) 정습(鄭霫)이 지었다. 전자로 '遊擊將藍公種德碑'로 새겨져 있다. 비석의 전체 높이는 168㎝, 비신의 높이 157㎝, 두께 15㎝, 너비 70㎝, 자경 3×4㎝이다.

임진왜란 때 함양 유림 의병장 정경운(鄭慶雲)이 자신이 겪었던 전란 과정을 일기체로 적은 『고대일록(孤臺日錄)』이 있다. 1598년(선조 32) 10월에 유격 남방위가 사천전투에서 패하여 포위를 당하여 죽임을 당했다고 했다. 이것은 잘못 전해진 소문이었다. 남방위는 이번 전투에서 패배를 했지만 전사하지 않았다. 1599년(선조 33) 5월에 함양 사람들이 유격 남방위의 청덕을 기리는 비석을 세우기를 공론화하자, 정경운은 비문을 지었다. 여기에서도 남방위가 조선 백성들에게 얼마나 선정을 베풀었는지를 잘 엿볼 수 있다.

오명제는 자가 자어(子魚)이고, 호는 현포산인(玄圃山人)이며, 회계(會稽) 사람이다. 1597년(선조 30)에 찬획(贊劃) 서중소(徐中素)가 조선 출정에 나서게 되자, 빈객 오명제는 참군(參軍)의 신분으로 따라 나섰다. 이듬해 3월에 압록강을 건너 의주에 머물렀다. 4월에 이문학(李文學)을 비롯한 여러 문학인을 만나 조선 시문을 접하고 흥미를 느껴 자료 수집에 나섰다. 얼마 후 한양으로 들어왔다. 군막에서 나와 허씨(許氏)의 집에 묵었다. 이때 허성(許筬), 허봉(許篈), 허균(許筠), 윤근수(尹根壽) 등 문사들로부터 상자에 가득 찰 정도로 많은 시문을 입수했다. 7월에 서중소가 부친상을 당하여 예장(豫章)으로 돌아가게 되자 오명제도 따라 귀국하여 장안(長安)에 머물렀다. 1599년(선조 32)에 본격적으로 시문을 수집하고자 다시 한반도에 나왔다. 한양에서 이덕형(李德馨)의 집에 묵으면서 백여 가에 달하는 명가의 시문을 수집했다. 동년 본국으로 돌아갔다.

남방위와 오명제의 조선 시문집 편찬 과정

정유왜란 때 명 유격 장수로 참여한 남방위는 조선 시가에 대해 상당한 관심을 가지고 관련 자료를 수집하여 『조선시선전집』을 편찬했다. 『조선시선전집』은 현재 미국 버클리(Berkeley) 대학에 소장된 조선간본과 중국 북경대학에 소장된 청대필사본이 남아 있다. 북경대학장 청대필사본은 버클리대학장 조선간본에 비해 매우 소략하고, 특히 후반부가 거의 탈락되어 완정한 판본이 아니다. 버클리대학장 조선간본은 수록 작품의 저자를 잘못 기재하거나 시구 오록이 매우 심해 결코 선본(善本)이라고 볼 수 없다. 이밖에 일본 아이치(愛知)대학도서관 목록에 『조선시선전집』이 소장되어 있다고 했으나, 현재 실물 행방이 묘연하다.

아래에서 버클리대학장 조선간본 『조선시선전집』을 기준으로 서지사항을 정리해본다. 총 8권이다. 제1권부터 제6권까지는 시체별로 나누어 놓았고, 제7권과 제8권은 개인별로 기술해 놓았다. 수록 작품은 기자(箕子) 「맥수가(麥秀歌)」부터 조선 선조까지이며, 편찬 당시의 생존 인물인 윤근수(尹根

壽), 양형우(梁亨遇), 허균(許筠)도 포함되어 있다.

매 권 수제 아래에는 편찬 작업에 참여한 인물의 명단이 나열되어 있다. 남방위가 작품을 선록했고, 축세록(祝世祿)이 열독했으며, 오지과(吳知過)와 한초명(韓初命)이 교정했다. 축세록 또는 한초명 다음에 일부 깎아낸 흔적이 있고, 그 아래에 '동(仝)'자가 보인다. '仝'자는 두 사람 또는 그 이상 인물이 참여했던 것을 지칭한다. 『조선시선전집』의 편찬 작업에 오지과, 한초명 등 두 사람 외에 다른 인물이 더 참여했는지 모르겠다.

한초명은 정유왜란에 참가했던 명나라 장수이다. 1598년(선조 31) 8월에 관량동지(管糧同知)로 한반도에 왔다가 1600년(선조 33) 10월에 중국 대륙으로 돌아갔다. 한초명은 오명제가 편찬한 『조선시선』의 교열자로 참여했다. 『조선시선전집』과 『조선시선』의 수록 시가가 중본된 것이 많다. 아마도 동일 교열자가 참여했던 것과 무관하지 않은 듯하다. 축세록과 오지과는 한반도에 들어왔는지 알려지지 않고 있다.

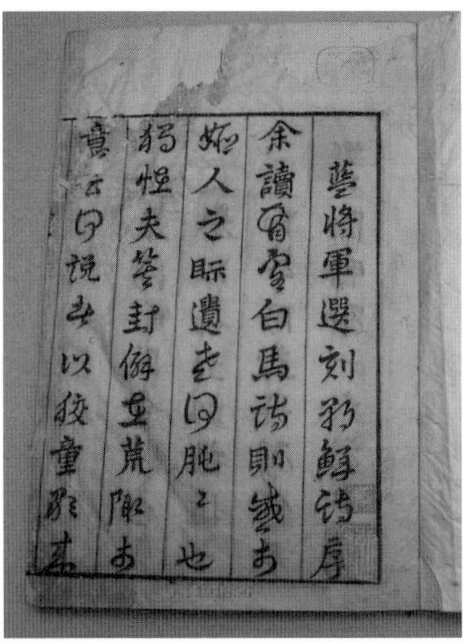

버클리대학 소장 남방위 『조선시선전집』
(ⓒ 이종묵)

남방위의 조선 시문을 입수한 자료와 경로에 대해 알아본다. 『조선시선전집』 서수에는 오지과의 「남장군선각조선시서(藍將軍選刻朝鮮詩序)」와 남방위의 「선각조선시(選刻朝鮮詩)」가 수록되어 있다. 두 서문은 남방위가 전쟁을 수행하다가 여러 조선 인사들을 접촉하여 시를 수집했다고 했다. 『조선시선전집』 권7 「유선곡(遊仙曲)」 자주에는 "무릇 3백 수가 있는데, 내가 그 필사본 81수를 얻었다(凡三百首, 余得其手書八十一首)"라는 기록이 있다.

『조선시선전집』 가운데 수록 작품이 가장 많은 시인은 허난설헌이다. 남방위는 한반도에 머물 때 허난설헌의 명성에 대해 익히 들어왔다고 했다. 또 허난설헌의 작품을 좋아하여 「유선곡」 81수 외 이반(李盤)이 쓴 허난설헌의 「백옥루상량문(白玉樓上樑文)」을 입수했다. 이때 아마도 허균으로부터 허난설헌의 자료를 받았을 것으로 추측된다. 허균은 중국 인사들과 만날 때마다 허난설헌의 작품을 유포시켰다. 오명제도 허균으로부터 많은 허난설헌의 시와 암송하고 있는 조선시를 얻었다.

아래에 명 반지항(潘之恒)이 남방위로부터 조선 시문을 보고 남긴 소감을 적어 본다. 반지항은 만력 36년(1608)에 국내본 『난설헌집』과 다른 계통의 허난설헌 문집인 『취사원창(聚沙元倡)』을 편찬 출간한 문인이다. 하루는 황상진(黃上珍)으로부터 금릉(남경)에서 머물고 있던 남방위를 만나 허난설헌의 작품에 관한 소식을 전해 들었다. 남방위의 수중에 고려 견지(繭紙)에 정초한 「백옥루상량문」 1권을 간직하고 있었다. 「백옥루상량문」은 허난설헌이 어렸을 때 지은 작품이다. 1611년에 반지항은 둔산(屯山) 준회원(遵晦園)에서 남방위와 만나 「백옥루상량문」의 실물을 친견했다. 「백옥루상량문」은 청천자(青川子) 이반(李盤)이 75세에 조선 견지본에 적었던 글씨이다. 필력은 굳세고 뛰어났으며, 한 글자도 흐트러짐이 없다.

「백옥루상량문」은 허난설헌이 어렸을 적에 달나라 광한전(廣寒殿)의 백옥루(白玉樓)가 완공을 기념한 잔치에 참석하는 꿈을 꾼 후 그 장면을 흠모해서 지었다고 전해지고 있다. 허난설헌은 「백옥루상량문」을 지어 예로부터 천상 세계에서 천재 문사들이 노닐던 곳인 백옥루를 바탕으로 고통의 현실 세계에서 벗어나 가상의 천상 세계로 빠져 들어갔다. 당시 조선 문단에는 여러 명필가들이 「백옥루상량문」을 글씨로 남길 정도로 상당히 널리 알려졌다.

남방위가 입수한 「백옥루상량문」은 조선 이반의 글씨본이고, 입수한 시점은 한반도에서 전쟁을 수행하던 1598년(선조 31)~1599년이다. 이반 글씨본은 현재 국내 여러 곳에서 소장하고 있는 한석봉(韓石峯, 韓濩) 글씨본보다 몇 년 빨리 작성되었다. 한석봉 글씨본은 1605년(선조 38)에 요산(遼山)에서 작성되었고, 훗날 목판으로 상재되었다. 「백옥루상량문」은 명청 문단에 비교적 널리 알려졌다. 이반 글씨본 「백옥루상량문」은 남방위와 그 주변 인사들 사이에 감상되었다. 반지항의 『긍사(亘史)』, 조세걸(趙世杰)의 『고금여사(古今女史)』, 종성(鍾惺)의 『명원시귀(名媛詩歸)』, 전겸익의 『열조시집』 등 명청 문헌에 「백옥루상량문」을 전록하거나 소개했다.

정유왜란 때 두 차례 한반도에 들어온 오명제는 조선 시편을 다량 수집하여 또 하나의 시선집인 『조선시선』을 편찬했다. 오명제의 『조선시선』은 최소한 2종의 판본이 있다고 알려지는데, 그 중의 한 책자가 1600년(선조 33)에 간행된 조선간본이다. 오늘날 중국 국가도서관에 조선간본 『조선시선』에 소장되어 있다.

아래에서 중국 국가도서관장본 『조선시선』을 기준으로 서지사항을 정리해본다. 총 7권이다. 권1~권2에는 오언고시, 권3에는 오언율시, 권4에는 오언배률, 권5에는 칠언율시, 권6에는 오언절구, 권7에는 칠언절구가 수록되어 있다. 수록 작가는 신라조부터 조선조까지 1백 20명 정도이고, 편찬 당대의 생존 인물도 포함되어 있다. 수록 작품 가운데 허난설헌의 작품이 가장 많다.

매 권 수제 아래에는 이 책자의 편찬 작업에 참여한 인물의 명단이 기술되어있다. 오명제가 작품을 선록했고, 가유약(賈維鑰), 한초명(韓初命), 왕세종(汪世鍾)이 동열(仝閱) 교정(校正)했다. 가유약은 소주(蘇州) 출신이다. 1593년(선조 26)에 한반도에 나왔다가 귀국했다. 1599년(선조 32) 4월에 원임랑중(原任郎中)으로 만세덕(萬世德)을 보좌하여 재차 한반도에 들어왔다가 이듬해 7월에 돌아갔다. 그의 손자 가침(賈琛)이 병자호란을 피해 한반도에 들어와 정착하여 한국 소주 가씨의 시조가 되었다. 한초명은 『조선시선전집』의 편찬 작업에 참여했다. 왕세종은 만세덕을 따라 한반도에 들어와 조선 시가를 모은 『고금시(古今詩)』를 편찬했다. 아쉽게도 『고금시』는 현재 전해오지 않는다.

『조선시선』의 서수에는 오명제의 「조선시선서(朝鮮詩選序)」가 수록되어 있고, 서말에는 허균의 「조선시선후서(朝鮮詩選後序)」가 수록되어 있다. 오명제 서문에 『조선시선』을 편찬한 과정에 대해 자세히 적혀 있다. 만력 25년(1597)에 오명제는 찬획 서중소의 막부가 되어 조선 참전에 나섰다. 이듬해 3월에 압록강을 건너왔고, 4월에 의주에서 이문학(李文學)을 비롯한 종사관들을 통해 이들이 암기하고 있던 한시 1~2백 수를 얻었다. 그 후 서울에 들어와 허균 집에 머물며 본격적으로 한시를 수집했다. 이때 허균이 암송하고 있던 한시 수백 편과 허난설헌의 시 2백 편을 얻었고, 윤근수(尹根壽)와 여러 종사관들을 통해 다른 관련 자료를 얻었다. 7월에 서중소가 부친상을 당하여 귀국하자, 오명제도 귀국하여 장안으로 갔다. 장안 문사들은 오명제가 가져온 한시와 허난설헌 「유선곡(游仙曲)」을 감상했다. 1599년경에 다시 한반도로 건너와 이덕형(李德馨)의 관사에 2달 동안 머물며 자료 수집과 책자 편찬에 힘을 쏟았다. 이때 신라조부터 조선조까지 시인 1백여 명의 한시를 선별했다. 허균의 후서에도 비슷한 내용이 수록되어 있다. 허균은 오명제와 자주 만나 자신이 암송하고 있던 수백 편의 시를 제공했고, 이덕형도 오명제에게 자료를 제공해주었다고 했다.

이밖에 오명제는 『조선시선』 외에 한국 역사를 다룬 『조선세기(朝鮮世紀)』를 편찬했다. 대만 국가도서관장본 『사이광기(四夷廣記)』 책4에 오명제의 『조선세기』가 수록되어 있다. 전겸익이 『열조시집』 중 「조선」 해제에서 기술한 오명제의 『고려세기(高麗世紀)』가 바로 이 책자이다. 전 2권이다. 권상(卷上) 수제(首題)의 저자 부분에 '회계오명제자어보찬(會稽吳明濟子魚甫撰)', 권하(卷下) 수제의 저자 부분에 '회계오명제찬(會稽吳明濟撰)'이라고 적어 놓았다. 권상은 단군조선부터 후삼국까지의 역사를 다루었고, 권하는 고려시대의 역사를 다루었다.

남방위와 오명제의 조선시문집 편찬 의의

중국 인사들은 예로부터 주변 국가의 문화에 대해 많은 관심을 가지고 있었는데, 특히 높은 수준의 문화를 향유하고 있는 한국에 대한 관심도가 더욱 높았다. 명나라 초~중기에는 주로 양국 사신들을 통해 인적 접촉과 문화 교류가 이루어졌다. 조선에서는 매년 명나라로 사신을 보냈고, 명나라도 여러 차례 조선으로 사신을 보냈다. 상대국에 입경한 양국 사신들은 이국 풍광을 읊은 시문을 남기고, 상대국 문사들과 만나 시문 수창과 학문 토론에 나섰다. 그러나 양국 사신이 만나는 상대국 인사는 일정한 범주를 벗어나지 못했고, 활동 지역도 양국 수도와 사행 노정으로 국한되었다. 이 시기에 명나라 사신들의 사행 문헌인 동월(董越)의 『조선잡지(朝鮮雜志)』, 『조선부(朝鮮賦)』, 예겸(倪謙)의 『조선기사(朝鮮紀事)』, 황홍헌(黃洪憲)의 『조선국지(朝鮮國志)』 등만 보아도 이러한 사실을 잘 알 수 있다.

일반 중국 문사들이 조선 문화에 대해 수집할 수 있는 정보의 양과 질은 매우 제한적이었다. 비록 이들이 옛 문헌에 기술된 조선 관련 기록을 통해 조선 문화를 엿보기는 하지만, 그 내용은 오래 전에 작성된 것이라 최신 지식 증진에 별다른 도움이 되지 못하였다. 또 이들은 중국 시중에 간간이 한반도에서 흘러 들어온 조선 문헌을 통해 조선 문화에 대해 이해를 높이곤 하지만, 시중에 유통되는 조선 문헌의 숫자가 극소량이라, 이 또한 정보의 확산 범위는 매우 제한적일 수밖에 없었다.

그러다가 임진왜란을 전환점으로 하여 중국 문사들이 받아들인 조선 문화에 대한 정보의 양과 질은 대폭 증가하였다. 임진왜란이 발발하자 명나라는 조선의 구원 요청과 일본의 '명에 쳐들어갈 길을 빌리겠다(征明假道)'라는 공언, 자국 영토의 바깥에서 외침을 막겠다는 목적으로 인하여 전쟁에 참여하였다.

1592년(선조 25)에 명나라는 요양부총병(遼陽副摠兵) 조승훈(祖承訓)의 군사들을 파견한 이래 임진왜란이 종식된 직후까지 수십 만이나 되는 병력을 여러 차례 나누어 한반도로 파견했다. 이 시기에 명나라와 조선의 문화 교류 환경은 커다란 변화를 맞이했다. 전쟁 수행 차 한반도에 들어온 명군은 장기 체류하면서 수많은 조선 인사들을 만났고, 또한 활동 지역도 예전의 사신들에 비해 전국 곳곳으로 확대되면서 다양한 조선 문화를 접할 수 있었다. 명군 가운데 학문을 좋아하는 인사들은 자국과 동일한 문자로 쓴 한국 문헌을 보길 원했고, 곧이어 이러한 호기심과 열정은 본격적으로 한국 문헌을 수집하거나 편찬하는 단계로 발전하게 되었다.

명군 인사들은 한국 문헌을 접하면서 어떠한 반응을 했을까? 첫째, 동문(同文) 의식이다. 명군 인사들은 예전부터 조선이 자국과 같은 한자문화권에 속해있다는 사실을 익히 알고 있다가, 이번에 한반도에서 자신의 눈으로 그 실체를 확인하고 동문(同文) 의식을 자극했다. 이들의 동문 의식은 곧바로 한반도에서 한국 한문 문헌을 감상하거나 수집하는 데 중대한 동기 중의 하나로 작용하였다.

둘째, 경외심이다. 명군 인사들은 임진왜란 이전에 조선과의 교류 여건이 충분하지 않아 한국 문헌들을 접할 기회가 많지 않았다가, 임진왜란을 통해 한반도에 들어와서 다수의 한국 문헌들을 접하게 되었다. 이때 이들은 조선의 한학 수준이 상당한 수준에 올랐다는 사실에 경외심을 느꼈다. 남방위와 오명제는 여러 조선 종사관들이 지은 작품을 보고 우아하고 담담하며 가히 볼만하다고 했다. 이것은 남방위와 오명제가 조선 자료를 수집하는 동기로 작용하였다.

셋째, 우수성이다. 한국 한문은 한국 고유의 특징을 가지고 있고, 한국 한문으로 쓴 문헌도 한국 고유의 특징을 가지고 있다. 예를 들면 남방위가 허난설헌 작품의 우수성에 대해 여러 차례 논하였다. 「백옥루상량문」의 우수성에 대해 매우 높이 평가했다. 이와 경우가 좀 다르지만 이반이 쓴 「백옥루상량문」의 필력이 굳세고 뛰어났으며 한 글자도 흐트러짐이 없다고 평가했다.

명군 인사들이 한국 문헌을 수집하는 과정을 보면 크게 두 부류로 나뉜다. 한 부류는 우연한 기회나 단순 호기심에서 한국 문헌을 취득하는 경우이다. 연합국인 조선과 명나라의 양측 인사들은 전쟁 수행 기간에 적지 않은 문서와 서찰을 주고받았다. 명군이 귀국할 때 조선 측에서 보낸 각종 문서와 서찰을 휴대해 갔다. 또 명군 인사들이 전쟁을 수행하기 위해 한반도 도처를 돌아다니다가 우연한 기회에 자신의 마음에 드는 한국 문헌을 접하고 그것을 취득했다.

다른 한 부류는 구체적인 목적의식을 가지고 취득하는 경우이다. 명군 가운데 학문 소양이 높은 인사들은 한국 문헌에 대해 상당한 관심을 가지고 있었다. 이들은 구체적인 목적의식을 가지고 한국 문헌 수집에 나섰다. 예를 들면 오명제는 처음 입국할 때 조선시에 대해 매력을 느끼고 관련 자료를 수집하였고, 훗날 재차 입국할 때는 애당초부터 조선시선집을 편찬하겠다는 목표를 세워놓고 적극적으로 자료 수집에 박차를 가했다.

아래에서 명군 인사가 목적의식을 가지고 한국 문헌을 수집할 때 활용했던 방법에 대해 알아본다. 가장 보편적인 방법은 조선 접반사(종사관 포함)에게 문헌 수집을 요청하는 것이다. 명군 고위 인사가 한반도에 들어오면 조선 조정은 이들을 접대하고 의사소통을 맡을 접반사를 보냈다. 명군 고위인사는 자주 조선 접반사와 만나 조선에 관한 여러 정보를 입수했는데, 이때 학문 소양이 높은 일부 명군 고위 인사는 한국 문헌에 대해 상당한 관심을 표방하며 관련 문헌 수집에 나섰다.

이보다 더욱 적극적인 방식은 명군 인사가 직접 조선 문사를 찾아 문헌 수집에 나서는 것이었다. 남방위와 오명제는 한국 문헌을 적극적으로 수집할 목적으로 직접 조선 문사들과 접촉하며 많은 한국 자료를 구할 수 있었다. 이때 남방위와 오명제를 접대한 조선 인사들의 반응은 어떠하였을까? 여기에 대해 여러 계층에서 다양한 반응을 보여주었다. 허균은 자신과 집안 인물의 문재를 알리는 좋은 기회라 여기고 자신이 암송하고 있던 작품과 누이 허난설헌의 시문을 남방위와 오명제에게 건네주었다.

끝으로 한국문학을 외국에 전파시키는 데 효과적인 방법에 대해 검토해본다. 여기에 대해 다양한 방식이 존재한다. 가장 많이 채택하는 방식은 국내학자 또는 관련기관이 한국문학을 외국어로 번역하여 외국학자 또는 기관에게 전달시키는 것이다. 그런데 이보다 더 효과적인 방식은 외국학자가 직접 나서 한국작품을 연구하여 얻은 성과물을 자국의 문화계에 소개하는 것이다. 특히 외국학자의 성과물이 해당 국가에서 출판 유통된다면 그 효과와 파급력은 생각하는 이상으로 아주 커진다. 전파 속도가 훨씬 빠르고 독자층이 몹시 많아진다. 게다가 외국학자가 국내학자와 달리 다른 관점과 시각에서 보기 때문에 한국문학의 다양성을 구축할 수 있다.

남방위와 오명제는 한국문학을 중국에 확산시키는 데 많은 공로를 했다. 『조선시선전집』과 『조선시선』은 중국 대륙에서 출판되어 중국 문단에 널리 전파되었다. 앞서 언급했듯이 이들의 책자를 선록한 중국 문헌이 꽤나 많다. 또 이들의 책자가 다시 한반도로 들어와 조선 문인들이 자주 언급할 정도로 유명세를 탔다. 이것이 바로 문화전도사 남방위와 오명제가 이룩한 커다란 공적이다.

한국 문인과의 진정한 우정

장지엔(張謇)

쉬이, 쉬나이웨이(남통대학교)

장지엔

중국 근대사에 있어서 장지엔(張謇, 1853~1926)은 유명한 인물이자 중요한 인물이었다. 과거에서 북직예(北直隸) 향시(鄉試)에서 2등을, 광서 갑오년(光緒甲午年) 전시(殿試)에서 장원을 차지하였다. 벼슬길에 오른 그는 청나라 말엽과 민국 쑨중산(孫中山) 임시정부 및 위안스카이(袁世凱) 정부에서 모두 요직에 임명되었다.

그는 600만 자 이상의 글을 남긴 문학의 대가로 청나라 말엽의 사재자(晚清四才子) 중의 하나였다(왕카이윈[王闓運] 및 미아오치엔쑨[繆荃孫], 짜오얼쑨[趙爾巽]도 청말 사재자에 포함되어 있다). 더욱 중요한 것은 유명한 실업가이자 교육가, 사회혁신가로서 실천과 업적이 중국 근대 사회의 변화와 발전에 중대한 영향을 끼쳤기 때문에 역사적으로 높은 지위를 차지한 사실이다.

근대 한중 관계사에서도 장지엔은 중요한 인물이었다. 그는 공무 수행차 조선에 머문 적이 있었는데, 많은 조선 선비들과 진정한 우정을 나누었고 몇몇 선비들과 평생 동안 우정을 유지한 것은 가히 미담이라 할 수 있다.

장지엔과 한국의 인연은 광서 8년(1882) 여름 조선의 '임오사변(壬午事變)'으로부터 시작되었다. 당시 장지엔은 수재였을 뿐이었고 나이도 서른이 되지 않았다. 그는 사변 평정을 위해 파견된 칭하이군(清淮軍) 우창칭(吳長慶) 부대의 주요 막료로서 조선에 들어왔고 사변 평정은 오래지않아 마무리되었다. 그리고 광서 10년 봄, 우창칭의 군대가 이미 귀국하여 따리엔(大連)을 방위하였는데 그 기간은 2년도 채 되지 않았다. 이 기간 동안 장지엔은 계속하여 국내의 관련 업무를 처리해야 했기 때문에 국내에 머무르는 시간이 길었다. 그가 조선에 머문 시간은 몇 개월에 불과했으며 그 후에는 다시는 조선에 가지 않았다. 그리고 장지엔은 한국어를 할 줄 몰라 교류할 때는 필담에 의존해야 했다. 이러한 배경 속에서도 장지엔이 그렇게 많은 한국 선비들과 진정한 우정을 나눌 수 있었던 것에 대해 혹자는 실로 보기 드문 일이라고 했다.

그 당시 장지엔의 경험을 자세히 고찰하고 분석해보면 우리는 그 이유를 알 수 있다. 우선 그는 군대와 함께 배치되어 '임오사변'을 평정하는 과정에서 중요한 역할을 하여 큰 공을 세웠다. 청군 통수(統帥) 우창칭은 본국의 총 지휘관인 장수셩(張樹聲)에게 보낸 서신에서 "장지엔은 기민하고 과단성이 있어서 전략을 세워 싸우지 않고도 승리했으니, 그 공은 싸워서 이긴 것보다 뛰어납니다"라고 하였다. 이리하여 장지엔은 이번 방문에서 조선 왕실 및 관료, 선비들의 인정을 받았다. 조선 왕조는 그에게 3품의 관직을 하사하였고 조선의 대신들은 장지엔을 조선에 머물게 하여 조선 국왕의 '빈사(賓師)'로 삼을 것을 추천하기도 했다.

청나라 군대와 연합하여 '임오사변'을 평정한 조선의 수석대표영선사(首席代表領選使) 김윤식(金允植)은 장지엔에게 서한을 보내어 "지금 인재를 등용할 때 선생 같은 인재를 누가 모셔오고 싶지 않겠습니까?"라고 했다. 조선은 또한 우창칭을 위해 사당을 지었는데 수하 수십 명 가운데 장지엔의 이름이 첫 번째로 있었다. 이는 조선이 '임오사변을 평정한' 장지엔의 공을 높이 평가하여 치하한 것을 의미한다.

장지엔은 한국인에게 청군총사 우창칭을 도와 성공적으로 전란을 평정하고 한국에 평화와 안정을 선사한 인물로 평가되고 있음을 알 수 있다. 이 사실은 장지엔이 한국인의 신뢰를 얻은 전제와 기초가 되었다.

둘째, 장지엔이 양국의 교류 속에서 진실하고 엄격하게 예의를 갖추었기 때문에 조선의 조정과 재야의 호감을 얻을 수 있었다. 장지엔은 청나라의 대표였지만 거만하게 남을 능멸하지 않았으며 오히려 공손하였고, 겸손하고 공정하게 임하여 예의 바른 사절의 면모를 보여주었다. 그에 관한 작은 일화가 있었다. 장지엔이 위안스카이와 함께 '임오사변'을 평정한 공헌을 고려하여 조선의 국왕은 두 사람을 위해 특별히 궁궐에서 주연을 베풀었는데, 며칠 후 장지엔은 조선 왕실의 주기(酒器) 하나가 아직도 진영에 남아 있음을 발견했다. 장지엔은 즉시 돌려주면서 정중하게 '감사의 글'을 올려 "얼마 전 대왕께서 성대한 연회를 베풀어 주셨는데, 오늘 보니 도자기 술병이 아직도 군영의 주방에 남아 있었습니다. 요리사에 물으니 돌아올 때 창졸간이어서 이것을 빠뜨렸다고 합니다. 상궁(上宮)에서 잃었던 신발을 찾아 시비를 이미 가렸으니, 합포(合浦)의 진주를 돌려주고 사유를 밝혀야 합니다. 으레 원래의 주인에게 돌려주는 것이나 글을 쓰면서 더욱 부끄럽습니다"

이 감사의 편지 자체가 예의 바르고 엄격하며 빈틈이 없으면서 법과 규칙을 준수하는 장지엔의 처세술을 보여준다. 상궁에서 신발을 잃어버렸는데 찾고 보니 주인이 신발을 창 위에 두었다는 『맹자(孟子)』의 고사(上宮廋屨), 합포의 진주가 폭정을 견디지 못하여 다른 곳으로 갔다가 선정을 베풀자 다시 돌아온 고사(合浦還珠), 인상여(藺相如)가 변화(卞和)의 박옥(璞玉)을 진(秦)나라 소왕(昭)으로부터 조(趙)나라 왕에게 무사히 돌려준 고사(完璧歸趙)를 사용하였는데 매우 적절하다. 이는 청나라가 조선에서 사변을 평정하는 것을 돕는 것은 작은 이익에 연연함이 아니니 조선의 기물이 유실되거나 남아있거나 상관없이 마땅히 원래의 주인에게 돌려주어야 하고, 자기 수하들의 부주의에 대해서도 부끄럽다는 말이다. 이것은 청나라 군대의 행위가 정당하고 정의로우며 백성들에게 조금도 피해를 주지 않으며 사람됨이 진실한 이미지를 자연스럽게 보여주고 있다. 그밖에 '감사의 글'의 내용이 적절하며 품위가 있는 것 역시 한국 사람들에게 좋은 인상을 주기에 충분했다.

셋째, 장지엔의 재학(才學)과 예지는 조선 문인들의 존경을 받았다. 장지엔은 조선에 도착하자마자 우창칭과 조선의 수석대표 김윤식, 이부판서 김석릉(金石菱), 병부판서 조영하(趙寧夏), 홍문관시어(弘文館侍御) 어일재(魚一齋) 등과 교섭과 협상을 통하여 조선 고위층의 높은 공감대를 형성하였다. 그리고 시기와 기회를 잘 이용하여 조선 친구들과의 거리를 좁히는 그의 교제술은 칭찬할 만하다. 장지엔의 8월 5일 「일기」(신판 『장지엔전집[張謇全集]』 제8집)에는 그와 김석릉이 교제했던 일화가 기재되어 있다.

이날 김석릉과 이야기를 하였다. 석릉은 금속을 잘 구별할 줄 몰랐다. 그래서 장난으로 "금속을 논하는데 청색, 홍색, 적색을 구분하지 못하네(論金不辨青黃赤)"을 지어주며 대구를 이으라고 하자 석릉이 매우 기뻐하며 그의 일생과 비슷하다고 하면서 도리어 호응하는 시구를 지어 주기를 부탁했다. 그리하여 석릉이 동치(同治) 초기에 중국에 사신으로 왔을 때 "음악을 보고서 아(雅)와 송(頌)과 풍(風)을 알 수 있다(觀樂能知雅頌風)"고 호응하는 구를 지어 응하였더니, 그가 더욱 기뻐하였다. 대구를 더 만들 수 있느냐고 물어 "책 표지를 갑을병(甲乙丙)으로 고르게 나누고(標卷平分甲丙乙), 공부(貢賦)도 상중하로 구분한다(貢賦猶區下上中)", "음악을 들으면 서서히 성악(聲樂), 관악(管樂), 현악(絃樂)에 대해 이야기하고(聞樂徐參肉竹絲), 술을 음미하면 푸른색, 흰색, 붉은색을 구분할 수 있다(品酒能分碧白紅)"(석릉은 술을 잘 마시는데 조선의 술은 붉은색이 위에 푸른색이 중간에 하얀색이 아래에 있다)라고 대구를 지어 응했다.

장지엔은 김석릉이 금속을 잘 구별할 줄 알지 못하기 때문에 "금속을 논하는데 청색, 홍색, 적색을 구분하지 못하네"라고 대구를 지었다. 이는 문학을 통한 교류의 기술이다. 성씨가 '김(金)'인 김석릉이 "금(金)을 모르네"라고 칭송하였는데 이것은 그가 '이익만 바라는 소인배'가 아니며 '의를 추구하는 군자'라는 뜻이다.

김석릉은 그 담겨진 뜻을 이해하여 '자기의 생애와 같다'고 하면서 도리어 장지엔에게 호응하는 구를 만들어 대련을 써 주기를 부탁하였뿐 아니라 그에게 또 다른 대구를 청하였다. 이것 역시 장지엔을 존중한 것으로 장지엔의 시적 재능과 글씨의 재능을 충분히 발휘하게 하였다. 장지엔은 결국 짧은 시간 동안 대련(對聯)을 6개나 지었다. 이것은 매우 품격 있는 교류로 군자의 교류이자 학문의 교류라고 할 수 있다. 장지엔은 김석릉과 좋은 친구가 되었고 많은 시를 지어 서로 화답하였다. 김석릉은 장지엔에게 그의 필기류 저술인 「담설(譚屑)」의 머리말을 써 달라고 청하였고 심지어 그의 아들 김교헌(金敎獻)을 장지엔에게 보내어 가르침을 받고 시를 청하게 하였다.

장지엔과 조선 선비의 우정은 이러한 일화를 통해서, 즉 이렇게 진실하고 기품 있는 교류를 통하여 이루어진 것이다. 장지엔의 「일기」와 장지엔의 시문집을 훑어보면 이러한 판단을 할 수 있다. 당시 조선 조정과 재야의 선비는 장지엔이라는 재능이 뛰어난 젊은이와 사귀고자 하였다.

황도원(黃道園)과 이완서(李浣西)는 국왕을 가까이 모시는 관인이었다. 장지엔과의 공적 교류 과정에서 좋은 친구가 되었는데 그들이 장지엔이 조선에 남아 국왕의 스승이 되어야 한다고 적극적으로 추천하였다. 장지엔이 귀국할 때 그들은 배에 동승하여 장지엔을 옌타이(煙台)까지 배웅하였다. 장지엔의 시집에는 그들에게 보내는 다수의 시가 남아 있다. 이러한 시에는 상대방 국가의 미래와 상대방의 인생에 대한 관심이 표현되어 있다. 장지엔이 조선에 머무는 기간 동안 쓴 「조선선후육책(朝鮮善後六策)」 등의 주요 문장 역시 두 사람과 사귀고 두 사람을 통하여 국왕과 교류했던 것에 관한 이야기이다. 다음의 두 가지 예는 장지엔과 조선 선비와의 교류가 광범위하고 깊이 있었던 것을 증명하기에 충분하다.

참판 조면호(趙冕鎬)는 조선의 경험 많은 고급 관리이자 유명한 시인이기도 하다. 장지엔보다 넉넉히 50살이 많아 두 사람이 교류할 수 있는 객관적인 조건이 마련되기 쉽지 않았을 것이라 생각되지만 조면호는 시집 『이태동잠(異苔同岑)』을 장지엔에게 선사하였고 장지엔은 절구(絕句) 2수를 보내며 칭송하였다. 특히 훗날 조면호의 소첩이 다른 사람과 도망을 친 일에 대하여 장지엔이 시를 써 위로하기도 했다. 그는 소식(蘇軾)이 말년에 소첩 유지(柳枝)를 자유로운 신분으로 풀어준 것을 들어 비유하며 "누가 주사위로 통서(通犀)를 바꾼단 말입니까? 본래 누각을 열어 유지를 보내주어야 했습니다. 이제부터 마음이 평안해져 불조(佛祖)를 뵐 수 있겠고, 애욕이 깨끗이 사라져 마니(摩尼)를 뵐 수 있을 것입니다"고 하였다. 이것은 세월을 잊은 두 사람의 우정이 매우 깊었음을 자연스럽게 보여주고 있으며 장지엔의 훌륭한 명성이 널리 전파되었음을 반영하기도 한다.

조선 남해도(南海島)에 젊고 기세가 왕성한 서씨 소년이 있었는데 그 역시 장지엔의 명성을 듣고는 방문하였다. 장지엔은 매우 정성스럽게 칠언율시 「소년증남해서생(少年贈南海徐生)」을 지어 그에게 주면서 "소년을 외국에서 느닷없이 만났는데, 마노 고삐와 산호 채찍 차림으로 호기가 넘치네. 진(晉)나라의 잘 생긴 왕몽(王濛)을 아버지 왕눌(王訥)이 낳았다는 말 믿기지 않고, 전국시대 제(齊)나라의 미남자 추기(鄒忌)가 서공(徐公)의 용모를 부러워한다는 말만 들리는데, 이웃집 담장에 시를 쓰고 그림을 그리며, 거울 속 자신을 바라보며 꽃같은 용모를 사랑하네. 하지만 생각해 보거라 심형(沈炯)이 후한(後漢)의 일곱 외척을 논하면서, 너 같던 길가의 노인을 몇 번이나 슬퍼했을지"라고 하였다. 이 시의 전반부는 그의 재능과 용모를 칭송하였고, 결미에서는 중국 육조시기 심형(沈炯)의 「장안소년행(長安少年行)」을 사용하여 남해 소년에게 인생은 많은 변수로 그 기복과 성쇠를 예측하기 어려우니 입신양명하였다고 너무 기뻐해서는 안 되고 실패하였다고 의기소침해서는 안 됨을 알려주었다. 이 말은 간곡하고 의미심장하며 매우 진실하다.

이것은 당시의 조선 사람들이 신분이나 나이, 친분 관계와 상관없이 장지엔과 친분을 맺으려는 경향이 있었음을 설명해 주고 있다. 장지엔은 비록 한국에 한번 밖에 가지 않았고 몇 달 머물렀던 것뿐이지만 장지엔이 한국의 벗들과 평생 동안 연락하며 우정을 돈독히 하였다는 것을 증명해 주는 흔적들이 남아있다. 김윤식(金允植)이 그 좋은 예이다.

장지엔이 임오사변 때 임무를 마치고 고국에 돌아가 다른 일을 담당하였는데 김윤식에게 서적을 처분해 달라고 위탁한 일에서 그들의 관계가 특별했음을 충분히 알 수 있다. 그러나 우창칭의 군대가 따리엔(大連)으로 회군하고 우창칭이 병으로 세상을 떠났으며 장지엔은 한국에서 사신으로서의 명을 철저히 이행한 후인 광서 10년 겨울과 11년 봄에 개인의 이름으로 김윤식에게 장문의 편지를 보내었다. 주로 '임오사변' 이후에 한국에 또다시 발생한 '갑신정변(甲申政變)'에 관해 이야기하며 자신의 걱정과 의견을 피력하였는데 한국을 그리워하여 자신의 조국을 대하듯 했던 그의 모습을 볼 수 있다. 그 후에 비록 두 사람이 연락한 흔적을 찾을 수는 없었지만 1922년에 장지엔이 이미 고희의 나이가 되었는데 그 해 정월 26일에 그는 40년 전의 오랜 친구 김윤식의 부고를 전해 듣고 침통해 하며 「조선 김거사가 작고했다는 부음이 왔다. 향년 87세이다. 애도하며 노래한다」는 장문의 시 한수를 썼다.

동이 트자 종이 한 장이 날아들었는데,
봉투를 열고는 탄식하며 눈가에 눈물이 가득하였네.
조선의 유민인 늙은 판서는,
살아서 이미 집이 없는 데다 나라까지 망하였네.
나라가 어떻게 망하였고 지금이 지금이 아닌가 하면,
임금이 약해 신하가 나라를 훔쳐 백성의 원망이 깊은데,
강한 이웃나라가 군침 흘리며 차지하려 하여 달아날 곳이 없었으니,
예전에 공에게 말했더니 공이 깊이 신음하였지.
이로부터 공과 이별한 지 40년으로,
계미년에 공과 이별하였네.
동해에 풍운이 일어 변괴의 조짐이 생기는데,
관리들은 송옥(宋玉) 홀로 어찌할 수 없고,
임금은 장의(張儀)의 꾀에 기꺼이 넘어가네.

변방에 한 번 유배되고 다시 돌아가지 못하였지만,
나라가 오랑캐의 손으로 넘어간 것에는 여전히 죄책감이 있었네.
이씨 조선의 흥망은 참으로 허망하여,
기자가 봉해진 산하를 욕되게 하였네.
늘그막 여생 오랑캐의 손에 맡겨져,
붉은 마음 재처럼 죽어갔으니 하늘도 가여워하리.
아, 조선국이여 평양성이여,
이완용이 죽지 않았다면,
안중근도 태어나지도 않았을 것이니,
운명이란 이처럼 사람이 간여할 수 없구나!
거사가 고개 숙여 그저 경문 읽을 뿐이지만,
경문 읽는 소리는 귀신조차 감동시키네.
후생이 검을 빼어 들고 단결하여 강물처럼 달려간다면,
약한 초나라가 강한 진나라를 망하게 하는 것이 어찌 우연이겠는가.
구천에서 만나는 거야 참으로 당연하지만,
공은 어찌하여 느닷없이 구천의 먼지가 되었는가.
환난에 담금질되고 우환에 찌든 지 80년인데,
남쪽 조선에서 군대를 주둔하던 때 회상하니,
화개동(花開洞)에 있던 사람 때문에 애가 끊어지누나.
화개동은 김거사의 옛 거처이다.

이 시가 매우 귀중한 이유는 다음과 같다. 첫째, 장지엔과 김윤식이 일생 동안 유지했던 관계와 우정을 증명하고 있다. 만일 그렇지 않으면 김윤식의 집안이 어떻게 40년 전 교제했던 외국인에게 부고를 보낼 수 있었겠는가?

둘째, 장지엔이 이웃나라 조선의 국가적 운명에 관심을 가지고 동정해 왔다는 것을 충분히 증명한다. 그는 40년 동안의 순탄하지 못했던 조선의 변화상에 대하여 잘 알고 있었다. 그는 "후생이 검을 빼어 들고 단결하여 강물처럼 달려간다면, 약한 초나라가 강한 진나라를 망하게 하는 것이 어찌 우연이겠는가"라는 구절을 이용하여 당시 조선 사람들이 일본 식민주의에 대항하고 국가의 독립을 위한 투쟁에 나선 것을 칭송하였다. 이것은 장지엔이 확실히 한국의 독립과 번영 및 안정에 진심으로 관심을 가졌던 중국 친구였다는 것을 다시 한 번 증명하였다.

여기에서 장지엔이 남을 대하고 정의를 매우 중시했던 두 개의 일화를 소개하고자 한다. 첫째, 장지엔은 김윤식이 소개한, 윗글에서 말한 서생과 유사한 청년 시인 김택영(金澤榮)을 접대한 적이 있다. 두 사람은 필담을 통해 시와 예를 논하였으며 마음이 매우 잘 맞았다. 헤어질 때 장지엔은 '복건(福建)의 돌 도장 3개와 휘주(徽州) 숯먹 2덩이'를 선물로 주었다. 장지엔은 청빈한 집안 출신으로 '본적지를 떠나 체류하며' 거액의 빚이 쌓여 있었다. 당시 그는 채무를 완전히 상환하지 않은 듯하나 사람됨이 관대하고 친구 사귀는 것을 좋아했다. 또한 이렇듯 격조가 높고 문인들의 교제에 어울리는 작은 선물을 정성껏 준비했는데, 이 또한 세부적인 측면에서 장지엔의 인격적 매력을 설명해준다.

둘째, 윗글에서 장지엔이 '갑신정변' 후에 김윤식에게 보내는 편지에서 "보고에 의하면 방금 역당들이 난을 일으켜 왕비, 세자, 민씨 부자, 조영하(趙寧夏), 이완서(李浣西), 윤규당(尹葵堂), 한규직(韓圭稷) 등이 모두 10월 18일에 동시에 난을 당하였습니다.…… 뽕나무 밭에서 밀회하여 사흘 밤을 보내도 정이 쌓이는데 하물며 당신 나라의 군신과는 진심을 나누었으니, 이 소식을 듣고 어찌 마음이 쓰이지 않겠습니까"라고 하였음을 언급하였다. 여기에서는 당시 오랜 친구가 변란 속에서 불행하게 어려움을 당하고 있는 것에 대한 가슴 아픔이 표현되었다. 특히 편지의 말미에 "완서와 규당의 집은 아직도 있는가?"라고 특별히 묻는데 이것은 오랜 친구의 유족에 대한 관심으로 가슴을 따뜻하게 하지만 코끝이 찡하게 하기도 한다. 또한 "석훤(石萱) 형제는 아직도 관직에 있는가? 모두 무사한가? 아들 경로(景魯)의 학업은 어떠한가?" 이러한 문안 인사는 친구들을 그리워하는 마음이 상대방의 아들의 학업에 대한 관심에까지 이어졌음을 보여준다. 또한 편지의 마지막 부분에서는 김윤식이 당시 적극 추천했던 김택영을 잊지 못하여 "창강은 잘 지냅니까, 그가 요구한 장수를 축원하는 글과 시의 서문은 일 때문에 짓지 못하였으나 아무튼 써서 부치겠으니, 번거롭겠지만 창강에게 이리 말해 주십시오"라고 하였다. 여기에서 장지엔이 한국 친구와 맺은 우정은 진정으로 돈독했으며 한국 친구의 인정과 존경을 받은 것은 당연한 일임을 알 수 있다.

여기에서 우리는 매우 정중하게 장지엔과 김택영의 '문경지교(刎頸之交)'라고 할 만한 우정을 소개하고자 한다.

김택영(1850~1927)의 자는 우림(于霖), 호는 창강(滄江)이다. 1891년(고종 28)에 회시(會試)에 통과해 진사(進士)가 된다. 편사국 주사(編史局主事), 내각 주사(內閣主事), 중추원 참사관(中樞院參事官), 내각 기록국 편사(內閣記錄局編史), 사적과장(史籍課長), 중서원 참사관(中書院參事官) 겸 내각 참사관(內閣參事官)을 역임하였고, 정삼품 통정대부(通政大夫)의 직함을 가지고 있었다.

김택영은 장지엔과 비슷한 연령대의 근대 한국의 중요한 문학가이자 시인, 역사가이다. 그는 재능이 풍부하나 성격이 독특하고 현실을 도피하는 문인이었고 일생 동안 중국에서 전해오는 유가 왕도 사회의 이상 속에 심취해 있었다. 그는 조국을 매우 사랑했으며 일본의 기세등등함과 야욕을 매우 가슴 아파했지만

중국의 김택영 묘소

이를 행동으로 옮기지는 않았다. 1905년 한국이 일본의 핍박과 점령 속에서 멸망의 위기에 처해 그가 아무것도 할 수 없는 상황이 되자 중국으로 망명하였다. 장지엔이 그를 맞아 주었고 그의 인생의 후반기를 적절히 설계해 주었다. 김택영의 중국 망명에 대해, 혹자는 중국에 온 목적과 근본적인 원인은 복잡한 문제 때문이라고 한다. 한중 양국의 학자들은 모두 본인들이 이에 대해 진정성 있고 주도면밀하며 심도 있게 사고하고 연구한 적이 있는데 그 결론은 다음과 같다고 말한다.

김택영은 자신의 시문과 저술에 대하여 자긍심을 가지며 명성이 널리 전파되기를 갈망하고 있었고 인생의 남은 날이 많지 않음을 두려워하였으며 중화의 유교 문화를 흠모하였다. 따라서 일본의 식민 침략이 조국의 상황을 점점 위태롭게 하는 상황에서 중국에 건너가서 자신의 시문을 출판하고 중국의 문인들과 절차탁마하며 교류하며 더 나아가 자연 속에 유유자적하며 여생을 보내기를 모색하였다('김택영이 한국을 떠나 중국에 온 목적과 근본 원인에 대한 오류 바로잡기[金澤榮離韓來華的目的與根因辨正]', 「남통대학 학보[南通大學學報]」 2013년 4월호).

김택영과 장지엔이 처음으로 알게 된 것에 대해서는 윗글에 이미 언급되어 있다. 장지엔이 한국을 떠난 후부터 김택영이 중국으로 건너온 때까지의 20년 동안에는 아무런 연락도 없었다. 중국에 온 해에 김택영의 나이는 55세였고 당시 이미 황혼에 접어드는 노인이었다. 명성도 특기도 없는 상황에서 무모하게 가솔들을 이끌고 중국에 온 것은 스스로의 생계 차원에서도 매우 경솔했을 뿐 아니라 매우 위험한 행동이었다. 그리고 처음에 의지한 것은 바람 앞의 촛불처럼 생이 얼마 남지 않은 소주(蘇州) 민간의 명망 높은 노인 위위에(俞樾)였다. 그의 목적은 '양웅(揚雄)의 현정(玄亭)에 술을 가지고 찾아오는 것'으로, 위위에에게 학문에 대해 묻고 도를 논한 다음에 산과 강에서 유유자적하며 '소주와 절강(浙江) 사이에서 여생을 보내는 것'이었다. 하지만 85세의 위위에는 김택영이 의지하러 온 것에 매우 당황하였다. 노인은 시집의 서문을 써 달라는 부탁만 들어줄 수밖에 없었고 서문을 통해 완곡하게 거절하고 충고하였다.

그대가 외국인으로서 멀리 바다를 건너와 의관이 다르고 언어가 통하지 않는데 오중(吳中)에 얹혀사니 처지가 외롭고 위험하여 걱정이 된다. 소주에 사는 것보다는 상해에 사는 것이 나으니 상해에는 조선 사람이 많다. 그곳에서 살면 같은 나라 사람들이 함께 모여 사는 즐거움이 있고 고립될 걱정이 없으니 이른바 '친할 만한 사람을 잃지 않는다'는 것이다(위위에, 「원서[原序]」).

김택영은 화를 내며 소주에서 상해로 돌아갈 수밖에 없었다. 곤경에 빠져 며칠을 주저한 후 우여곡절 끝에 장지엔의 주소를 수소문하여 알아냈고 남통(南通)에 사는 장지엔에게 편지를 써서 연락을 취하였다. 장지엔이 곧 상하이로 와서 김택영을 만났다. 장지엔은 기뻐하면서도 의아해 했으나 김택영의 장점을 고려하여 먼저 그를 상하이에서 신문사의 주필로 추천하였다. 그러나 김택영은 오히려 "제가 어찌 당신 나라의 문인들과 논쟁을 할 수 있겠습니까?"라고 말했다. 사실 한국 문인들이 상하이를 기반으로 하는 항일 독립운동은 그가 원한 것이 아니었다. 김택영은 사실상 생계를 꾸려갈 수 없는 곤경에 빠져 절망하고 있었다. 그래서 천성적으로 손님 접대를 좋아하고 우정을 중시하는 장지엔은 즉시 그를 맞아들였다.

장지엔은 그가 김택영을 맞아들이는 것이 그의 '잠시 동안의 위기상황'에서 그를 구해내고 귀국할 노잣돈을 주는 것이 아니라 중국에서 여생을 살고자 하는 그의 바람을 만족시키며 그와 그의 가족의 생존 문제를 해결해 주는 것이라는 것을 알고 있었다. 그러나 김택영은 '아무런 명성도, 특기도 없는' 문인이었으며 중국어를 할 줄 몰라 생계를 꾸리는 것이 매우 어려운 상태였다. 장지엔은 김택영이 기개와 패기를 가지고 있으며 개성이 뛰어난 문인이기 때문에 절대로 '모욕적인 베풂'을 받아들이지 않을 것이라는 것 또한 알고 있었다. 장지엔은 심사숙고 끝에 그를 위해 '유일하게 적합한' 일을 계획하였다. 자기 수하에 원래 교재 인쇄와 기타 인쇄를 전문으로 하는 한모린(翰墨林) 서국에 그를 위해 '감독과 교정(장지엔의 「자정년보[自訂年譜]」에서 언급됨)'이라는 직위를 신설하였는데 이것은 중국말을 할 줄 모르나 한자를 알고 있는 김택영이 유일하게 할 수 있는 일자리였다. 이것은 단순히 그에게 적합한 일자리이기 보다는 그에게 맞게 설계된 일자리였다. 여기에서 장지엔의 손님을 좋아하는 의리와 지혜를 엿볼 수 있다.

장지엔은 타국의 타향에서 떠돌아다니며 중국어를 못하여 당하는 고독과 곤경을 잘 알고 있기 때문에 갖가지 방법을 동원하여 김택영이 난통 사회와 장쑤, 상하이 및 중국 전역의 사회에 적응할 수 있는 조건을 마련해 주었다. 장지엔이 주최하는 모임에서 적당한 것이 있으면 김택영을 반드시 요청하여 참석하게 하였다.

다음의 시 몇 수는 이를 더 잘 설명하고 있다. 「임계정사(林溪精舍)의 완공을 검사하는 일로 인하여 딩허셩(丁禾生)과 샤지엔안(沙健菴), 김창강(金滄江), 판바오즈(潘葆之), 장징윈(張景雲)과 함께 유람하기로 약속하여 마침내 정사에서 쉬네(因視林溪工, 約丁禾生沙健庵金滄江潘葆之張景雲同遊, 遂憩精舍)」 2수는 자기의 삼림 별장이 완공된 상황을 검사하고 자연에 정을 기탁하는 문인을 초청한 것인데, 이때에도 이 한국 친구를 잊지 않았다. "진(晉)나라 혜원(慧遠)의 연사(蓮社)는 이미 도연명과 약속을 하였고, 망천(輞川)은 당나라 왕유(王維)를 기다리는 듯하네. 물과 구름 있는 좋은 곳이어서 우리 함께할 수 있으니, 흥이 나면 다시 와서 지팡이 짚자", "친구들 모두 늙어 가여우니, 봄바람에 술을 권하려 하네" 이 시 2수는 원래 의도대로 중국에 와서 강과 산에서 유유자적 하는 김택영의 작품이다.

1919년 추석은 사람들이 한자리에 모여 달놀이하는 명절이었다. 장지엔의 시집 중에 이러한 시가 하나 있다. 「기미년 추석에 김창강, 여록생(呂鹿笙),

장징윈(張景雲), 뤄셩(羅生), 투이웡(退翁) 및 아들과 함께 뱃놀이 하다. 소동파의 5언 절구 '8월 15일에 조수를 바라본다(八月十五日看潮)'의 운을 사용하다」라는 시는 주연 및 달맞이, 음영을 통하여 타향에 있는 이 친구를 위로했다.

장지엔은 또 5언율시 「임계정사시(林溪精舍詩)」 5수를 지었는데 현존하는 시제와 시의 내용 중에는 김택영을 초청하는 내용을 볼 수 없다. 하지만 실제로 김택영은 또 오언율시 한 수로 화답했다. 장지엔의 여고적(如皐籍)의 좋은 친구 샤위엔빙(沙元炳)이 장지엔과 창화한 시 가운데에서도 김창강이 초청 명단에 있다고 말했다. 여기에서 김택영을 초청한 상황과 장소가 기록에 남아 있지 않은 경우도 많았을 것임을 분명히 알 수 있다. 이를 통해 김택영은 늘 장지엔이 초청한 손님이었고 이것은 자연히 장지엔의 그에 대한 존중과 우정을 나타낸다.

1919년 겨울 장지엔은 유명한 예술가 메이란팡(梅蘭芳)을 초청하여 한차례 공연을 하였는데 장지엔은 정중하게 연회를 베풀어 메이란팡을 환영하였다. 난통의 명인들을 불러 자리를 함께 하게 하였는데 김택영이 첫 번째 열에 배치되었다. 그 시제는 「메이오각(梅歐閣)에서 1월1일에 김, 여, 방, 유, 구양 및 아들 장이(張怡)를 초청하여 누각에서 작은 술자리를 가지고 즉석에서 각자 시를 짓다」였다.

1922년 장지엔의 친구 우메이쑨(吳眉孫)이 베이징에서 오니 장지엔은 친구들과 함께했는데 김택영도 참석했다. 시제는 「10월 3일 우메이쑨이 도착한 후 창강, 성남(星南), 열경(烈卿)과 약속하여 간단히 모임을 갖고 만류정을 구경하였다. 열경이 먼저 장률(長律)을 지으므로 이로 인하여 시를 지었다」였다. 여기에는 기회가 있을 때 김택영을 정성껏 대접하는 것 이외에도 김택영을 자기의 '다른 지역'에 살고 '다른 일에 종사하는' 친구들에게 소개하였는데 더 광범위한 교류의 플랫폼을 마련해 주었다는 의미가 있다. 시에서 또 특별히 김택영을 가리켜 "창장의 노인이, 말을 하지 않고 모퉁이에 묵묵히 앉아 있느니만 못하네"라고 말했다. 이를 통해 그에 대한 긍지를 말하였고 동시에 김택영이 중국어로 교제하지 못하는 것에 대한 동정을 표현했다. 주목해야 할 것은 김택영이 많은 벗들의 앞에 배치되었는데 여기에서 장지엔이 그를 존중하는 것을 알 수 있다.

메이란팡은 장지엔의 망년지우 절친으로 장지엔과 메이란팡 두 집안은 늘 세속의 예절에 따라 왕래하여 메이란팡의 조부모 생신 때 장지엔은 축하시를 올리고 축하 선물을 보냈다. 장지엔은 잊지 않고 김택영을 대신하여 축하시를 지었는데, 장지엔이 대신 지은 또 다른 시 한수는 그의 독자 장효약(張孝若)을 위해 지은 것으로 장지엔이 김택영에 대해 관심을 가졌고 소중히 여겼으며 추켜올렸음을 볼 수 있다. 시의 첫 부분은 "평생 익히 장선생을 보았는데, 더 효도하라 더 인자하라 권하였네"인데, 이 부분은 김택영의 말투를 모방하여 장지엔의 입으로 "당신 메이씨 집안이 효성스럽고 인자하다는 말을 듣는 것은 지극히 당연하다"라고 말하여지는 것이다.

오늘날 김택영의 시집에서 김택영이 난통 문인들과 교류하고 창화한 시가 많다는 것을 볼 수 있는데, 이것 또한 분명 장지엔의 '중재'에 의한 것이었다.

훗날 김택영의 교제는 난통 지역을 넘어 양조우, 창조우(常州), 상하이까지 확대되었다. 심지어는 창조우에 가서 투징산(屠敬山)을 방문하고 양치차오(梁啟超), 옌푸(嚴復), 쩡샤오쉬(鄭孝胥) 등의 유명 인사들과 교류하거나 시와 사로 창화하였다. 비록 장지엔이 소개한 흔적을 찾기는 어렵지만, 장지엔의 소개로부터 출발하였고 적어도 한모린(翰墨林) 서국의 감독교정자 신분과 같이 장지엔과의 간접적인 관계에서 연유하였음은 조금도 의심할 여지가 없다. 사실상 이것은 모두 장지엔이 김택영을 위해 세심하게 노력한 결과이다.

장지엔은 김택영의 생활과 몸과 마음에 매우 세심한 관심을 보여주었다. 한중 양국의 풍속은 모두 생일 축하하는 것을 매우 중시했다. 생일은 다른 사람이 축하해 주는 것이었으나 김택영은 사람을 놀라게 하거나 성가시게 하거나 남이 돈을 쓰게 하지 못했을 것이다. 그래서 주인으로서 장지엔은 적극적으로 관심을 가져야 했다. 장지엔은 김택영의 생일을 물었고 김택영이 '핑계대고 완곡히 거절하였기 때문에' 장지엔은 스스로 좋은 날을 선택하여 돈을 들여 잔치를 베풀고 그를 위해 손님을 초대하여 그의 생일을 축하해 주었다. 스스로 시를 지어 올리며 모든 손님들이 함께 축하해 줄 것을 청하여 고독한 외국 친구를 위로하였으니 얼마나 감동적인가! 시제는 「창강노인이 올해 71세가 되었으나 생일을 알려주지 않아 8월 1일에 관만류정(觀萬流亭)에 손님을 청하여 노인에게 술을 올렸다. 시를 지어 축하해주니 손님들과 노인이 화답하였다」이다.

첫 수

60이든 70이든 노인은 흰머리 성성한데,
예전이든 새롭든 천도(天道)는 둥글게 운행하네.
사시사철 난리만을 기록하는데(노인이 『한사(韓史)』를 짓는 것을 가리킴),
걱정과 즐거움은 응당 서로 시를 창화하여 풀어야지.
꽃을 감상하는 노인들이니 함께 하는 것이 좋을 테고,
술 마시기 좋은 시절이니 많다고 싫어하지 말아라.
난간 밖에 아침나절 경치가 좋았으니,
조용히 만류가 지나가기를 기다리노라.

둘째 수

동북쪽 뜬 구름은 누차 변하는데,
한양성에는 가을바람에 석양이 지겠지.
장지엔의 조선 막부는 내 꿈을 맴돌고,
왼쪽에 늘어선 문인들은 아들과도 같은 마음이네.
바둑 보다 도끼자루 썩는 줄 몰랐으니,

불로장생의 이야기는 언제나 다한단 말인가.
수명을 늘이든 세월을 보내든 가무는 필요하니,
생황 소리 들을 전두(纏頭)를 준비하라.

김택영이 병에 걸리자 장지엔은 그를 문안했고 시가를 지어 그를 위로했다.

시를 짓지 않는다는 노인의 병 소식을 듣고,
차수정(借樹亭)을 찾아오니,
생활에 보태느라 글씨가 이불에까지 꽂혀 있고,
온돌에 불을 때느라 장작이 문에까지 이어졌네.
부축하여 일으키니 약봉지가 가엾고,
황량함만이 뜰에 가득하네.
여생도 부지런히 살아,
역사가의 이름을 역사에 길이 남기라.

장지엔의 시집에는 청나라 선통 2년 29일의 시 3수 「김창강과 함께 퉤옹(退翁)의 정자에서 물고기를 먹다, 7언절구」도 남아 있다. 장지엔과 함께 업무를 관리하던 형 장차(張詧)가 신선한 갈치와 은어, 민물조개를 잡고 김택영을 초대해 함께 즐겼는데 이 일은 장지엔의 김택영에 대한 예우가 이미 장지엔의 가족에 까지 영향을 주었고 장씨 집안사람들이 이미 김택영을 자기 집안의 일원으로 보았다는 것을 보여준다.

장지엔의 김택영에 대한 관심과 애정은 생활면에서 뿐만 아니라 학술 등 분야에서도 나타나는데 그의 인격에 대한 존중과 그의 학술에 대한 신임을 나타낸다. 장지엔은 그와 학문을 갈고 닦으며 심지어 그에게 가르침을 청하기도 했다. 장지엔은 청말민초(清末民初) 시문의 대가였고 유명한 시인이었다.

당시의 저명한 시인 쩡샤오쉬(鄭孝胥)와 장즈똥(張之洞), 션청즈(沈曾植), 천산리(陳三立), 판당스(范當世) 등과 함께 이름을 날려 '쩡장(鄭張)', '얼장(二張)', '장판(張范)' 등으로 칭해졌다. 이들 중에서 장즈똥만이 장지엔보다 나이가 많았고 나머지는 장지엔과 동년배였다. 그러나 장지엔은 1914년 출판된 첫 번째 시집 『장계자 시록(張季子詩錄)』에서 자신의 절친한 벗인 션청즈, 쩡샤오쉬, 천산리 등에게 머릿말을 써달라고 요청하지 않았고 김택영이 머릿말을 썼는데 이것은 장지엔이 김택영에 대한 존경심을 보여주며 김택영을 추켜올리기 위한 노력의 일환이기도 했다. 장지엔 스스로도 김택영의 기타 저서와 출판물에 머릿말을 써주었는데 이것 모두 김택영에 대한 지지와 지원이었으며 이러한 우정을 '관포지교(管鮑之交)'라 부를 만하다.

또한 그들의 학술적 교류와 탐구는 매우 깊고, 직접적이었으며 인사 치레나 가짜가 전혀 없었다. 장지엔의 시집에는 「창강(滄江)이 화답하는 시를 보여주어 다시 시를 지어 보낸다」라는 시 1수가 있는데 음미해 볼 만하다.

아끼는 객이 나의 약점을 공격하여,
시를 논하면서 자기의 경지가 더 높다고 하네.
때때로 핵심을 짚어내 놀라우니,
명백히 승당(升堂)의 경지에 이르렀네.
한가로이 밀랍으로 나막신을 칠하면서 산을 읊으며 나오고,
자신의 달팽이 집은 나무를 빌려 감춰는데.
사람들은 만리 이역의 나그네라 가여워하지만,
후세에는 이름을 날리리라.

김택영은 남의 집에 곁방살이를 하였으나 자기 견해를 마음껏 피력했으며 장지엔이 지은 시의 단점을 직접 지적하기도 했다. 장지엔은 이에 대해 전혀 개의치 않았으며 김택영의 시평 태도와 수준은 장지엔의 칭송을 받았다. 이

것은 얼마나 순수하고 진실된 문인의 친구 관계란 말인가. 마지막 구절에는 춘추의 고사를 인용하였는데 여나라(黎國)는 적인(狄人)에 의해 멸망하였고 여나라 제후는 나라를 버리고 위국(衛國)에 기거하였다. 이 일은 김택영이 조선에서 건너와 난통(南通)에 기거한 일을 비유하는 데 쓰였다. 전체 구절은 김택영의 처지가 난통의 친구에게 동정을 받았고 김택영이 중국 친구들 사이에 유명함을 말하였다.

장지엔은 문학적 소양이 매우 뛰어나고 특히 희곡을 좋아했는데 '영공학사(伶工學社)'를 창설하고 '경속극장(更俗劇場)'을 열고 메이란팡, 오양위치엔(歐陽予倩) 등 연극 연예인들과 교제한 사실에서 이 사실을 알 수 있다. 그러나 희곡은 노래와 춤을 주요 표현수단으로 하는 예술이다. 분명한 것은 희곡과 가무, 춤의 근원 역시 장지엔이 관심을 가진 것이었으나 중국의 전적(典籍) 중에는 이 분야에 관한 기록이 매우 간략한 것이 사실이다.

장지엔이 이해한 바로는 "악경(樂經)이 없어져 음악에 대한 기록이 감춰졌으나, 음악은 아직도 악기로 전해지는 반면 춤은 일부만 남아 있다(장지엔의 시 「무양생행[舞兩生行]」"는 것이었다. 옛 음악은 악기의 전파로 인해 전해졌으나 옛 춤은 시간이 오래되고 악곡의 변화가 생겨 일부만 남을 수밖에 없었다.

장지엔은 조선 민족이 가무에 능한 것을 잘 알았고 옛 춤의 전승 분야에서 독특한 부분이 있다고 여겼기에 기회를 빌려 필담의 방식으로 김택영에게 옛 춤이 조선 민족에게서 유행되고 전파된 문제에 대한 가르침을 청했다. 이러한 노력을 통하여 「김창강과 춤을 논하는 필담(與金滄江論舞筆談)」이라는 중요한 문장 한편을 남겼다. 전체 필담은 모두 장지엔이 묻고 김택영이 답을 한 것이다. 필담 과정에서 두 사람은 한중 양국의 춤의 뿌리와 변화, 보존과 유실 등의 화제를 심도 있게 논하였다. 전체 필담은 장지엔과 김택영 두 사람의 학식이 폭넓으며 학문에 대한 두 사람의 고집스러움을 충분히 보여준다.

장지엔이 김택영에게 해준 가장 큰 도움은 단연코 김택영이 한국 문화의 문학과 역사, 시에 관한 저술과 출판을 완성하도록 독려하여 한국 근대 역사상 문학과 사학 저술의 성과가 가장 풍부한 대가의 한사람이 되도록 한 것이다. 이를 통해 한중 양국을 위해 풍부한 문학과 사학의 유산을 남겼다.

김택영은 박학다식하고 학문과 수양을 두루 갖추었는데 이러한 주관적인 조건은 문학과 사학의 대가가 되기에 충분했다. 그러나 당시의 혼란스럽고 가난하고 쇠약한 국내에서는 문학과 사학의 저서를 완성할 수 없었다. 즉, 능력이 있고 그럴 생각이 있었다 하더라도 조선에 가서 이를 실현하는 것은 꿈조차 꿀 수 없었다. 그가 중국에 왔을 때 가져온 것은 그 선배 시인 신자하(申紫霞)의 시집과 자신의 시집뿐이었으며 처음에는 출판을 하려 하지 않았는데 출판을 하려면 구체적으로 객관적인 물질적 조건, 즉 돈이 필요했기 때문이었다. 김택영의 '속마음'은 "너희 중국인들아 한국인을 무시하지 마라. 신자하와 나의 '한시(漢詩)'는 중국의 문인들과 평등하게 교류할 만한 것이다"라는 것이었다.

장지엔이 그를 위해 '안배하여 만든' 한모린서국(翰墨林書局)의 '감독 교정원'이라는 직책은 실제로 체면을 세워주는 '보수만 받고 일을 안 해도 되는' 것이었는데, 공교롭게도 김택영에게 기회를 주고 그가 자기의 '작은 영역'만을 관리할 수 있게 하였다. 그는 난통에 위치한 장지엔의 집에서 입지를 굳혔다. 그 후 저술과 출판 분야에서 꿈을 펼칠 수 있게 되었다고 생각한 후에는 곧바로 한국에 돌아가 자신의 저작 원고와 기타 문학과 역사 자료를 가져왔다. 김택영이 중국에 머문 20여 년 동안 『한국역사소사(韓國歷史小史)』 13권, 『한사계(韓史綮)』 6권, 『교정 삼국사기(校正三國史記)』50권, 『중편한대숭양기구전(重編韓代崧陽耆舊傳)』 2권, 『창강고(滄江稿)』 14권, 『합간 소호당집(合刊韶濩堂集)』 15권, 『매천집(梅泉集)』 7권, 『여한십가문초(麗韓十家文鈔)』 11권, 『신자하시집(申紫霞詩集)』 6권 등 30~40종을 저술하고 정리·출판하였는데 이것은 실로 대단한 성과이다. 따라서 양치차오(梁啓超)는 그가 "동국의 전통 문헌이 추락하지는 않겠습니다"고 칭찬했다. 옌푸(嚴復)

는 그를 칭찬하며 "저술하느라 온 정신을 모으고, 문장 짓느라 목숨을 가벼이 여기네. 봄날 강남의 강물 유장한데, 유신(庾信)의 애가 끊어지누나"고 하였다. 또한 조선 왕조의 저명한 고문 학자인 이건창(李建昌)은 김택영의 저술을 심지어 "세상에 단 하나 뿐"이라고 칭찬했다. 김택영이 이렇게 커다란 성과를 거둘 수 있었던 외부적이고 객관적인 요소는 확실히 전적으로 장지엔이었다. 그 자신도 매우 분명히 알고 있었다.

한국에서 태어나 중국에서 늙어가니,
인연이 아니라면 어찌 그리될 수 있었겠는가.
색옹(嗇翁)이 나를 깨끗한 땅에 살게 하였는데,
남쪽에는 강물이 북쪽에는 꽃이 있는 서너 칸의 집이라.(嗇翁은 장지엔의 말년의 호)
이곳에서 20년을 편히 지내고,
겹겹이 쌓인 저술서가 어깨 높이에까지 이르네.

이러한 이유로 김택영이 장지엔을 만난 것은 김택영 일생일대의 행운이며 한국의 문학과 역사의 행운이라고도 할 수 있다.

그러나 안타까운 것은 저서가 그토록 많았던 대학자 김택영은 스스로 중국 생활을 끝낼 수 있다고 생각했으나 비극적인 최후를 맞이한다. 1926년 장지엔이 불행하게도 병으로 먼저 별세하였다. 3~4년 전부터 국내외의 시국이 변하고 시장의 이중 압력으로 인해 장지엔의 사업은 이미 부채를 감당하지 못하여 빠르게 기울었다. 원래 경기가 좋지 않았던 한모린서국(翰墨林書局)은 더욱 사업을 계속하기 어려웠다. 이에 김택영은 갑자기 의지하던 두 가지를 잃어버리게 되었고 동시에 그의 병든 몸으로 인해 더 버틸 용기를 더 이상 가지지 못했다. 이듬해 봄 김택영은 자살로 자신의 삶을 마감했다. 장차(張詧)와 김택영의 난통 친구들은 정중한 의식을 통해 그를 안장했다.

분명한 것은 김택영의 자살 자체가 장지엔이 김택영에게 매우 중요했다는 사실과 장지엔의 김택영에 대한 진실하고 깊은 우정을 증명하고 있다는 것이다.

저자 소개

* 가나다 순

한국

김성환(金晟煥)

현 군산대학교 철학과 교수
고려대학교 철학과 졸업
북경대학 철학 석사·박사학위 취득
북경대학 방문교수
섬서성(陝西省) 사회과학원 특별연구원 역임

• 주요 저서 및 논문

「황로도탐원黃老道探源」(北京, 中國社會科學出版社, 2008), 「회남자」, 「새만금문화권」 외 30여 편의 논문 국내외 발표

박용진(朴鎔辰)

현 능인대학원대학교 불교학과 교수
국민대학교 국사학과 졸업
중앙대학교 석사
국민대학교 대학원 박사학위 취득
고려대장경연구소 책임연구원
동국대 불교학술원 전임연구원
국민대 한국학연구소 연구원
일본 고마자와대학(駒澤大學) 외국인연구원 역임

• 주요 저서 및 논문

「대각국사 의천 연구」,
「11~12세기 원종문류의 유통과 동아시아 불교교류」,
「의천의 화엄일승사상(華嚴一乘思想)과 그 불교사적 의미」 외 다수,
공저 「테마한국불교」, 「회암사와 불교사」,
「한국 호국불교의 재조명」 외 다수

박현규(朴現圭)

현 순천향대학교 중어중문학과 교수
국립대만사범대학 국문연구소 박사학위 취득
(한중문화교류, 문헌학 전공)
천진외국어대학 객좌교수, 한국중국문화학회 회장 역임

• 주요 저서 및 논문

논문 255편, 저서 및 역서 5책

여성구(呂聖九)

현 국민대학교 교양대학 조교수
국민대학교 국사학과 졸업, 대학원 석사·박사과정 수료
부천대학, 국민대학교, 한국체육대학교,
한국방송대학교 등에서 한국사 강의

• 주요 저서 및 논문

「신라왕조사」, 「화랑세기 해동고승전」,
「우리 역사문화의 갈래를 찾아서」,
「신라 중대의 입당구법승연구」, 「신행의 생애와 사상」,
「입당구법승 지장의 행적과 사상」 등

유병례(兪炳禮)

현 성신여자대학교 중어중문과교수
인문과학연구소소장, 여성문제연구소소장,
평생교육원원장, 인문과학대학학장역임

• 주요 저서 및 논문

「당시 30수」, 「송사30수」, 「당시, 황금빛서정」,
「송사, 노래하는 시」, 「톡톡 시경본색」,
「엄마 아빠가 읽어주는 당시」
역서 「장한가」, 「중국시학의 이해」,
「중국문학이론비평사」, 「시인의 죽음」 등

장일규(張日圭)

현 동국대학교 연구교수
신라사학회 부회장, 고운학회 회장
사단법인 동북아최치원연구회 이사장
아세아해양사학회 연구이사 재임
국민대학교 국사학과 문학박사(한국고대사상사 전공)

• 주요 저서 및 논문

「최치원의 사회사상 연구」, 「장보고 대사의 활동과 그 시대에 관한 문화사적 연구1·2」, 「금석문을 통한 신라사 연구」, 「일제강점기 언론의 신라상 왜곡」, 한국 고대·고려시대 사회사상사 관련 50여 편 논문 발표

최용철(崔溶澈)

현 고려대학교 중문과 교수
한국홍루몽연구회 회장
고려대 중문과 졸업, 대만(臺灣)대학 문학박사
중국고전문학과 명청소설 전공
고려대 중국학연구소 소장, 민족문화연구원 원장 역임
한국중국소설학회 회장, 동방문학비교연구회 회장 역임

• 주요 저서 및 논문

「금오신화의 판본」, 「전등신화삼종 역주」, 「홍루몽의 전파와 번역」, 「홍루몽 완역」

최준호(崔峻豪)

현 광주대학교 융합디자인학부 교수
홍익대학교 미술대학 동양화과 졸업
홍익교육대학원 졸업
(논문: 中國近代書畫論硏究-淸代中心),
국립대만사범대학 미술연구소 졸업
(論文: 齊白石篆刻藝術的硏究)
㈜해태음료 디자인실(Art Director),
전라남도 도립 옥과미술관 관장 역임

• 주요 저서 및 논문

「齊白石篆刻藝術的硏究」, 「원교와 창암」, 「글씨에 미치다」, 「추사, 명호처럼 살다」 외 다수

최희준(崔熙俊)

현 고려대학교 한국사연구소 연구원
국민대학교·수원대학교 강사
신라사학회 편집이사
고려대학교 한국사학과 대학원 박사 수료

• 주요 저서 및 논문

「신라 中代의 唐 사신 영접 절차와 운용」, 「三國遺事- 皇龍寺九層塔條에 대한 재검토와 阿非의 출자」:「한국사」 공저, 「신라 '党項城'의 연혁과 善德王代 羅唐關係」 등

중국

리우시타오(刘喜涛)

현 장춘사범대학, 흑룡강성 사회과학원

동북사범대 박사학위취득, 남경대학 박사후 과정 이수

• 주요 저서 및 논문

명·청 조중관계사, 동북아 국제관계사 외 다수

쉬이(徐毅)

현 남통대학교 문과대학 교수

남통대학교 대학원 부원장

쑤저우대학교문과대학 졸업

난징대학교 문과대학 석·박사 학위 취득

• 주요 저서 및 논문

「당칠언율시연구」, 「한국 초사 문헌 연구」,

「청대한중문학교류」 외 논문 20여 편

쉬나이웨이(徐乃为)

현 남통대학교 문과대학 교수, 중국 홍루몽학회 이사

남경사범대학 중문과 졸업

한국 〈대동한문학〉 잡지원고 심사전문가

• 주요 저서 및 논문

「홍루몽3논」, 「홍루몽분석」,

「중국 고대 소설의 발전」 외 다수

야오다용(姚大勇)

현 상해교통대학 인문대학 부교수

상해화동사범대학 및 대학원 졸업, 문학석사학위 취득

상해복단대학 박사학위 취득

한국 고려대, 한국외대 교수 역임

• 주요 저서 및 논문

중국 고대문학과 한중 문학교류서 집필, 논문 수 십 편

자오하이롱(赵海龙)

현 상해복단대학 동방관리연구원 재직

북화대학 역사학과 및 대학원 졸(석사)

중앙민족대학 민족학 박사학위 취득

상하이외국어대학교 현달경제인문학원 부원장 역임

상하이시 루완구정치협상회의 위원 역임

• 주요 저서 및 논문

「미디어시점에서 무형문화유산 발전연구」,

「영화 Goodbye, Lenin! 서사 전략」,

「조선족문화와 문화산업 발전전략연구-

연변 조선족자치주에 근거하여」

정쉬엔위에(郑贤月)

현 대련대학교 인문간호학과장

중화의학사 위원, 한국의학사잡지 편집위원

한국생태환경사위원 이사, 대련시노인간호학회이사

조선족의학회이사, 대련시중산구인민대표대회 대표

연변대학 일본어학과 졸업

베이징 중의약대학교 석·박사학위 취득

• 주요 저서 및 논문

한중일 의학교류, 노년 간호·한의 관련 학술논문 30여 편

참고문헌

1장 김교각(金喬覺)

費冠卿, 「九華山化城寺記」, 『全唐文』 卷694

贊寧 撰, 『宋高僧傳』 卷20, 唐池州九華山化城寺 地藏傳

方時發 編, 『九華詩集』

德森 輯, 『九華山志』, 江蘇廣陵古籍刻印社, 1993.

金揚·金普民 編, 『地藏菩薩 金喬覺法師』, 연변대학 출판부, 1989.

불교영상회보 編, 『肉身菩薩地藏法師』, 불교영상회보사, 1993.

東國大 佛教大學院 編, 『佛教大學院論叢』 1, 1993.

九華山 佛教史編委會 編, 『金地藏研究』, 黃山書社, 1993.

謝樹田 編著, 『地藏菩薩九華重迹』, 華東師範大學出版社, 1994.

黃有福·陳景富, 『中朝佛教文化交流史』, 中國社會科學出版社, 1993 : 權五哲 옮김, 『韓-中佛教文化交流史』, 까치, 1995.

金勳, 「中國 佛教史에 있어서의 金喬覺法師의 位置」, 『新羅의 對外關係史研究』, 신라문화재 학술발표회논문집 15, 1994.

曺永祿, 「中國 九華山 化城寺와 杭州高麗寺」, 『芝邨金甲周教授華甲紀念 史學論叢』, 1994.

월류산 영명사 편, 『현대사회에 있어서 지장신앙의 재조명』, 1994.

金煐泰, 「唐 九華山의 新羅 地藏禪師 고찰」, 『韓國佛教學』 23, 한국불교학회, 1997.

金煐泰, 「신라 地藏선사와 그의 시」, 『佛教文化研究』 4, 동국대 불교사회연구소, 2003.

呂聖九, 「地藏의 行迹과 地藏菩薩信仰」, 『白山學報』 52, 1999.

呂聖九, 「신라 지성의 보루-지장과 도의」, 『伽山學報』 12, 2004.

고영섭, 「구화 지장이 중국불교에 끼친 영향」, 『韓國佛教史研究』 8, 2015.

2장 장보고(張保皐)

강봉룡, 『장보고-한국사의 미아 해상왕 장보고의 진실』, 한얼미디어, 2004.

권덕영, 『재당 신라인사회 연구』, 일조각, 2005.

김문경 편, 『장보고자료집』, 해상왕장보고기념사업회, 2006.

김주식·정진술, 『장보고 시대』, 해군사관학교, 2001.

신형식 외, 『중국 동남연해지역의 신라유적조사』, 해상왕장보고기념사업회, 2004.

沈松勤·胡可先·陶然, 안병국 편역, 『唐詩史 研究』, 한국방송통신대학교출판부, 2009.

최광식 외, 『천년을 여는 미래인 해상왕 장보고』, 청아출판사, 2003.

해상왕장보고연구회편, 『張保皐關係研究論文選集-中國編·日本編-』, 해상왕장보고기념사업회, 2002.

해상왕장보고연구회편, 『張保皐關係研究論文選集-韓國編-』, 해상왕장보고기념사업회, 2002.

3장 김가기(金可記, 金可紀)

『續仙傳』

『海東傳道錄』

『海東異蹟』

李能和, 『朝鮮道教史』

4장 최치원(崔致遠)

『崔文昌侯全集』

党銀平, 『桂苑筆耕集校注』 上·下, 中華書局, 2007.

장일규, 『최치원의 사회사상 연구』, 신서원, 2008.

장일규 외, 『古代東アジアの知識人崔致遠の人と作品』, 九州大學出版會, 2013.

예술의전당 서예박물관, 『崔致遠 石刻·扁額』, 2015.

장일규, 「『계원필경집』의 편찬과 사료적 가치」 『震檀學報』 112, 2011.

5장 의천(義天)

『大覺國師文集』, 『大覺國師外集』, 『圓宗文類』,『新編諸宗敎藏總錄』, 『宋史』, 『續資治通鑑長編』, 『玉岺山慧因高麗華嚴敎寺志』

박용진, 『의천 그의 생애와 사상』, 혜안, 2011.

李範鶴, 『王安石 改革論의 形成과 性格-新法의 思想的 배경에 대한 一試論-』『東洋史學硏究』18, 1983.

6장 이제현(李齊賢)

池榮在, 『西征錄을 찾아서』, 푸른역사, 2003.

朱瑞平, 「익재 이제현의 중국에서의 행적과 원대 인사들과의 교유에 대한 연구」, 『南冥學硏究』6, 南冥學會, 1996.

7장 최부(崔溥)

『錦南先生集』

서인범·주성지 옮김, 『표해록』, 한길사, 2004.

高柄翊, 『成宗朝 崔溥의 漂流와 漂海錄』『李相佰博士回甲記念論叢』, 1964 ; 『東亞交涉史의 硏究』, 서울대출판부, 1970.

국립제주박물관, 『조선 선비 최부-뜻밖의 중국 견문』, 그라픽네트, 2015.

8장 박지원(朴趾源)

金明昊, 『熱河日記 硏究』, 창작과비평사, 1990.

林基中, 『연행록연구』, 一志社, 2006.

申翼澈, 林治均 외, 『18세기 연행록 기사집성 : 서적, 서화편』, 한국학중앙연구원, 2014.

9장 김정희(金正喜)

최준호, 『추사 명호처럼 살다』, 아미재, 2012.

崔峻豪, 『齊白石篆刻藝術的硏究』, 文史哲出版社, 1992.

藤塚鄰, 『淸朝文化東傳の硏究』, 國書刊行會, 1975.

민족문화추진위원회 편, 국역 『완당전집』 ① 제3권, 솔출판사, 1996.

단국대학교 동양학연구소 편, 『漢韓大辭典』(4), 단국대학교출판부, 1999~2008.

漢語大字典編輯委員會, 『漢語大字典』, 四川辭書出版社, 1988.

阮元 撰, 鄧經元 點校, 『揅經室集』上, 中華書局, 1993.

張撝之 等 主編, 『中國歷代人名大辭典』上卷, 上海古籍出版社, 1999.

10장 전병훈(全秉薰)

金晟煥, 「曙宇全秉薰的道敎思想與精神哲學」, 『2012年中日韓道敎學術論壇』, 중국 泉州, 2012.

金晟煥, 「전병훈 저술의 종합적 검토: 羅浮山 전병훈 刻石의 신발굴에 대한 소개를 겸해」, 2013년 도교문화학회 춘계학술대회, 2013.

金晟煥, 『우주의 정오 : 서우 전병훈과 만나는 시간 그리고 문명의 시간』, 소나무, 2016.

11장 관휴(貫休)

『禪月集』

한보광 외, 『중국역대불교인명사전』, 이회문화사, 2011.

12장 서긍(徐兢)

徐兢, 『宣和奉使高麗圖經』叢書集成初編本, 中華書局, 1985.

岳珂, 「宝眞齋法書贊」,『文淵閣四庫全書』,台灣 商務印書館, 1982.

『宋史』中華書局点校本, 2011.

『四庫全書總目』中華書局影印本, 1965.

『全宋詩』第31冊, 北京大學出版社, 1997.

13장 예겸(倪謙)

『倪文僖集』, 『文淵閣四庫全書』, 台灣 商務印書館, 1982.

『朝鮮紀事』, 『四庫全書存目叢書』 影印明抄本, 齊魯書社, 1997.

『遼海編』 北京圖書館出版社 影印明成化刻本, 2003.

『明史』 中華書局點校本, 2011.

『四庫全書總目』 中華書局影印本, 1965.

廖道南, 「殿閣詞林記」, 『文淵閣四庫全書』, 台灣 商務印書館, 1982.

朱大韶, 「皇明名臣墓銘」, 『明代傳紀叢刊』, 台灣 明文書局, 1985.

焦竑, 「國朝獻征錄」, 『明代傳紀叢刊』, 台灣 明文書局, 1985.

湯斌, 「擬明史稿列傳」, 『明代傳紀叢刊』, 台灣 明文書局, 1985.

14장 동월(董越)

『朝鮮賦』

葉泉宏, 『明代前期中韓國交之硏究』

姜龍范, 劉子敏, 『明代朝中關係史』

『光海君日記』

15장 기순(祁順)

『明憲宗實錄』, 台北 中央研究院史 語言研究所校印, 1962.

張宁, 『奉使錄』, 叢書集成初編, 上海 商務印書館, 1936.

『趙季足本皇華集』, 南京 鳳凰出版社, 2013.

崔溥, 『漂海錄』, 北京 中國社會科學文獻出版社, 1992.

16장 공용경(龔用卿)

梁继, '明代龔用卿, 吳希孟, 華察, 薛廷宠等出使朝鮮及游歷千山考述-從千山大安寺羅漢洞刻石談起', 「鞍山師範學院學報」, 2011.

17장 등자룡(鄧子龍)

『正祖實錄』

『弘齋全書』

18장 진린(陳璘)

申炅, 『再造藩邦志』

朴現圭, 「명 張良相의 南海 〈東征磨崖碑〉 고찰」, 『東亞人文學』 38, 2017.

19장 남방위(藍芳威)와 오명제(吳明濟)

藍芳威, 『朝鮮詩選全集』

吳明濟, 『朝鮮詩選』

20장 장지엔(張謇)

『張謇全集』

『金澤榮全集』

감사의 글

세상에 저절로 되는 일은 없습니다. 열정 없이 이루어진 위대한 것, 또한 없습니다. '방울 방울의 물이 모여 장강을 이루는積水成淵' 것과 같은 이치입니다. 발간사에서 적었듯이 『한중연사·中韩缘史』의 발간은 한중 수교 25년의 역사이며, 사단법인 한중문화우호협회 15년의 정성이자 열정입니다.

돌이켜 보니, 감사와 고마움의 인사를 드려야 할 분이 너무 많습니다. 짧게는 25년, 길게는 지난 오천 년의 역사 속에 얽혀 있는 인연과 은혜가 너무 많기 때문입니다.

'도를 도라고 하면 도가 아닐道可道, 非常道' 때가 있습니다. 이것은 문자의 도리입니다. 그럼에도 불구하고 문자를 빌어 감사의 인사를 기록해야 하는 것 역시 도리입니다. 다만 수많은 분들의 은혜와 정성을 자칫 외면하는 잘못을 행할까 두렵습니다.

한중 수교 25주년이라는 기념비적인 시기를 맞아, 양국 관계의 일시적 어려움을 슬기롭게 극복해내신 주한중국대사관 추궈훙邱国洪 대사님의 특별한 관심과 따뜻한 격려가 이 책의 주춧돌이 되었습니다.

그동안 외교의 최전선에서 오로지 한중 우의를 위해 전력을 다하고서 지금은 고국에 돌아가신 닝푸쿠이宁赋魁, 청용화程永华, 장씬선张鑫森 등 주한중국대사관 전 대사님들의 노고 또한 결코 잊을 수 없습니다. 걸음마를 떼지 못하던 시절, 대사님들의 관심과 지도가 오늘의 한중문화우호협회를 만들었습니다. 길이 기억할 것입니다.

외교는 한쪽의 노력으로 이루어지지 않습니다. 서로 호혜적이어야 합니다. 서울에서 중국 대사님들이 많은 도움을 주셨던 것처럼, 한중 교류의 한 축으로 중국 베이징에 주재한 한국 대사님들의 따뜻한 위로와 공동의 비전을 향한 동행이 없었다면, 오늘의 한중연사 발간 또한 없었을 것입니다. 한 분 한 분 대사님과의 소중한 인연을 적어야 하지만, 지면의 한계를 느낄 수밖에 없는 것이 매우 아쉽습니다. 먼저, 중국 사람보다도 더 중국의 경극을 사랑하고 노래해주신, 결코 잊을 수 없는 문화대사의 모델이 되어 주신 이규형 주중한국대사관 전 대사님의 정성은 이 책의 페이지마다 깃들어 있습니다. 은퇴 이후에도 늘 한중 관계를 염려하고 시대적 흐름을 가르쳐주신 이규형 대사님의 은혜에 다시 한번 감사를 드립니다. 아울러 신정승, 김장수 등 전 대사님의 정성도 기록하고 싶습니다.

누구나 인정하듯이 지금은 공공외교의 시대입니다. 이러한 시기에 가장 적합한 한국적 공공외교의 비전을 설계하고 특유의 지성과 경험으로 한중 우의를 위해 힘쓰고 계시는 박은하 공공외교대사님의 특별한 사랑도 영원히 기억할 것입니다. 이것은 협회의 의무이며, 역사 또한 이를 아름답게 기록할 것이라 믿습니다. 오래 전부터 협회를 관심 있게 지켜봐 주시고, 최근 베이징에서 면담을 통해 다시 한번 협회가 나아갈 방향과 함께 중국공공외교 비전과의 결합과 행동준칙을 지도해주신 중국 공공외교협회 후정위에胡正跃 부회장님의 격려 또한 두고두고 큰 힘이 될 것입니다.

한중 우의는 정치나 외교만의 우의가 아닙니다. 한국 시민과 중국 인민이 가슴을 열고 만나야 하는 열린 교류의 공간입니다. 외교의 최전선에서 중국 인민과 한국 시민의 손을 맞잡도록 이끌어 주신 여러 외교관들의 노고 또한 깊이 기억하고자 합니다. 쟈오동춘焦东村, 리우진펑刘谨凤, 하오샤오페이郝晓飞,

옌펑란阎凤兰, 동민지에董敏杰, 허잉何颖, 왕시엔민王宪民, 순시엔위孙显宇, 장신张欣, 펑춘타이冯春台 등 전·현직 총영사님들은 부산, 광주, 제주 등 한국의 곳곳에서 협회의 든든한 후원자가 되어 주셨습니다. 그리고 한중 지방정부 간의 행사, 인적교류 협력, 결연도시마다 이 분들의 리더십이 있었기에 한국과 중국 각 지방정부 간의 새로운 역사가 이루어졌습니다. 각별한 애정과 관심을 보여주신 분들을 더 자세히 기록하는 것이 마땅하지만, 마음을 전하는 감사의 인사만으로도 충분히 이해하실 것으로 믿습니다. 이러한 믿음과 신뢰가 있었기에 협회의 지난 15년이 존재할 수 있었습니다. 주중한국총영사관의 신봉섭, 안성국 등 총영사님들도 심양, 성도 등에서 늘 함께 해주시고 지방정부 간의 교류에 앞장 서 주셨습니다. 이 분들의 노고 역시 결코 잊을 수 없습니다.

지면의 한계에도 불구하고 감사의 인사를 몇 줄 더 적어야 하겠습니다. 늘 그렀듯이 역사는 무명의 헌신이 만들어 나가는 법이기 때문이며, 영웅은 막후에 존재하기 때문입니다. 다만 이들의 이름을 역사는 일일이 기록하지 않습니다. 이 또한 역사 기록의 숙명입니다. 한중문화우호협회 혼자 무엇을 할 수 있었겠습니까? 대한민국에 근무하였거나 주재하고 있는 중국 전·현직 외교관들, 마찬가지로 중국에 주재하거나 근무하였던 많은 한국의 전·현직 외교관들, 이 분들이야 말로 책임편집자에겐 밤하늘의 별입니다. 어두움 밤, 길을 인도해준 아름다운 불빛이었습니다.

그 동안 우리 협회는 문화를 테마로 한중 우의에 앞장서면서 양국 인민들 간의 교류 협력을 이끌었습니다. 그것은 차, 술, 서예, 불교, 소수민족문화, 관광, 역사, 일본군 위안부, 공연예술 등 여러 분야에 이르지만, 각 분야를 연결하는 굵고 억센 줄이 있다면, 그것은 문화입니다. 문화 교류는 협회의 설립 취지이고, 협회가 존속해야 할 이유입니다. 따라서 문화 교류를 위해 앞장서고 헌신해주신 분들의 노력과 헌신을 기록하는 것 또한 협회와 책임편집자의 무거운 의무이기도 합니다.

중국 문화에 특별한 관심을 갖고 여러 행사를 함께 해주신 정운찬 전 국무총리님께 깊은 감사를 드립니다. 유진룡 문화체육관광부 전 장관님의 관심 또한 지대했습니다. 책임편집자인 저는 지극히 고맙게도 지난 2014년 세종문화상 국제협력·봉사부문 대통령상을 수상하는 영예를 받았습니다. 외국인으로서 감당하기 어려운 영광입니다. 저는 특별한 분의 추천 또한 기억하고 있습니다. 중국인인 제가 이 상을 받도록 결정해주신 유 전 장관님의 고마움을 다시 한번 회고합니다. 모철민, 김희범 등 전 차관님, 서강수, 우진영, 원용기, 고 김재원, 박영국 등 해외문화홍보원 전 원장님들께 감사 드립니다. 그리고 실무적으로 직접 지원을 아끼지 않으신 임성환, 하현봉 등 과장님들의 은혜 또한 기록하고자 합니다. 함께 땀 흘리고 공동의 목표를 향해 일하는 기쁨이야 말로 진정한 한중 우의의 가치를 보여주는 아름다운 증거입니다. 중국 문화부, 그리고 산하 기관인 중외문화교류센터 등 중국측 기관들의 관심과 성원 또한 잊을 수 없습니다.

한중 양국 문화원의 설립 취지와 교류 협력의 목적은 일정부분 협회와 중첩될 수 밖에 없습니다. 그래서 함께하는 시간도 함께하는 땀 방울도 그만큼 많았습니다. 먼저, 양국의 문화원 설립을 주도하셨던 박영대 주중한국문화원 전 초대원장님과 산고를 함께 한 권재은 기획실장님, 허정아 전 팀장님, 주잉지에朱英杰 주한중국문화원 전 초대원장님과 왕신민王新明 님, 공위엔孔媛 님이 애쓰시던 모습들은 지금도 눈앞에 생생합니다. 현장에서 여러 일로 엮인 인연이다 보니 그 인연의 두터움이 더욱 진합니다. 어쩌면 이전 생에서도 이 분들과 함께 손을 잡고 한중 우의를 위해 힘을 썼을 지도 모르겠습니다. 한국측의 김익겸, 김진곤, 한재혁 등 주중한국문화원 전·현직 원장님, 김진곤 주상해한국문화원 전 원장님, 그리고 중국측의 처짜오허车兆和, 스뤼린史瑞琳 등 주한중국문화원 전 원장님과 둔황까지 함께 가주신 추이밍펑崔明峰 전 부원장과의 인연은 결코 변하지 않을 것입니다.

‘문화는 관광의 영혼이며, 관광은 문화의 날개’라는 말이 협회가 강조하는 구호로 착각될 때가 있습니다. 한중 양국 인민은 관광을 통해 서로를 이해하고 만남을 통해 서로 사랑하게 됩니다. 그래서 서로 친구가 될 수 있습니다. 저의 모국어에는 “친구 하나 더 있으면 길 하나가 더 생긴다多一个朋友，多一条路”고 하였습니다. 다음과 같은 분들의 노고 덕분에 한중 간에 수많은 길이 생겨났습니다. 안지환, 서영충 한국관광공사 북경지사 전·현직 지사장님들, 장시룽张西龙, 리우즈쟝刘志江, 판쥐링范巨灵, 리우하이셩刘海生, 리바오룽李保荣 중국국가여유국 서울지국 전·현직 지국장님들의 노고에 두 손을 모아 머리 숙입니다. 아울러 북경용경협국립공원 주옌朱岩 회장님의 특별한 관심과 후원도 기록하고자 합니다. 주 회장은 협회와 함께 수 년째 한국에서 ‘중화연중국어대회’를 공동개최하고 있고, 한중의 공통되는 사상인 효 사상을 나누기 위한 ‘효행천하’, 미래의 한중 우의를 꿈꾸며 청소년 간의 교류를 함께하는 ‘한마음 한 뜻’ 등을 함께 진행하고 있습니다. 또한 매년 겨울 북경용경협국립공원에서 개최되는 '빙설- 한중연문화축제'도 공동으로 진행 중입니다. 북경 용경협과 협회는 한중 우의와 문화 교류를 위한 일종의 이인삼각二人三脚과 같은 아름다운 동행을 하고 있습니다. 지금까지의 인연을 잊지 않을 것이고, 앞으로도 한중 우의를 위한 목적이라면 늘 함께 할 것입니다. 용경협과 함께 하는 '중화연중국어대회'는 협회의 가장 깊은 뿌리이자 가장 튼튼한 줄기입니다. 이 뿌리와 줄기를 통해 한국 혹은 중국 전공 교수들과 여러 인연을 맺을 수 있었고, 이분들은 직접 대회 심사위원에 참여해주시는 등으로 행사를 빛내주셨습니다. 한용수 동국대 교수님, 치엔징钱兢 국민대 교수님, 정기은 숙명여대 교수님, 장호득 단국대 교수님, 심소희 이화여대 교수님, 최금단 대진대 교수님 등 여러 교수님들께 감사 인사를 드립니다. 대회를 후원해준 EBS교육방송, 하나투어, 대교, 시사중국어학원 등의 성의도 고맙습니다.

중국의 용경협 만큼이나 한국에서 협회의 행사를 진심으로 지도하고 협력해주신 분이 있습니다. 남이섬 민웅기 회장님, 이계영 부회장님, 강우현 부회장님, 전명준 대표이사님의 정성을 기록하지 않을 수 없습니다. 특히 책임편집자가 낯선 한국에서 그저 의욕만으로 한중 우의를 위해 뛰어다니던 시절, 민회장님 등은 협회 발기인으로 참여해 주신 것으로 시작하여, 협회 활동 초기부터 책임편집자를 끊임없이 격려하며 오늘이 있도록 지원해주셨습니다. 지금도 협회의 중요한 행사에 참석하여 자리를 빛내 주시고, 때로는 한국을 방문한 중국 문화계 인사들을 남이섬으로 초청하거나 별도로 저녁 만찬을 베풀어주시는 등 열정과 성의를 다해 한중 우의를 다지고 계십니다. 도대체 어떤 인연이었을까, 전생에 무슨 인연이었을까? 용경협과 남이섬, 그리고 용경협의 주옌 회장님, 남이섬의 민웅기 회장님의 인연은 평생 간직할 것입니다.

한국과 중국 간에는 정치제도의 차이가 있어서, 한국 국회를 이해하기까지는 어느 정도의 시간이 필요했습니다. 하지만 한국 정치에서 국회가 차지하는 정치적 위상을 고려했을 때 한중 교류에서 이분들의 도움은 어찌 보면 필연적이라고 할 수 있습니다. 과분한 관심과 정치적 배려에 고개 숙입니다. 먼저 정세균 국회의장님께 감사 드립니다. 한중연아트센터 개원기념식에 직접 참석하여 축하해 주셨고, '차와 글 그리고 술' 행사에서는 한중 양국의 무형문화재 장인들을 격려해주신 은혜가 있으십니다. 협회는 한중 교류행사를 널리 알리기 위해서 대한민국 국회 의사당에서 자주 개최하곤 하였습니다. '한중연中韩缘 문화축제', '차와 글 그리고 술', '한중연포럼' 등 한중 문화교류의 기회를 늘 제공해 주시고 참석해주시고 축하해주시고 기념해주신 의원님들이 계십니다. 일체의 권위를 내려놓고서 중국대표단을 늘 따뜻하게 맞이해주신 설훈 국회 농림축산식품해양수산위원회 위원장님께 감사 드립니다. 중화연 중국어대회가 국회에서 개최 될 수 있도록 기회를 주시고 따뜻한 후원의 손길을 건네 주신 유성엽 교육문화체육관광위원회 위원장님도 기억하고자 합니다. 전 국회 외교통일위원장으로 활동하셨던 안홍준 의원께서는 여러 차례 중국 행사에 직접 참석하시면서 일관된 관심과 지원을 보내주셨습니다.

그리고 일일이 열거하기 어렵지만, 그럼에도 불구하고 감사의 인사를 기록해야 할 분들이 계십니다. 이미경, 강창일, 한화갑, 박진, 유재중, 최재천, 이원욱, 조승래, 박경미, 이만우, 김광진 등 전·현직 국회의원님들께 진심으로 감사 드립니다. 이분들은 서울 여의도, 때로는 서울광장과 서울중국문화원 등지에서 열린 한중 교류 행사에 참석하심은 물론, 베이징을 시작으로 중원으로는 하남성, 북쪽으로는 흑룡강성, 서쪽으로는 청해성, 감숙성, 둔황, 남쪽으로는 귀주성, 광동성까지 함께해 주셨습니다. 한국의 의회정치 현실을 생각할 때, 이분들께서 낯선 협회를 믿고 중국 대장정에 나선 것은 지금 생각해보면 쉬운 일은 아니었을 것입니다. 그럼에도 불구하고 한중 우의라는 대의를 위해 험한 길을 함께 동행해주신 이분들이야 말로 우리 시대의 한중연사에 길이 기록되기를 희망합니다. 대사관이 그러했고 행정부가 그러했듯이, 밤하늘의 뭇별들이 또한 계십니다. 국회의원들을 도와 한중 우의의 최일선에서 땀과 눈물로 헌신해주신 한국 국회의 국회의장실 이승천, 임무영 비서관님, 박수철 안전행정수석위원님, 심연미 정책실장님, 백황선, 김기봉, 장현명, 강현국, 진명구, 김시광, 윤대근, 박정우, 문상철, 박유수 등 보좌관님들의 노고가 없었다면 협회를 통한 한중 문화교류는 한참 동안 지체되고 말았을 것입니다.

한국에 건너와 살면서 맨 처음 문화적 충격을 받았던 일이 있습니다. 어느 날 TV 일기예보를 시청하는데 기상캐스터가 '전국적으로 맑음'이라고 하였습니다. 도대체 저것이 무슨 말일까? 중국에서 태어나고 자란 책임편집자의 입장에서 중국의 하루 일기가 그런 적이 단 한번도 없었기 때문입니다. 한국과 중국은 문화적 동질성 못지 않게 지리적 차이가 큰 편입니다. 나아가 정치제도와 정치문화의 차이 또한 상당합니다. 중국이 유럽과 비슷한 영토를 가지고 있다는 사실을 미처 알지 못하는 한국인들이 많다는 것을 알았을 때 역시 놀란 적이 있습니다. 중국 중앙정부와 한국 중앙정부 간의 협력은 당연히 중요합니다. 한국 지방정부와 중국 지방정부 간의 교류의 중요성은 백 번을 강조해도 부족할 것입니다. 협회는 늘 이 부분을 주목해 왔습니다. 그래서 앞에서 적은 대로 북쪽에서는 흑룡강성에서, 남쪽으로는 광동성까지 중국 대륙의 동서남북을 순례하며 한중 우의를 위해 쉴 틈도 없이 뛰어 왔습니다. 이것은 우리 시대의 또 다른 의미의 대장정이었다고 표현하고 싶습니다. 마찬가지로 한중 문화교류에 앞장서온 지방정부 여러 인사들 또한 한중 양국 문화의 동질성을 확인하고 서로의 장점을 받아 들여 새로운 문화로 승화시키면서, 비록 말은 달랐지만 마음을 함께 하며 따뜻한 우의의 정을 나누었습니다. 도대체 어떤 인연으로 우리는 만나게 되었고, 한중 우의라는 공통의 비전에 주목했을까? 중국과 한국의 여러 지방정부 관계자들의 열정과 노고에 깊은 감사를 드립니다.

2007년 중국 둔황주한대표부 책임을 맡으면서, 감숙성 둔황시와 교류를 시작하였습니다. 한반도에서 멀리 떨어진 사막의 땅 서역에서 한중 우의의 깃발을 들어 준 순위롱孙玉龙 둔황시 전 시장님의 노고를 결코 잊을 수 없습니다. 협회는 둔황과 함께 3년에 걸친 '한국어교육지원사업'으로 한국어 인재 100명을 육성하였으며, '둔황홍보단' 창단을 통해 둔황문화를 매개체로 한 한중 교류를 촉진해 왔으며, 둔황에서 '실크로드-한중연문화축제'를 개최할 수 있었습니다. 한국의 여러 방문단들을 한결 같은 따뜻함으로 맞이해준 쟈타이빈贾泰斌 둔황시 시장님과 시여유국, 시외사판공실 등 관계자 여러분께 감사합니다. 한국 학계와 문화계에 둔황의 역사적 가치와 의미를 알려주신 뤄화칭罗华庆 둔황연구원 부원장님, 뛰어난 한국어로 둔황을 설명해주신 리신李新소장님께 감사드립니다. 둔황을 비롯하여 한중 불교교류에 앞장서면서 협회의 한중 불교교류를 일관되게 이끌어 주신 한국 불교계의 큰 선지식인 대한불교조계종 범어사 금강암의 정만 스님께 감사 드립니다. 낙산사 정념 주지스님, 한국불교의 아름다움을 사진에 담아 중국에 전하신 진성 스님 또한 기록하지 않을 수 없습니다. 불편한 몸으로 둔황 순례길을 함께 해주시고 막고굴에서 무릎 꿇고 부처님께 절을 올리신 도후 스님의 뒷모습은 지금도 감동입니다. 최근 협회를 지원하며 한중 불교교류에 앞장서 주고 계시는 한국 불교계의 큰 어른인 중앙승가대학교 원행 총장스님은 진리의 바다이십니다.

동북3성과 한반도는 역사지리적으로 당연히 가까울 수밖에 없습니다. 그래서 협회와의 교류 또한 집중될 수 있었습니다. 한국 정치문화계 인사들에게 흑룡강성 외사교무판공실은 한국의 어느 지방정부에 와 있는 듯한 착각을 주었습니다. 늘 편안하고, 따뜻하고, 오래된 친구처럼 지극한 즐거움으로 협회와 함께 하였습니다. 강력한 지적 리더십으로 이끌어 주신 외사교무판공실 왕하이쥔王海军 주임님, 한국인들이 '불구하고'라는 별명을 줄 정도로 유머와 사랑이 넘치는 왕잉춘王英春 부주임님의 감사함을 잊지 못합니다. 한국사람들에게서 '당신은 어떻게 그렇게 중국어를 잘 하는냐'라는 웃지 못할 질문을 종종 받는 하얼빈 친구가 있습니다. 어쩌면 하얼빈보다 서울에 더 많은 친구가 있는 참으로 아름다운 인격을 가진 중국인입니다. 미소는 부드럽되 일 처리는 엄정한 한반도의 진정한 친구 양홍펑杨鸿鹏 부주임님, 일선에서 땀 흘리는 왕신궈王新国 부처장님, 수이즈보隋智博 님, 리우이팅刘毅婷 님 등과의 인연은 참으로 소중합니다. 흑룡강성 외사판공실 사람들과 인연은 어쩌면 다음 생에도 그 인연 그대로 지속되길 바랄 정도로 극적이고 아름답습니다. 이분들과의 아름다운 인연을 적기에는 지면과 균형의 한계가 몹시 아쉽게 느껴집니다. 어떤 표현과 수식어를 동원하더라도 이들과의 인연은 문자로 표현하기에는 부족할 것입니다. 중국의 대표적 싱크탱크로 협회의 학술교류에 도움을 주신 쉐바오루谢宝禄 흑룡강성 사회과학원 전 서기님, 주위朱宇 원장님, 왕아이리王爱丽 부원장님, 리우슈앙刘爽 부원장님, 한중연포럼을 통해 한중 교류의 방안을 모색하는 데 힘을 주신 동북아연구소 다즈깡笪志刚 소장님 감사 드립니다. 하얼빈시 사회과학원 바오하이춘鲍海春 전 원장님, 리웨이李玮 원장님, 정마오샤오郑懋晓 부원장님, 장징张晶 부원장님, 흑룡강대학교 뚜안광다段光达 원장님, '옥천玉泉' 술문화를 통해 흑룡강성의 좋은 이야기를 소개해주신 장리요우杨立友 이사장님, 라오추지아老厨家 정슈궈郑树国 대표님 등 많은 분들과 쌓아 온 오랜 우정을 소중히 여기며 앞으로도 행복한 동행을 기원합니다.

한중 수교 25주년기념-한중연음악회를 통해 서울에서 감동을 안겨준 취보曲波 하얼빈교향악단 단장님, 위쉐펑于学枫 수석지휘자님께 감사의 박수를 보내며, 하얼빈시와의 교류를 적극 지지해주신 하얼빈공연영상그룹유한공사 쉬허동徐鹤东 이사장님도 기억합니다.

동북3성에서 길림성과의 교류 협력 또한 중요하였습니다. 길림성 외사판공실 정강郑刚 부주임의 잘 생긴 얼굴이 늘 떠오릅니다. 특유의 한반도 사투리와 진취적 리더십 또한 인상적입니다. 최근 협회와 인연을 맺고 교류 협력을 강화하기로 뜻을 함께 한 요녕성 외사판공실 잉종위엔应中元 주임님께 감사

드립니다. 앞으로 한국과의 지리적 거리를 좁힐 만큼 문화교류 협력이 지속될 수 있기를 기대합니다.

중국의 서북부 청해성이야말로 중국의 미래요, 블루오션입니다. '2013 아름다운 청해-한중연문화축제'를 청해성과 함께 하였습니다. 양국간 교류를 이끌어 주신 청해성정치협상회의 차오핑曹萍 위원님, 성문화청 션홍싱申红兴 청장님, 청해성문화관 푸궈동付国栋 서기님, 두카이杜凯 관장님 등 청해성 관계자 분들을 잊을 수 없습니다. 청해성에서 청해성예술단과 공동공연을 통해 서로를 이해하고 한국문화예술을 빛내 준 천안시 충남국악관현악단 조주우 감독님, 전재철 악장님, 국가대표 태권도시범공연단 정재환 감독님과 시범단 여러분, 자신의 방송 일정까지 희생하고 그 먼 곳까지 와서 한국어의 품격을 살려준 KBS이성민 아나운서님, 청해성 국제박람회에서 한국 민화의 진수를 보여주신 서공임 (사)우리민화협회 대표이사님, 한지예술공예를 소개해 주신 군장대학교 아르텍스디자인연구소 전양배 교수님의 노고도 길이 기억될 것입니다.

한국에서 중국 정부의 문화홍보 사절로 일하면서 수많은 영예와 기쁨을 가질 수 있었습니다. 그 중에서도 귀주성과의 홍색 인연은 다채로운 여러 색깔의 이념보다도 더욱 소중합니다. 2014년 귀주성 관광문화홍보대사로 위촉되어 활동할 수 있었던 것은 잊을 수 없는 기쁨이었습니다. 대사로서 귀주성과 여러 행사를 함께 진행하였는데, 그것은 '한중연문화축제', '삼농포럼(귀양시)', '제2회 한중연포럼(준이시)', '차와 글 그리고 술(마오타이진, 메이탄현)', '한중연패션쇼-귀주행(구이안신구)', '귀주의 날(충남)', '충남의 날(귀주)’ 행사 등이었습니다. 자연히 감사의 인사와 그 강도는 특별할 수 밖에 없습니다. 귀주성인민정부 외사판공실 천리陈力 주임님, 귀주와의 인연을 맺어준 성여유협회 푸잉춘傅迎春 회장님, 성여유발전위원회 리산치李三旗 주임님, 귀주성여유투자그룹 쉬링余泠 이사장님, 성박람회사무국 장한린张汉林 국장님, 귀안신구관리위원회 마창칭马长青 서기님도 여기에 기록해 두고자 합니다. 수많은 행사현장에서 남모르게 땀 흘려준 준이시, 런화아시, 메이탄현, 마오타이진 각 부처의 관계자 분들께 진심으로 감사드립니다.

2015년 대한민국 국회에서 한중연포럼이 처음 열렸을 때, 마침 서울에는 첫 눈이 내렸습니다. 상서로운 눈이었습니다. 첫 눈의 순결함과 따뜻함으로, 한중 우의에 진심으로 앞장 서준 마오타이주 만큼이나 강렬한 인간적 향기를 선사한 준이시인민정부 왕주빈王祖彬 상무부시장님을 기억하는 한국인들은 너무도 많습니다. 특히 메이탄현과 마오타이진으로 이어진 여정과 ‘차와 글 그리고 술’ 행사는 협회와 중국이 함께해 온 여러 문화교류 행사 중 백미로 기록해야 합니다. 다채귀주에 펼쳐진 차향, 주향, 묵향은 일생의 인연이었습니다. 결코 어울릴 것 같지 않았던 차향기, 술향기, 문자향기, 먹향기의 조화는 한중의 현대이자 미래였습니다. 하얀 종이 위에 펼쳐진 점점의 먹들은 협회가 만들어 나가는 우리 시대의 인연으로, 먼 훗날 다음 시대를 사는 이들에게 참으로 아름다웠던 인연으로 길이 기억되기를 희망합니다.

귀주성과 충청남도는 테마도시 결연 관계를 맺었습니다. 책임편집자가 충남 명예도민으로서, 귀주성 관광문화홍보대사로서, 귀주성과 충청남도를 잇는 인연을 만들 수 있었던 일은 한중연사의 또 다른 기쁨 중 하나입니다. 10년 가까이 협회를 응원하며 일관된 성원을 아끼지 않고, 중국 역사와 문화에 대한 깊은 관심을 바탕으로 중국 대륙에 강렬한 인연을 만들어 낸 안희정 도지사님의 정성은 오래도록 기억할 것입니다. 시대와 역사에 대한 안 지사의 미래지향적 비전이 한중 우의에 커다란 가교 역할을 할 것임을 믿어 의심치 않습니다. 안 지사와 함께 협회를 지원해준 허승욱 정무부지사님, 윤종인 전 행정부지사님, 경제통상실 기업통상교류과 중화권 팀원들에게 감사 드립니다. 또한 한중연포럼 공주 개최에 전심을 기울여 준 공주시 유병덕 부시장님의 정성도 잊지 말아야 하겠습니다. 공주 행사에서 협회와 책임편집자는 잊을 수 없는 아름다운 시적 인연을 맺었습니다. 한국인들에게 '풀꽃 시인'으로 유명한 나태주 시인님과의 인연이 그것입니다. 나 시인님의 따뜻한 문화적 감수성과 보잘것없는 것들을 되살려내는 생명의 눈길이야말로 협회에는 두고두고 사랑으로 남을 것입니다.

강소성은 한국과 오랜 인연을 맺은 중국의 대표적인 지방정부입니다. 특히 강소성 외사교무판공실 왕화王华 주임님과의 오랜 인연은 늘 고마움으로 되살아 납니다. 진심 어린 교류업무를 추진해주신 뤼징吕静 처장님과 성외판 팀원들은 저에게 큰 감동을 주었습니다.

중국 지방도시 중 한국에 가장 유명한 도시가 양주시입니다. 양주시와는 '최치원 전시' 등을 비롯한 여러 문화 행사를 함께 할 수 있었고, 늘 회양淮扬 요리를 함께 할 수 있어서 좋았습니다. 한국에 대한 깊은 이해와 인연을 바탕으로 양국 간 문화 교류를 선도한 씨에정이谢正义 당서기님, 그리고 함께 도와준 외사판공실 딩장화丁章华, 덩칭邓清, 왕위친王玉琴 등 전·현직 주임·부주임 등의 사랑에 감사를 드립니다. 특히 교류 과정에서 일양약품 중국법인을 대표한 정일희 사장님을 만날 수 있었던 것 또한 인생의 인연이라 할 수 있습니다.

올해는 결코 잊어서는 안될 '난징대학살' 80주년입니다. 특별히 한중 인민이 결코 잊지 말아야 될 과거의 불행한 역사 중 하나가 바로 일본군 위안부 문제입니다. 중국 외교부의 협력과 강소성 정부의 도움으로 일본 위안부 문제의 세계적 권위자인 정진성 교수님을 비롯한 연구팀과 역사의 현장을 방문하고 연구기관들과의 교류 협력을 매개했던 일은 협회의 중요한 성과였습니다. 정 교수님 연구팀의 이정은 교수님, 박정애 교수님, 강성현 교수님의 학문적 열정을 기록해 둡니다.

협회는 중국 문화를 한국에 소개함과 동시에 한국 문화를 중국에 소개하는데 앞장서 왔습니다. 공연 예술도 중요하지만, 중국 5천 년 역사의 문화적 향기를 담은 차와 술, 그리고 서예 문화는 양국 간 문화적 품위와 정서적 공감대를 이끌어 낼 수 있는 최고의 테마입니다. 협회는 한국 국회에서 처음으로 '차와 글 그리고 술' 행사를 개최하였고, 이 행사는 중국 귀주성, 하남성 등지에서도 계속 진행되었습니다. 한국 서예계 대표인사들의 협력은 매우 중요하였습니다. 한국 서예를 대표하는 권창륜 선생님과 한국서예단체총협의회 윤점용, 김영기, 강대희 공동대표님, '자신을 사랑하되 스스로를 귀하게 여기지는 말라自爱不自贵'는 경구를 준 최은철 공동대표님, 실무적으로 모든 일을 맡아해준 이종선 간사님, 행사를 지원해 주신 김영삼 선생님, 문관효 선생님, 최재석 선생님, 허명화 교수님, 이동국 예술의전당 서예부장님께 감사 드립니다. 특히 귀주성 마오타이주 공장 현지에서 진행되었던 한중 서예대가들의 취필

전은 잊을 수 없는 우리 시대의 역사입니다.

죽림칠현의 역사적 무대인 하남성 운대산국립공원에서 열린 행사를 함께 해 주신 운대산국립공원 관계자들의 정성을 기억합니다. 한위에핑韩跃平 하남성 운대산국립공원 전 국장님, 서예에 조예가 깊으신 리지에李杰 전 부국장님, 왕옌빙王艳兵 과장님, 친쟈오웬秦娇艳 과장님들의 사람 향기는 지금도 기억에 생생합니다.

협회의 소개로 2010년 광동성 동관시 시민들에게 한국의 대표 창작오페라 '시집가는 날' 공연을 선보였습니다. 공연 예술의 교류를 추진해준 동관시 외사국 장샤오잉蒋小莺 전 국장님, 동관시 인민대외우호협회 시에위화谢玉华 회장님, 수칭화苏庆华 비서장님, 그리고 신문미디어그룹 황창지黄创基 총재님에 대한 고마움을 기억하고 싶습니다.

'한마음 한 뜻-한중 꿈나무교류행사'는 미래의 한중 우호관계를 책임질 청소년 간의 교류 행사입니다. 해마다 양국을 번갈아 가며 한국 청소년들과 중국 청소년들이 오가곤 합니다. 이 과정에서 도와 주신 많은 분들이 있었습니다. 광주에서 공자아카데미를 이끌면서 광주와 중국 지방정부와의 교류에 앞장서는 것은 물론 중국 청소년들을 위한 다양한 경험과 수련의 기회를 제공해주신 호남대학교 박상철 부총장님, 이향근 안양외고 교감선생님, 최병진 한영외고 선생님, 안재경 송곡여중 선생님, 노민경 수지고 선생님, 양정고 엄규백 이사장님, 김정수 교장선생님, 등명중, 영등포 다문화가족지원센터, 등촌4동 종합사회복지관, 노인복지센터 관계자 분들의 사랑을 기억합니다.

이렇듯 한국 중앙정부와 중국 지방정부, 중국 지방정부와 한국 지방정부 간의 인연과 결연, 그리고 우의는 지난 15년 동안 끊임 없이 이어졌고 해를 거듭할수록 돈독해졌습니다. 그 과정에서 오로지 한중 우의라는 비전을 향해 문화 교류를 중심으로 사람과 사람이 오가고 인연과 인연이 겹쳐졌습니다. 아름다운 시간들 소중하게 기억하며 한중 양국의 지방정부 관계자들에게 다시 한번 인사를 전하고 싶습니다. 아울러 협회는 그저 이분들의 뜻을 수행하는 노력만을 하였음을 강조하고 싶습니다. 이름조차 묻지 못했던 수많은 공직자와 관계자들에게도 고마움을 보냅니다. 이름조차 가물가물 기억나지 않는 수많은 협력자들이 여러 행사에 도움을 주었습니다. 이 분들의 아름답고 자랑스러운 관심과 열정에 감사의 인사를 전합니다.

한중연포럼은 매번 주제를 달리하면서 한중 양국의 저명한 학자 교수들이 한중 문화교류의 과거, 현재, 오늘에 대해서 토론하는 자리입니다. 지금까지 토론에 참여해준 중국의 여러 교수님들을 기억합니다. 더불어 한국에서 포럼을 조직하고 토론을 이끌어가는 데 도와주신 한국의 여러 교수님들의 고마움 또한 기록해야 하겠습니다. 김태일 영남대 교수님, 김준형 한동대 교수님, 박태균 서울대 교수님, 장덕진 서울대 교수님, 주재우 경희대 교수님 등 여러분들의 노고에 감사드립니다. 교수님들에 대한 감사의 인사 자리에 덧붙여 기록해 두어야 할 중요한 분들이 또 있습니다. 지금은 잠시 어려움에 처해 있지만 언젠가 다시 강건한 정신으로 되돌아와 한중 교육 분야에 대한 교류 협력에 앞장서주실 분을 기억하고자 합니다. 이화여대 최경희 전 총장님은 인간적으로는 책임편집자의 언니였고 협회 운영 측면에서는 선생님이었고 한중 교육 교류 측면에서는 열정적인 선구자였습니다. 최 총장님에 의해 추진되던 한중간 교육 교류가 잠시 중단되었지만 빠른 시일 내에 복원되어 더 가열찬 협력으로 나갈 수 있기를 기대합니다. 특별히 총장님의 건강을 위해 기도하고 있다는 인사를 남겨야 하겠습니다.

책임편집자는 현재 한국에서 재한여성화인화교연합회 회장직을 맡고 있기도 합니다. 한국에 거주하는 화교들과 중국어로 대화하고 중국 음식을 함께 나누고 중국을 그리워하는 일은 저에게는 일상입니다. 한 가족처럼 친자매처럼 웃고 울고 서로를 의지하며 힘이 되어 준 리우징휘刘敬辉, 진인슈金银淑, 청완칭程婉青, 리저잉李哲英, 왕샤王霞, 순루이차오孙睿超, 리우위쟈오刘玉娇 등 사랑하는 자매들에게 감사드립니다. 피아오용난朴永男 교수님, 위청더俞承德 대표님, 리샤오용李晓涌 대표님께서 연합회에 보내주신 성원도 잊지 못할 것입니다. 중국 지방정부가 보내주신 사랑 또한 잊지 못할 것입니다. 상해시 교무판공실 쉬리徐力 주임님, 조우팡邹芳 처장님, 강서성 교무판공실 자오휘이赵慧 주임님, 산동성 교무판공실 장시종孙西忠 부주임님, 산동성 해외교류협회 왕위량王余良 부장님의 따뜻한 사랑과 성원에 감사 드립니다. 감숙성 지스샨현과 협회의 가교역할을 해주신 리용칭李永清 부현장님의 노고에도 감사를 드립니다. 특히 중국재한교민사회를 이끌어 오신 한청하오韩成昊 회장님, 탄샤오롱谭绍荣 회장님께 경의를 표하며, 교민사회를 위해 힘쓰고 계시는 리창줘李长作 회장님, 왕하이쥔王海军 회장님, 차오밍췐曹明权 회장님께도 감사의 마음을 전합니다.

한편 한국은 이미 중국 기업들의 중요한 활동 무대입니다. 베이징의 대표적인 식당 화자위엔이 한국에도 자리하고 있습니다. 중국 음식의 세계화에 앞장서고 있는 화레이花雷 회장님의 진취적 비즈니스 덕분입니다. 화레이 회장님은 한중 양국 청소년 교류 협력에도 적극 지원하고 있기에, 한국의 여러 인사들과 민간 교류 협력 또한 진행 중입니다. 계속 진행되기를 희망합니다. 특별히 협회를 응원해주고 있는 중국은행 서울지점 황더黄德 지점장님, 건설은행 서울지점 치엔민全民 지점장님, 왕위지에王玉洁 부지점장님, 동양생명보험 뤄젠룽罗健榕 대표님, 동방항공 한국지사 청티엔화程天华 사장님, 리웨이동李卫东 부사장님, 한국중국상회 위하이옌俞海燕 상무부회장님, 중국 오광그룹 한국지사 쟝린궈姜林国 대표님, 중외운中外运 한국지사 두안젠좡段健壮 전 대표님 등 중국투자기업 기업가분들의 지속적인 관심에 화교의 대표이자 협회의 대표로서 깊은 감사를 드립니다.

베이징이 자랑하는 세계적인 공연장 국가대극원에서 한중문화 교류를 진행할 수 있었던 것은 일생의 행복이었습니다. 2008년에는 베이징올림픽 축하를 위한 한국 국립국악원의 공연이, 2015년에는 '평화의 소리-한중연음악회'가 국가대극원 공연장에서 개최되었습니다. 역시나 많은 분들이 도움을 주셨습니다. 공연을 총괄하는 천핑陈平 원장님, 양징마오杨静茂 부원장님, 리즈샹李志祥 부원장님, 중국음악학원 평생교육원 자오원赵文 원장님께 감사드립니다. 한중 뮤지컬 교류를 위해 헌신하시고 오랜 세월 협회를 지지해주신 '한국뮤지컬의 대부' 박명성 신시컴퍼니 대표님께 경의와 감사를 보냅니다. 중국인민대외우호협회 리샤오린李小林 회장님, 리시쿠이李希奎 비서장님의 도움도 컸습니다. 2008년 베이징올림픽 슬로건을 쓰신 중국 최고의 서예가 두번지都本基 선생님께서는 한국 국회를 방문하시어 직접 휘호를 남기셨습니다. 일필휘지의 서법은 한국의 서예가들은 물론 한국의 국회의원들에게 강한 예술적 상상력을 남겼습니다. 협회를 위해 직접 써주신 작품들은 지금도 소중히 간직하고 있습니다. 중국 무형문화재 진흙공예장인인 루통逯彤 선생님의 손에서 빚어진 진흙인물상들도 중국 예술의 정수를 담았습니다. 한중 우의의 현장에서 역사를 기록하고 협회의 활동상을 빛의 예술로 승화시켜준 박병혁 작가님, 이도영 작가님은 늘 협회와 현장에서 함께 하였습니다. 이분들의 사진예술이 없었다면 협회의 역사는 상당 부분 소실되고 말았을 것입니다.

특별히 기록해야 될 예술가가 있습니다. 바로 중국을 대표하는 세계적 지휘자인 리신차오李心草 선생입니다. 선생께서는 세계 각국의 초청공연으로 여유를 갖기 어려움에도 불구하고 '한마음 한 뜻' 홍보대사를 맡아 한중 청소년들에게 자신의 음악적 영감과 아름다움을 나눠주셨습니다. 깊이 감사드립니다. 성악 교수들로 결성된 한국 남성합창단 '이 마에스트리'는 여러 차례 중국공연을 통해 한국의 아름다운 목소리를 널리 알렸습니다. 합창단을 이끌고 계시는 양재무 감독님께 감사 드립니다. 더불어 '이 마에스트리'의 홍보대사인 중앙대 이명천 교수님은 협회와 책임편집자를 위해서라면 마른자리 젖은 자리를 마다하지 않고 함께 해주십니다. 그 정성 덕분에 협회의 오늘이 있습니다. 또한 공연을 함께해준 70분의 합창단 여러분들께도 일일이 감사의 인사를 전하고 싶습니다. 중국 국가대극원에서 들려준 '황하대합장'은 지금도 귓전에 생생합니다. 여러 차례 중국공연을 함께해준 한국예술종합학교 이거희 국장님, '난타'의 송승환 대표님, '비밥'의 최철기 대표님이야 말로 한류의 상징입니다. 국악을 세계에 전하기 위해 노고를 아끼지 않으신 김정학 국악방송 전 제작부장님도 기억합니다. 최근 협회를 도와 음악 행사를 함께하는 제갈현 제이케이앤컴퍼니 대표님께도 감사의 인사를 잊지 않고자 합니다.

책임편집자만 한중 우의를 위한 민간 교류에 앞장 선 것은 아닙니다. 한국을 대표하는 대중국 우호단체가 여럿 있습니다. 협회보다 더 오랜 역사를 가진 이들의 경험은 협회의 나아갈 길을 밝히는 등대입니다. 때로는 배우고 때로는 반성하면서 협회의 방향과 위상을 정립할 수 있었기 때문입니다. 때로는 이들의 조언이 많은 도움이 되기도 하였습니다. (사)한중문화협회 이종걸 회장님, (사)한중우호협회 박삼구 회장님, (사)한중친선협회 이세기 회장님, 21세기 한중교류협회 김한규 회장님, (사)한중경제협회 구천서 회장님, (사)한중교류협회 김용덕 회장님의 노고에 감사 드립니다. 특별히 민간단체의 선배이자 삶의 선배로서 따뜻하게 협회의 활동을 지켜봐 주시고 어려울 때 경험을 나눠 주신 (사)한중우호협회 이원태 부회장님께는 별도의 인사를 기록해 두어야만 합니다.

한중문화우호협회 활동을 통해 한중문화 교류를 진행하면서 양국 언론에게서 받은 과분한 사랑과 홍보는 협회의 탄탄한 밑거름이 되었습니다. 언론인들의 이해와 홍보가 한중 우의를 더욱 강력하게 접합시켰고 때로는 용기가 되었습니다. 동영상으로, 사진으로, 그리고 말과 글로 전해주신 이분들의 정성과 노고는 그대로 한중 수교 25년의 역사가 되었습니다. 우리 시대의 사관들이라고 할 수 있습니다. CCTV 서울지국 루싱하이卢星海 지국장님, 신화통신사 지신롱姬新龙, 강이에江冶, 경쉐펑耿学鹏 전·현직 지국장님, 인민일보사 마페이马菲 기자님, 인민망 한국지사 조위보周玉波 대표님 등의 확고한 국가관과 교류 협력에 대한 일관된 지지는 길이 기억될 것입니다. 중국 언론의 도움 만큼이나 한국 언론의 도움도 중요하였습니다. 특히 한국어가 익숙히 않기에 커뮤니케이션의 어려움이 분명 있었을 것임에도 불구하고 한국 언론들은 일관되게 지지하고 보도해주었습니다. 특히 경향신문 김봉선 전무님, 중앙일보 차이나랩 한우덕 대표님, 중앙일보 정재숙 기자님, 동아일보 구자룡 부장님, 연합뉴스 전인경 팀장님, 둔황을 함께 다녀 온 BBS불교방송 홍진호 기자님 등이 그 대표적인 분들입니다.

방송에서는 최고의 중국통이라고 알려진 KBS특별기획 다큐멘터리 '슈퍼차이나'를 제작한 박진범 피디님의 도움을 잊을 수 없습니다. 방송 이후에도 박 피디는 끊임없이 협회에 관심을 기울이며 한중 우의의 중요성을 알리는 데 앞장서고 있습니다. 감사를 드립니다.

방송과 협회가 주관하는 각종 공연을 통한 인연으로 한국의 저명한 방송인들을 알게 된 것은 또 하나의 영광입니다. 오유경, 김태규, 윤인구 KBS아나운서님들과의 인연 또한 협회에게는 지극히 고마운 것입니다.

한국에는 수많은 스승이 계십니다. 협회 창설부터 오늘까지 함께 해주신 이분들의 고마움을 잊는다면 인간적 도리가 아닐 것입니다. 협회와 책임편집자가 일을 잘 할 때나 실수할 때나 여러 스승과 고문들은 함께 해주었고, 지금도 이분들의 지도는 커다란 힘이 되고 있기 때문입니다. 중국 최고지도자들이 제주를 찾을 때마다 반드시 방문해야 하는 필수 코스가 된 제주 '생각하는 정원'의 성범영 원장님은 한국판 우공이산의 주인공이십니다. '생각하는 정원' 성주엽 실장님 또한 대를 이어 협회의 든든한 지원자로 계십니다.

협회의 영원한 우군이신 김휘강 자문위원님, 중국차 전문가이자 사실상 중국 전문가로 협회에게 한국 내 여러 네트워크를 연결시켜 주고 책임편집자가 힘들 때마다 인간적 위로를 함께 나누고 있는 박종영 이사님께 고개 숙여 감사를 드립니다. 한국을 대표하는 쥬얼리 디자이너 양경남 이사님의 협력과 지원 또한 결코 잊을 수 없습니다.

나눔의 삶, 베풂의 정신이 무엇인지 알려주신 분들이 있습니다. 한중 교류에서, 협회가 걸어온 길에서, 이분들의 베풂이 묻어 나기 때문입니다. 여수 봉소당鳳巢堂 주인이신 김재호 한영대 이사장님, 친언니처럼 사랑을 주신 배선경 워커힐 전 사장님과 김기섭 전 부총지배인님, 어려움을 함께 해주신 이진민 아이소이(isoi) 대표이사님, 롯데호텔 송용덕 부회장님, 임성복 상무님, 겸손함과 인자함을 겸비하신 박수관 (주)영창신기술 회장님, 김정숙 한복 나래솔 대표님, 변하지 않는 믿음과 신뢰로 협회를 응원해주신 여필동 회장님, 협회를 위해 언제나 따뜻한 자리를 내어주신 김영석 늘마중 대표님과 이기호 상원당尙原堂 대표님 등 모든 분들께 평생 기억해야 할 은혜를 입었습니다.

협회와 책임편집자의 정신적 지주인 정진승 대표님, 15년 동안이나 협회와 함께 해주신 김영익 이사님, 한국 법에 어두운 책임편집자를 도와 협회 설립 작업을 도와주신 나종근 한국농어촌복지연구회 회장님, 정보기 님, 정원표

전 홍익대 교수님, 협회와 용경협 프로젝트를 함께 진행해준 김양중 실장님, 따뜻한 보살핌을 주신 김진숙 원장님, 중국바이주문화교류 전문가이신 숭실사이버대학교 정무성 총장님, 도움이 필요할 때 항상 옆에 계셔준 강석주 전 구의원님, 김수자 교수님, 협회 일이라면 어려운 상황에서도 자신의 일처럼 협조해준 TSG 박정호 팀장님 및 팀원들, 중국무술공연과 전통악기연주로 협회에 재능기부를 해준 량동梁栋, 수오쿤所坤, 협회 일에 가장 솔선수범한 장티엔티엔张天天, 장이통张怡桐, 진허金荷, 리우이단刘一丹, 리우커신刘可欣 등 자원봉사자 친구들 여러분의 정성과 격려가 없었다면 오늘의 한중연사는 훨씬 가벼울 수 밖에 없었을 것입니다. 또한 이 자리를 빌어 한국의 친정 부모님이 되어주신 조창수 전 동화약품 대표이사님, 이재숙 어머님에 대한 각별한 감사도 기록하고 싶습니다. 강한 카리스마로 협회와 책임편집자에 대한 지도와 충고를 아끼지 않으셨습니다. 만약 두 분의 격려와 질책이 없었더라면 협회의 오늘은 없었을지도 모를 일입니다.

마땅히 감사를 드려야 하지만, 여러 일과 연관지어서 기록하지 못하는 분도 있습니다. 별도로 고마움과 정성을 기록해야 합니다. 한중문화센터 노재헌 원장님을 기억합니다. 많은 사람들이 알고 있는 것처럼, 노재헌 원장님은 25년 전 한중 수교를 이끌어 내고 중공을 중국으로 한국에서 자리하게 한 노태우 전 대통령의 자제입니다. 노 원장님은 노 전 대통령의 큰 뜻을 이어받아 컨텐츠 교류를 중심으로 중국의 독립영화를 한국에 소개하는 전용극장을 운영하는 등 눈에 보이지 않는 곳에서 자신의 열정을 한중 우의에 담고 있습니다. 늘 협회와 함께했기에 앞으로도 보다 적극적으로 함께 일할 기회를 만들어 나가고자 합니다.

한중 수교 25주년을 맞이하여 한중 간의 인연을 되새기고 다가올 25년을 정리해보겠다는 생각을 문득 한 적이 있습니다. 돌이켜 보니 그 생각이 얼마나 큰 오만이었는지 이제야 깨닫습니다. 그것은 이 책에 옥고를 내준 저자들의 도움이 절대적이었기 때문입니다. 그래서 기획부터 출판까지 인연을 핑계로 또 다시 허리가 휠 정도의 부채를 등에 지고 말았습니다. 종이를 발명한 것도 중국이고 역사적으로 활자 문화를 이끌어갔던 선조들도 중국인이었습니다. 자랑스러운 중국사람으로 한국에서 오늘을 살아가면서 '한중연사'를 종이에 활자로 심어 책으로 펴낸 일은 한 개인의 영예를 넘어 한편의 드라마가 되었습니다. 다시 한번 출판의 전 과정에 땀과 정성을 모아준 분들께 감사드립니다. 특히 출판 작업을 실무적으로 총괄해준 63년 역사와 전통을 자랑하는 한국의 명문 출판사 부민문화사 정민영 대표님의 인내와 열정에 감사를 드립니다. 어느 누군들 변덕이 없겠습니까만은 책의 가치와 의미 때문에 기획, 성격, 일정 등은 끊임없이 변경되곤 하였습니다. 한없는 인내심으로 정대표님은 견뎌내 주었습니다. 이로써 부민문화사와 정대표님 또한 협회 역사의 또 다른 한 장을 열었습니다. 여러 상징적 의미를 담아 표지 등을 디자인해준 에이치썸(hsum)의 송미희 실장님과 이강훈 과장님의 노고 또한 정 대표님의 노고에 버금갈 것입니다.

책임편집자와 함께 협회의 역사를 함께 해온 수많은 인연이 있습니다. 그 중에서도 연가군缘家军의 기치 아래, 한중 우의라는 대의를 쫓아 동고동락해

온 소중한 사람들을 결코 잊을 수 없습니다. 길고 긴 한중 관계의 역사에 비하면 지극히 짧은 순간이겠지만 한중 문화교류를 위해 맨발로 뛰어온 지난 15년 역사를 회상하면 수많은 감정들이 교차하곤 합니다. 공적 영역이지만, 협회 내부로 눈을 돌리면 여러 가지 사적 감정과 인연들이 수없이 교차하였고, 그 하루하루가 모여 오늘이 되었습니다. 함께 일했던 인연들, 지금은 새로운 인연을 좇아 새로운 분야에서 새로운 영역을 개척하고 있는 오랜 인연들, 모두다 아름다운 추억이었고 행복이었습니다. 지금도 그리운 인연이자 아름다운 동행입니다. 이 마음을 이기지 못하여 어쩔 수 없이 함께 한중연사를 이끌어온 여러 협회 사람들 한 사람 한 사람의 이름을 호명하고자 합니다. 혹시라도 협회에 대한 미련이나 책임편집자에 대한 아쉬움이 남아 있다면 모두 책임편집자가 가진 부덕의 소치이기에 관대히 용서해주길 소망합니다. 그리고 함께 일하고 있는 아름다운 인연들이 이번 출간을 바탕으로 지난 15년을 회고와 동시에 정리하면서, 다음 15년을 향해 도약하는 결정적 계기가 되기를 강력히 희망해 봅니다.

협회 설립을 이끈 사람은 딱 세 명이었습니다. 책임편집자, 양금열 사무국장, 그리고 정진홍 전무님입니다. 지금은 협회를 떠났지만 정 전무님는 협회 설립의 산파였습니다. 아니 어머니였습니다. 비좁은 사무실에서 우리 세 사람은 함께 밥을 지어먹고, 함께 기쁨과 슬픔을 나누었던 동지이자 가족이었습니다. 협회가 앞으로도 계속 자리할수록 정 전무님에 대한 고마움은 더욱 커질 것입니다. 양 국장은 어떤 단어나 문장으로 형언하기에도 턱 없이 부족할 정도로, 헌신성, 겸손함, 유연성, 인내성, 책임성 등 책임편집자에게 부족한 모든 덕목을 두루 갖춘 최고의 동반자입니다. 만약 양 국장이 없었다면 어떻게 되었을까요? 양 국장 없는 협회는 있을 수 없습니다. 이것은 책임편집자인 저의 분명한 선언입니다.

화연중국문화원을 함께 한 첸란全兰 선생님, 미국에 정착한 협회의 천재 박철수, 키다리 미남 김인성, 듬직한 믿음 전준우, 꾀꼬리 사회자 김아름, 문서의 달인 황윤정 팀장, 협회에서 사랑의 인연을 맺은 김범순 세무사님, 김명일 이사, 양반 중 양반 방승민 부장님, 둔황 선생님 김진훈, 협회 디자이너 남예림, 강원도 출신 백과사전 김미라 팀장, 세련된 여성 조주연 팀장, 기획의 달인 김원준 이사님, 호탕한 성격의 여장부 펑칭민彭庆敏 팀장, 꼼꼼한 또순이 이정희 팀장, 작은 거인 서유희 팀장, 의전의 대명사 최용호 실장, 마라룽샤麻辣龙虾를 가장 좋아한 이지영 팀장, 협회의 무형문화재 정은아 실장, 큰 덩치 속에 숨겨진 협회의 작은 귀염둥이 서재원 대리, 칼 같은 일 처리의 달인 강형빈 팀장, 센스가 뛰어난 기현纪璇 팀장, 사랑스런 맞춤형 인재 리우팅刘婷 비서, 짧은 시간이었지만 능력이 탁월했던 이민정, 이민영 자매, 현장형 인재 김예진, 긍정마인드의 강자 김창준 이사님, 하얼빈 아가씨 구신谷鑫 등 협회와 함께 해온 소중한 인연들입니다. 진심으로 머리를 숙여 감사를 드립니다. 책임편집자와 함께 한국에서 중식번영을 위해 노력하고 있는 딩티엔빙丁天冰, 박일환, 김매화, 왕전차이王枕财, 차형빈, 션야오沈垚, 간홍보甘红波, 왕팡청汪方成, 위펑于鹏, 리우용챵刘永强, 스빈史斌, 한멍저韩梦哲, 김호범 등 여러분과의 인연은 저에게 큰 행운입니다.

한국에서 함께 한 인연 못지 않게 중국 현지에서 지사를 이끌고 있는 중국 최고의 한국통 인재들에 대한 고마움 또한 적어야 합니다. 외교관의 품격과 능력을 겸비하고 그 동안의 경험을 오로지 협회를 위해 나눠주고 계시는 왕다웨이王大为 고문님, 협회 중국 상회 왕치푸王启富 회장님, 협회의 조자룡 지웨이纪伟 부장, 협회의 주춧돌 왕쉬王絮 과장, 미소가 아름다운 리판李凡, 하늘에서 협회를 응원하고 있을 한창쉬韩长旭, 작은 땅콩 마원징马文静, 협회에서 처음 득녀한 장쥔张隽 과장, 여자판 예쁜 방통 홍신洪欣 과장, 시원한 성격의 소유자 무무穆沐 대리, 요조숙녀 웨이웨이魏薇 대리, 침묵조차 남자다운 관췬冠群, 생활력 강한 도우링윈豆令云, 겸손의 대가 리우리刘莉, 협회의 살림꾼 가오만高蔓, 무한 한국사랑 자오천赵辰 비서들은 어려운 업무 환경 속에서도 오로지 협회를 위해 일해주었습니다. 깊이 감사 드립니다. 이분들이야 말로 한중연사의 현대판 열전列傳에 해당할 것입니다. 그리고 오로지 협회를 위해 헌신하느라 가족들에게 최선을 다하지 못한 협회 직원들을 참아주고 성원해준 협회 직원 가족들에 대한 감사의 인사도 진심으로 전하고 싶습니다. 고맙습니다.

발간사에 적었듯이, 책임편집자는 '중국 엄마의 딸이자 한국 딸의 엄마'입니다. 도대체 어떤 인연이었을까? 어떻게 해서 한국으로 건너오게 되었을까? 어떻게 한국에서 살아갈 용기를 냈을까? 어떻게 한국에서 한중 문화교류를 위한 협회를 만들고 교류 협력에 매진했을까? 하늘에 뜻이었을까, 아니면 인연이었을까? 그것도 아니라면 하늘이 맺어준 여러 인연들 때문이었을까? 이 자리에서 책임편집자와 관련된 지극히 사적인 관계를 적어 기록하려니 매우 조심스럽습니다. 그럼에도 불구하고 협회의 15년 역사가 있기까지 가장 가까이에서 희생하고 헌신해준 가족들을 특별히 적고 싶습니다. 먼저 한국과의 인연을 시작하고 계속될 수 있도록 묵묵히 지원하고 성원해주는 남편에게 감사 드립니다. 매일 아침 직접 만들어주는 모닝커

피는 책임편집자가 한국에 살아가면서 한중 문화교류에 앞장설 수 있었던 가장 따뜻하고 향기로운 정성이었습니다.

“딸 영서야, 미안하다. 엄마 노릇 제대로 하지 못해 미안하다. 엄마보다도 더 튼튼하고 더 아름답고 더 지혜롭고 더 맑고 밝게 자라줘서 고맙다. 그리고 또 고맙다. 엄마가 하는 일을 이해하고 모든 것을 참아주었고 엄마의 일을 도와주기까지 했지. 영서야, 고맙다. 그리고 미안하다. 영서, 너는 엄마의 자부심이자 가장 자랑스러운 딸이라는 걸 잊지 말아다오.”

한국으로 훌쩍 떠나버린 무책임한 언니를 대신해 부모님을 모시고 두 사람 몫의 효도를 다하고 있는 사랑스런 동생 그리고 매제와 조카에게 어떤 식으로 감사의 말을 적어야 할지 모르겠습니다. 오히려 말이 아니라 마음으로 전하고 싶습니다. 지금 이 순간 가슴과 눈에 가득 찬 강렬한 느낌이야말로 동생에 대한 영원히 잊지 못할 고마움입니다.

아버지, 어머니 오랜만에 부모님을 불러봅니다. 아버지, 어머니께서 이 책을 받아 보실 때 어떤 느낌이실지 상상합니다. 그 상상만으로 한편으로는 눈물이, 한편으로는 고마움이 앞을 가립니다. 어느 날 훌쩍 한국으로 떠나갈 때 아버지께서는 이런 말씀을 하셨지요. “항상 독립적으로 살아라. 당당하게.” 저는 지금도 그 말씀을 지침으로 삼습니다. 그리고 아버지께서는 늘 가훈을 말씀하셨지요. “宜勤勿懒, 宜急勿缓, 迟之一日, 悔之已晚 늘 근면하라, 오늘의 일을 내일로 미루지 말라, 결코 후회할 일 하지 말라” 가훈은 제 삶의 영원한 기준입니다. 어머니, 뭐라고 감사의 인사를 적어야 할까요. 전화드릴 때마다 딸의 건강만을 걱정하는 어머님의 은혜 정말 고맙습니다. 저는 딸에게 제대로 하지도 못하는데, 어머니는 어떻게 딸에게 평생토록 사랑을 나눠주고 계신가요? 두 분께 평생 갚을 수 없는 은혜, 그리고 두 분과의 부모와 딸로 맺어진 억겁의 인연, 참으로 고맙고 감사합니다. 잘 살겠습니다.

지극히 사적인 글이 길어지고 말았습니다. 때문에 자칫 공적인 감사가 가려질까 봐 두렵기도 합니다. 하지만 마지막 한 줄을 더하고자 합니다. '어쩌면 중국을 떠나 한국에서 살아갈 수 밖에 없는 운명과 회한이 교차하기 때문일지 모른다.'

이 책은 한중 수교 25주년을 기념하기 위해서 출간된 것입니다. 더하여 한중문화우호협회 설립 15년을 기념하면서, 잠시 결산하려는 의미도 담았습니다. 올해 2017년은 아버님의 팔순 생신을 맞는 해이며, 출간일인 12월 19일은 어머님의 일흔일곱 번째 생신일이기도 합니다. 이 책이 평생 불효만 한 딸의 작은 보은의 정성이자 두 분의 생신을 축원하는 지극한 선물이 되기를 간절히 기원합니다.

한중 수교 25주년,
한중문화우호협회 설립 15주년,
2017년 12월 19일에
서울에서 취환 삼가 쓰다.

한중 수교 25주년 『한중연사』

한중의 인연, 역사로 만나다

책임편집 (사)한중문화우호협회 회장 취환
편집위원 최용철, 장일규, 정재서, 왕다웨이
기획 양금열, 정은아, 지웨이, 홍신, 왕쉬, 웨이웨이
주소 서울특별시 영등포구 당산로41길 11 SK V1 Center E1012호
전화 02-335-1288
팩스 02-332-8060

인쇄일 2017년 12월 10일
발행일 2017년 12월 20일
발행인 정민영
발행 부민문화사
주소 서울시 용산구 청파로73길 89
등록 1955년 1월 12일 제 1955-000001호
전화 02-714-0521
팩스 02-715-0521

ISBN 978-89-385-0286-5 94910